Heath's Modern Language Series

LE
PÈRE GORIOT

PAR
H. DE BALZAC

EDITED WITH INTRODUCTION AND NOTES

BY

R. L. SANDERSON

ASSISTANT PROFESSOR OF FRENCH IN YALE UNIVERSITY

——————•◦•——————

D. C. HEATH & CO., PUBLISHERS
BOSTON NEW YORK CHICAGO

COPYRIGHT, 1907,

By D. C. HEATH & Co.

2 E 1

INTRODUCTION

HONORÉ DE BALZAC, or simply Balzac, was born in Tours, May 20, 1799. From the age of nine to that of fifteen he attended school at the Collège Vendôme, completed his studies in Paris, and began the study of law in 1816. His parents, wishing him to know the practical as well as the theoretical side of legal science, placed him first with an attorney and then with a notary, in all for a period of three years. However, the young man had literary ambition, and in 1819, conceived the idea of writing a drama, *Cromwell*. After applying himself for fifteen months to the composition of this play, he read it one evening to his family and some friends gathered for the occasion. One of them, a professor at the Collège de France, declared that the author ought "to do anything whatsoever, except write." This judgment, correct as far as the writing of plays is concerned, was, as we all know, wide of the mark. Balzac turned then to the novel, his first attempt being *L'Héritière de Birague* (1822).

From now on began for Balzac that feverish and irregular life which henceforth was to be his. Seldom has a human existence been consumed in such painful and frenzied labor. For thirty years he kept up the desperate struggle against debt, and never once relied upon any one but himself. This will explain why the money question is such an important one in the life of the great novelist.

In spite of his indefatigable toil and courage, Balzac came very near going under. This was in 1825 when, not having realised as much as he had expected from his first books

iii

(*L'Héritière de Birague*, *Clotilde de Lusignan*, *Argow le Pirate*, *Jane la Pâle*), he resolved to make money quickly and became bookseller, printer, and type-founder. After three years of trials and disappointments, the enterprise ended disastrously for Balzac, who found himself owing some hundred thousand francs and without a penny to pay them. Undaunted he again took up his pen, to lay it down only at his death. In 1838 he had paid up this enormous sum, but at the expense of fresh debts. It was not until the last year of his life that relief came to him in the person of Countess Hanska, a Polish lady of high rank and great wealth, who apparently became his admirer, after reading some of his books, although she had not yet seen him. They were married; but Balzac lived only a few months to enjoy the fortune for which he had striven in vain so long and so hard.

No further reason is needed to account for Balzac's eagerness in matters of money. It was because he himself had to battle with creditors that he could describe so dramatically César Birotteau's failure (*César Birotteau*) and David Séchard's anguish (*Illusions Perdues*), since he also, like his hero, had carried on the printer's trade. It is this kind of experience which hitherto had been lacking in novels, and which give to Balzac's work that stamp of realism which characterizes it.

Leaving out his maiden attempts previous to 1829, from this date, up to the time of his death in 1850, all the novels he wrote form part of *La Comédie Humaine* — a better title could not have been devised, for each book is as a leaf from a larger book — which includes several groups: *Scènes de la vie privée* (to which belongs *Le Père Goriot*); *Scènes de la vie de province; Scènes de la vie parisienne; Scènes de la vie politique; Scènes de la vie militaire; Scènes de la vie de campagne.* Other novels of the same series are grouped under the titles of *Études philosophiques* and *Études Analytiques*. It should be stated that a considerable number of works which Balzac had in mind, and to which he had already given titles, he never found time to write.

Apart from the interest of the plot itself and the originality of the characters, there is also in *La Comédie Humaine* a geographical and historical interest. The whole of France, a picturesque and animated France, passes before the reader's eyes. Several of Balzac's descriptions of provincial towns, with their manners and customs, are celebrated. Description with him meant something other than mere romantic description: it should explain the causes which brought about certain results, and which helped in shaping human creatures and places, in the course of time. As to the purely historical value of his novels, it is to be found in several: in *Les Chouans*, for instance, or *Une ténébreuse affaire*, in which breathes the spirit of the Revolution; or in *Cousine Bette*, where we have the first years of the Restoration.

No man can entirely escape from the influence of his age. Accordingly we must not be surprised to find in Balzac some of the worst characteristics of a romanticist: exaggeration, declamatory sensibility, pretentious psychology. But romanticism never had any real hold upon him. The one thing which interested him was the presentation of life, not of beauty. The heroic brigand, like Hernani, or would-be interesting courtesan whom love has purified, like Marguerite Gautier, found no place in his work. What he sought was truth, every-day truth, which before him had always been neglected by novelists and playwrights, because it was considered vulgar. Balzac's originality consists in having been the first to understand that the presentation of what constitutes the daily happenings of human existence is the first condition of a form of literature whose principal object is a faithful imitation of life.

The importance of the money question in his work has already been touched upon. The struggle for life, not so strenuous then as it is now, was nevertheless growing keener every day, and the greed for money which, to be sure, had not yet assumed the enormous proportions it has since, especially in America, was increasing with the desire to satisfy all appetites. It was Balzac who was the first to tell us how money is made: by work and thrift; by speculation on land; by shameless usury; by a rich marriage, and in other ways. He entered into the details of the workings of financial and industrial enterprises; vulgar details, if you please, but which are life itself. He described the clothing his characters wore and the furniture in their rooms; and although tedious at times, these descriptions are an essential part of the novel; for, if the reader is to be interested in the characters presented to him by the novelist, he must see them in their familiar surroundings.

In short it is Balzac who assigned to the novel its proper function: a representation of every-day life such as it is, or at all events such as the writer sees it, or believes he sees it. Necessarily Balzac's novels became social or sociological studies, since they were representations of life. *Le Père Goriot*, for instance, might be called a study or analysis of family conditions in France, or more correctly in Paris, during the first half of the nineteenth century. And, if we put aside the philosophical dissertations to be found in some of his novels, the fact remains that *La Comédie Humaine* contains "a complete society with its genealogy and families, its nobles, bourgeois, artisans and peasants, politicians and dandies," as Balzac truly said of it.

And now we come to the reproach of immorality which was not spared the master novelist. That was to be expected in a true representation of life. Balzac keenly felt the reproach, and indicated, in his Introduction to *La Comédie Humaine*, a score or more of his characters who were absolutely irreproachable and who exemplified all domestic virtues. Nevertheless the stigma of immorality has fastened to his name. The justice of this is a question for each reader to decide for himself. Undoubtedly one meets in Balzac's books with more villains than worthy people, and vice is too often triumphant. Is it so in life, or is it not? At all events, Balzac studied life as a naturalist studies an animal or a plant, and, like a naturalist, he conceived it to be his duty to conceal nothing in it that was ignoble.

But what about the *Contes drôlatiques*? may be asked. That is a work entirely apart, which has no connection with *La Comédie Humaine*, and when one speaks of Balzac, one means *La Comédie Humaine*. Balzac is often coarse, vulgar and cynical; but some of George Sand's novels, the earlier ones, which are absolutely free from such blemishes, are, if not more immoral, infinitely more dangerous. Balzac's novels are immoral in the same degree that a daily newspaper is immoral, which relates every day to the readers scandals of all kinds, divorces, embezzlements, murders and suicides, which occur at every round of the social scale.

Judging from his influence over his contemporaries and successors, we are forced to the belief that Balzac was right in his conception of the novel, and Taine in his brilliant Essay did not hesitate to place him far above his fellow novelists and proclaimed him "avec Shakespeare et Saint-Simon le plus grand magasin de documents que nous ayons sur la nature humaine." Taine likewise praised Balzac for his style, which seemed strange to a good many; but style, as defined by Taine, was "l'art de se faire écouter et de se faire entendre" and there are as many good styles, said he, as there are ages, nations and great minds. He also showed that Balzac was not only an observer but a creator, and he ranked some of his great characters, Philippe Brideau (*La Rabouilleuse*), le père Goriot, le père Grandet (*Eugénie Grandet*), le baron Hulot (*Cousine Bette*), on a par with Shakespeare's monomaniacs or monsters. If Balzac had not the gift of style, as George Sand, for instance, he had what neither she nor any other novelist before ever possessed, viz., the power of imparting life to his style, and that must be the essential condition for the writing of a novel. Still, as a writer, he is not of the first class; his language lacks both power and originality; but as a novelist he is *the* Master just as Molière is *the* Master of Comedy.

Comparison has often been made between Balzac's *Père Goriot* and Shakespeare's *King Lear*. In both works we have a picture of paternal doting fondness and base filial ingratitude. But by the side of the two cruel and perfidious daughters, Shakespeare placed the redeeming figure of sweet Cordelia. There is no redeeming character in Balzac's novel — unless we except Old Goriot himself who, in spite of his sublime love for his daughters, does not succeed in commanding our respect. King Lear is justly indignant with his unworthy daughters, and we share his indignation and fury. Old Goriot's idolatry increases with the sufferings his daughters cause him. After allowing himself to be robbed and bled by them, he dies in a miserable garret, never ceasing a moment to love and worship them, calling them his angels, and blessing them in his last breath. Paternal love carried to such a point is madness, but it is sublime madness.

The creation of Vautrin comes near being a stroke of genius. One is almost seized with admiration for the escaped convict, who is really grand in his criminal professions — in art there may be grandeur in ugliness as well as in beauty — and who proves with cold and cynical logic that there are no such things in this world as principles or laws, but only events and circumstances. Rastignac, with whom we first become acquainted in this novel, but who reappears in some others, as do also a number of the characters in it, is no better and no worse than the average young man on his first arrival in a metropolis. Gradually, however, his finer feelings grow blunted and he concentrates all his efforts and energy on one thing, the rapid acquisition of fortune, by hook or by crook.

Around the principal actors in this drama move a number of grotesque characters, both stupid and selfish, well calculated to give us a sorry opinion of humanity.

All of Balzac's novels are not equally good — or equally bad might be said by those critics who refuse Balzac any genius. Among his best, indeed his masterpieces, should be mentioned — besides *Le Père Goriot* — *Le Cousin Pons, La Cousine Bette, Eugénie Grandet, César Birotteau, Une Ténébreuse Affaire*. Nearly all of these might be termed essentially "family tragedies," and in nearly all of them the money question, which is such an important factor in modern life, is pre-eminent. This alone does not form the sole interest of these works, but it gives to them that character of reality which is the distinguishing feature of the Balzac novel.

R. L. S.

NEW HAVEN, June 1906.

WORKS TO CONSULT ON BALZAC

A complete list will be found in Spoelberch de Lovenjoul's book, *Histoire des Œuvres de Balzac* (third edition). Among the more important studies of Balzac which have appeared since his death are the following: F. Brunetière, *Honoré de Balzac* (1905), recently translated by the editor, who here acknowledges any use he made of it; A. Le Breton, *Balzac, l'homme et l'œuvre* (1905); E. Faguet, *XIXème Siècle;* P. Flat, *Essais sur Balzac;* Théo. Gautier, *Honoré de Balzac;* H. Taine, *Nouveaux Essais de critique et d'histoire ;* E. Zola, *Le Roman expérimental; Les Romanciers naturalistes.*

The reader who is curious to know something of Balzac as a business man may read Messrs. Gabriel Hanotaux and Georges Vicaire's book, *La Jeunesse de Balzac ; Balzac Imprimeur* (1903).

LE PÈRE GORIOT[1]

AU GRAND ET ILLUSTRE GEOFFROY SAINT–HILAIRE.[2]

Comme un témoignage d'admiration de ses travaux et de son génie.

DE BALZAC.

Madame Vauquer, née de Conflans, est une vieille
femme qui, depuis quarante ans, tient à Paris une pension bourgeoise établie rue Neuve-Sainte-Geneviève,
entre le quartier latin et le faubourg Saint-Marcel.
Cette pension, connue sous le nom de la *maison Vau-* 5
quer, admet également des hommes et des femmes, des
jeunes gens et des vieillards, sans que jamais la médi-
sance ait attaqué les mœurs de ce respectable établissement. Mais aussi, depuis trente ans, ne s'y était-il
jamais vu de jeune personne, et, pour qu'un jeune 10
homme y demeure, sa famille doit-elle lui faire une bien
maigre pension. Néanmoins, en 1819, époque à laquelle
ce drame commence, il s'y trouvait une pauvre jeune
fille. En quelque discrédit que soit tombé le mot drame
par la manière abusive et tortionnaire dont il a été 15
prodigué dans ces temps de douloureuse littérature,[3] il
est nécessaire de l'employer ici: non que cette histoire
soit dramatique dans le sens vrai du mot; mais, l'œuvre
accomplie, peut-être aura-t-on versé quelques larmes *intra
muros* et *extra*. Sera-t-elle comprise au delà de Paris? 20
Le doute est permis. Les particularités de cette Scène
pleine d'observation et de couleur locale ne peuvent

être appréciées qu'entre les buttes Montmartre et les hauteurs de Montrouge, dans cette illustre vallée de plâtras incessamment près de tomber et de ruisseaux noirs de boue; vallée remplie de souffrances réelles, de
5 joies souvent fausses, et si terriblement agitée, qu'il faut je ne sais quoi d'exorbitant pour y produire une sensation de quelque durée. Cependant, il s'y rencontre çà et là des douleurs que l'agglomération des vices et des vertus rend grandes et solennelles: à leur aspect, les
10 égoïsmes, les intérêts s'arrêtent et s'apitoient; mais l'impression qu'ils en reçoivent est comme un fruit savoureux promptement dévoré. Le char de la civilisation, semblable à celui de l'idole de Jaggernat,¹ à peine retardé par un cœur moins facile à broyer que les autres et qui
15 enraye sa roue, l'a brisé bientôt et continue sa marche glorieuse. Ainsi ferez-vous, vous qui tenez ce livre d'une main blanche, vous qui vous enfoncez dans un moelleux fauteuil en vous disant: «Peut-être ceci va-t-il m'amuser.» Après avoir lu les secrètes infortunes du
20 père Goriot, vous dînerez avec appétit en mettant votre insensibilité sur le compte de l'auteur, en le taxant d'exagération, en l'accusant de poésie. Ah! sachez-le: ce drame n'est ni une fiction ni un roman. *All is true*, il est si véritable, que chacun peut en reconnaître les
25 éléments chez soi, dans son cœur peut-être.

La maison où s'exploite la pension bourgeoise appartient à madame Vauquer. Elle est située dans le bas de la rue Neuve-Sainte-Geneviève, à l'endroit où le terrain s'abaisse vers la rue de l'Arbalète par une pente si
30 brusque et si rude, que les chevaux la montent ou la descendent rarement. Cette circonstance est favorable au silence qui règne dans ces rues serrées entre le dôme

du Val-de-Grâce[1] et le dôme du Panthéon, deux monu-
ments qui changent les conditions de l'atmosphère en y
jetant des tons jaunes, en y assombrissant tout par les
teintes sévères que projettent leurs coupoles. Là, les
pavés sont secs, les ruisseaux n'ont ni boue ni eau,   5
l'herbe croît le long des murs. L'homme le plus insouciant s'y attriste comme tous les passants, le bruit
d'une voiture y devient un événement, les maisons y sont
mornes, les murailles y sentent la prison. Un Parisien
égaré ne verrait là que des pensions bourgeoises ou des   10
institutions, de la misère ou de l'ennui, de la vieillesse
qui meurt, de la joyeuse jeunesse contrainte à travailler.
Nul quartier de Paris n'est plus horrible, ni, disons-le,
plus inconnu. La rue Neuve-Sainte-Geneviève surtout
est comme un cadre de bronze, le seul qui convienne à   15
ce récit, auquel on ne saurait trop préparer l'intelligence
par des couleurs brunes, par des idées graves; ainsi que,
de marche en marche, le jour diminue et le chant du
conducteur se creuse alors que le voyageur descend aux
Catacombes. Comparaison vraie! Qui décidera de ce   20
qui est plus horrible à voir, ou des cœurs desséchés, ou
des crânes vides?

La façade de la pension donne sur un jardinet, en sorte
que la maison tombe à angle droit sur la rue Neuve-
Sainte-Geneviève, où vous la voyez coupée dans sa pro-   25
fondeur. Le long de cette façade, entre la maison et le
jardinet, règne un cailloutis en cuvette,[2] large d'une
toise, devant lequel est une allée sablée, bordée de
géraniums, de lauriers-roses et de grenadiers plantés
dans de grands vases en faïence bleue et blanche. On   30
entre dans cette allée par une porte bâtarde[3] surmontée
d'un écriteau sur lequel on lit: MAISON VAUQUER,

et au-dessous: PENSION BOURGEOISE DES DEUX SEXES
ET AUTRES.[1] Pendant le jour, une porte à claire-voie,[2]
armée d'une sonnette criarde, laisse apercevoir au bout
du petit pavé, sur le mur opposé à la rue, une arcade
5 peinte en marbre vert par un artiste du quartier. Sous
le renfoncement que simule cette peinture s'élève une
statue représentant l'Amour. A voir le vernis écaillé
qui la couvre, les amateurs de symboles y découvriraient
peut-être un mythe de l'amour parisien qu'on guérit à
10 quelques pas de là.[3] Sous le socle, cette incription à demi
effacée rappelle le temps auquel remonte cet ornement
par l'enthousiasme dont il témoigne pour Voltaire, rentré
dans Paris en 1777:

> Qui que tu sois, voici ton maître:
15 > Il l'est, le fut, ou le doit être.[4]

A la nuit tombante, la porte à claire-voie est rem-
placée par une porte pleine. Le jardinet, aussi large
que la façade est longue, se trouve encaissé par le mur de
la rue et par le mur mitoyen de la maison voisine, le
20 long de laquelle pend un manteau de lierre qui la cache
entièrement et attire les yeux des passants par un effet
pittoresque dans Paris. Chacun de ces murs est tapissé
d'espaliers et de vignes dont les fructifications grêles et
poudreuses sont l'objet des craintes annuelles de madame
25 Vauquer et de ses conversations avec les pensionnaires.
Le long de chaque muraille règne une étroite aliée qui
mène à un couvert de tilleuls, mot que madame Vauquer,
quoique née de Conflans, prononce obstinément *tieulles*,[5]
malgré les observations grammaticales de ses hôtes.
30 Entre les deux allées latérales est un carré d'artichauts
flanqué d'arbres fruitiers en quenouille,[6] et bordé
d'oseille, de laitue ou de persil. Sous le couvert de

tilleuls est plantée une table ronde peinte en vert, et
entourée de sièges. Là, durant les jours caniculaires,
les convives assez riches pour se permettre de prendre
du café viennent le savourer par une chaleur capable
de faire éclore des œufs. La façade, élevée de trois 5
étages et surmontée de mansardes, est bâtie en moellons
et badigeonnée avec cette couleur jaune qui donne un
caractère ignoble à presque toutes les maisons de Paris.
Les cinq croisées percées à chaque étage ont de petits
carreaux et sont garnies de jalousies dont aucune n'est 10
relevée de la même manière, en sorte que toutes leurs
lignes jurent[1] entre elles. La profondeur de cette maison
comporte deux croisées qui, au rez-de-chaussée, ont pour
ornement des barreaux en fer grillagés. Derrière le
bâtiment est une cour large d'environ vingt pieds, où 15
vivent en bonne intelligence des cochons, des poules, des
lapins, et au fond de laquelle s'élève un hangar à serrer
le bois. Entre ce hangar et la fenêtre de la cuisine se
suspend le garde-manger,[2] au-dessous duquel tombent les
eaux grasses de l'évier. Cette cour a sur la rue Neuve- 20
Sainte-Geneviève une porte étroite par où la cuisinière
chasse les ordures de la maison en nettoyant cette
sentine[3] à grand renfort d'eau, sous peine de pestilence.

Naturellement destiné à l'exploitation de la pension
bourgeoise, le rez-de-chaussée se compose d'une première 25
pièce éclairée par les deux croisées de la rue, et où l'on
entre par une porte-fenêtre.[4] Ce salon communique à
une salle à manger qui est séparée de la cuisine par la
cage d'un escalier dont les marches sont en bois et en
carreaux mis en couleur et frottés. Rien n'est plus 30
triste à voir que ce salon meublé de fauteuils et de
chaises en étoffe de crin à raies alternativement mates

et luisantes. Au milieu se trouve une table ronde à dessus de marbre Sainte-Anne,[1] décorée de ce cabaret en porcelaine blanche ornée de filets d'or effacés à demi que l'on rencontre partout aujourd'hui. Cette pièce,
5 assez mal planchéiée, est lambrissée à hauteur d'appui. Le surplus des parois est tendu d'un papier verni représentant les principales scènes de *Télémaque*,[2] et dont les classiques personnages sont coloriés. Le panneau d'entre les croisées grillagées offre aux pensionnaires le
10 tableau du festin donné au fils d'Ulysse par Calypso. Depuis quarante ans, cette peinture excite les plaisanteries des jeunes pensionnaires, qui se croient supérieurs à leur position en se moquant du dîner auquel la misère les condamne. La cheminée en pierre, dont le foyer
15 toujours propre atteste qu'il ne s'y fait de feu que dans les grandes occasions, est ornée de deux vases pleins de fleurs artificielles, vieillies et encagées, qui accompagnent une pendule en marbre bleuâtre du plus mauvais goût. Cette première pièce exhale une odeur sans nom dans la
20 langue, et qu'il faudrait appeler l'*odeur de pension*. Elle sent le renfermé, le moisi, le rance ; elle donne froid, elle est humide au nez, elle pénètre les vêtements ; elle a le goût d'une salle où l'on a dîné ; elle pue le service,[3] l'office, l'hospice. Peut-être pourrait-elle se décrire si l'on inven-
25 tait un procédé pour évaluer les quantités élémentaires et nauséabondes qu'y jettent les atmosphères catarrhales et *sui generis* de chaque pensionnaire, jeune ou vieux. Eh bien, malgré ces plates horreurs, si vous le compariez à la salle à manger, qui lui est contiguë, vous trouveriez ce
30 salon élégant et parfumé comme doit l'être un boudoir. Cette salle, entièrement boisée, fut jadis peinte en une couleur indistincte aujourd'hui, qui forme un fond sur

lequel la crasse a imprimé ses couches de manière à y
dessiner des figures bizarres. Elle est plaquée de buffets
gluants sur lesquels sont des carafes échancrées, ternies,
des ronds de moiré métallique,[1] des piles d'assiettes en
porcelaine épaisse, à bords bleus, fabriquées à Tournai. 5
Dans un angle est placée une boîte à cases numérotées
qui sert à garder les serviettes, ou tachées ou vineuses,
de chaque pensionnaire. Il s'y rencontre de ces meubles
indestructibles, proscrits partout, mais placés là comme
le sont les débris de la civilisation aux Incurables.[2] Vous 10
y verriez un baromètre à capucin qui sort quand il pleut,
des gravures exécrables qui ôtent l'appétit, toutes encadrées en bois noir verni à filets dorés; un cartel en écaille
incrustée de cuivre; un poêle vert,[3] des quinquets d'Argand où la poussière se combine avec l'huile, une longue 15
table couverte en toile cirée assez grasse pour qu'un facé-
tieux externe[4] y écrive son nom en se servant de son doigt
comme de style,[5] des chaises estropiées, de petits paillas-
sons piteux en sparterie qui se déroule toujours sans se
perdre jamais, puis des chaufferettes misérables à trous 20
cassés, à charnières défaites, dont le bois se carbonise.
Pour expliquer combien ce mobilier est vieux, crevassé,
pourri, tremblant, rongé, manchot, borgne, invalide, expirant, il faudrait en faire une description qui retarderait
trop l'intérêt de cette histoire, et que les gens pressés ne 25
pardonneraient pas. Le carreau rouge est plein de vallées
produites par le frottement ou par les mises en couleur.
Enfin, là règne la misère sans poésie; une misère économe, concentrée, râpée. Si elle n'a pas de fange encore,
elle a des taches; si elle n'a ni trous ni haillons, elle va 30
tomber en pourriture.

Cette pièce est dans tout son lustre au moment où,

vers sept heures du matin, le chat de madame Vauquer
précède sa maîtresse, saute sur les buffets, y flaire le lait
que contiennent plusieurs jattes couvertes d'assiettes, et
fait entendre son *ronron*[1] matinal.   Bientôt la veuve se
5 montre, attifée de son bonnet de tulle sous lequel pend
un tour de faux cheveux mal mis; elle marche en traî-
nassant ses pantoufles grimacées.[2] Sa face vieillotte, gras-
souillette, du milieu de laquelle sort un nez à bec de
perroquet; ses petites mains potelées, sa personne dodue
10 comme un rat d'église,[3] son corsage trop plein et qui flotte,
sont en harmonie avec cette salle où suinte le malheur,
où s'est blottie la spéculation, et dont madame Vauquer
respire l'air chaudement fétide sans en être écœurée. Sa
figure fraîche comme une première gelée d'automne, ses
15 yeux ridés, dont l'expression passe du sourire prescrit aux
danseuses à l'amer renfrognement de l'escompteur, enfin
toute sa personne explique la pension, comme la pension
implique sa personne. Le bagne ne va pas sans l'argousin,
vous n'imagineriez pas l'un sans l'autre.   L'embonpoint
20 blafard[4] de cette petite femme est le produit de cette vie,
comme le typhus est la conséquence des exhalaisons d'un
hôpital.   Son jupon de laine tricotée, qui dépasse sa première jupe faite avec une vieille robe, et dont la ouate[5]
s'échappe par les fentes de l'étoffe lézardée, résume le
25 salon, la salle à manger, le jardinet, annonce la cuisine
et fait pressentir les pensionnaires. Quand elle est là, ce
spectacle est complet. Agée d'environ cinquante ans, madame Vauquer ressemble à toutes les *femmes qui ont eu
des malheurs*.[6]   Elle a l'œil vitreux, l'air innocent d'une
30 entremetteuse qui va se gendarmer pour se faire payer
plus cher, mais d'ailleurs prête à tout pour adoucir son
sort, à livrer Georges[7] ou Pichegru, si Georges ou Piche-

gru étaient encore à livrer. Néanmoins, elle est *bonne femme au fond*,[1] disent les pensionnaires, qui la croient sans fortune en l'entendant geindre et tousser comme eux. Qu'avait été M. Vauquer? Elle ne s'expliquait jamais sur le défunt. Comment avait-il perdu sa fortune? «Dans les malheurs,» répondait-elle. Il s'était mal conduit envers elle, ne lui avait laissé que les yeux pour pleurer, cette maison pour vivre, et le droit de ne compatir à aucune infortune, parce que, disait-elle, elle avait souffert tout ce qu'il est possible de souffrir. En entendant trottiner sa maîtresse, la grosse Sylvie, la cuisinière, s'empressait de servir le déjeuner des pensionnaires internes.

Généralement, les pensionnaires externes ne s'abonnaient qu'au dîner, qui coûtait trente francs par mois. A l'époque où cette histoire commence, les internes étaient au nombre de sept. Le premier étage contenait les deux meilleurs appartements de la maison. Madame Vauquer habitait le moins considérable, et l'autre appartenait à madame Couture, veuve d'un commissaire ordonnateur[2] de la république française. Elle avait avec elle une très jeune personne, nommée Victorine Taillefer, à qui elle servait de mère. La pension de ces deux dames montait à dix-huit cents francs. Les deux appartements du second étaient occupés, l'un par un vieillard nommé Poiret; l'autre, par un homme âgé d'environ quarante ans, qui portait une perruque noire, se teignait les favoris, se disait ancien négociant, et s'appelait M. Vautrin. Le troisième étage se composait de quatre chambres, dont deux étaient louées, l'une par une vieille fille nommée mademoiselle Michonneau; l'autre, par un ancien fabricant de vermicelles, de pâtes d'Italie et d'ami-

don, qui se laissait nommer le père Goriot. Les deux
autres chambres étaient destinées aux oiseaux de passage,
à ces infortunés étudiants qui, comme le père Goriot et
mademoiselle Michonneau, ne pouvaient mettre que
5 quarante-cinq francs par mois à leur nourriture et à leur
logement; mais madame Vauquer souhaitait peu leur
présence et ne les prenait que quand elle ne trouvait pas
mieux: ils mangeaient trop de pain.   En ce moment,
l'une de ces deux chambres appartenait à un jeune homme
10 venu des environs d'Angoulême à Paris pour y faire son
droit, et dont la nombreuse famille se soumettait aux
plus dures privations afin de lui envoyer douze cents
francs par an.   Eugène de Rastignac, ainsi se nommait-
il, était un de ces jeunes gens façonnés au travail par le
15 malheur, qui comprennent dès le jeune âge les espérances que leurs parents placent en eux, et qui se préparent
une belle destinée en calculant déjà la portée de leurs
études, et les adaptant par avance au mouvement futur
de la société, pour être les premiers à la pressurer. Sans
20 ses observations curieuses et l'adresse avec laquelle il
sut se produire dans les salons de Paris, ce récit n'eût
pas été coloré des tons vrais qu'il devra sans doute à son
esprit sagace et à son désir de pénétrer les mystères d'une
situation épouvantable aussi soigneusement cachée par
25 ceux qui l'avaient créée que par celui qui la subissait.

Au-dessus de ce troisième étage étaient un grenier à
étendre le linge et deux mansardes où couchaient un garçon de peine, nommé Christophe, et la grosse Sylvie, la
cuisinière. Outre les sept pensionnaires internes, madame
30 Vauquer avait, bon an, mal an, huit étudiants en droit ou
en médecine, et deux ou trois habitués qui demeuraient
dans le quartier, abonnés tous pour le dîner seulement.

La salle contenait à dîner dix-huit personnes et pouvait
en admettre une vingtaine; mais, le matin, il ne s'y trouvait que sept locataires, dont la réunion offrait pendant
le déjeuner l'aspect d'un repas de famille. Chacun descendait en pantoufles, se permettait des observations 5
confidentielles sur la mise ou sur l'air des externes, et
sur les événements de la soirée précédente, en s'exprimant avec la confiance de l'intimité. Ces sept pensionnaires étaient les enfants gâtés de madame Vauquer, qui
leur mesurait avec une précision d'astronome les soins 10
et les égards, d'après le chiffre de leurs pensions. Une
même considération affectait ces êtres rassemblés par le
hasard. Les deux locataires du second ne payaient que
soixante-douze francs par mois. Ce bon marché, qui ne
se rencontre que dans le faubourg Saint-Marcel, entre la 15
Bourbe[1] et la Salpêtrière, et auquel madame Couture
faisait seule exception, annonce que ces pensionnaires
devaient être sous le poids de malheurs plus ou moins
apparents. Aussi le spectacle désolant que présentait
l'intérieur de cette maison se répétait-il dans le costume 20
de ses habitués, également délabrés. Les hommes por-
taient des redingotes dont la couleur était devenue pro-
blématique, des chaussures comme il s'en jette au coin
des bornes dans les quartiers élégants, du linge élimé,
des vêtements qui n'avaient plus que l'âme. Les femmes 25
avaient des robes passées, reteintes, déteintes, de vieilles
dentelles raccommodées, des gants glacés par l'usage, des
collerettes toujours rousses et des fichus éraillés. Si tels
étaient les habits, presque tous montraient des corps
solidement charpentés, des constitutions qui avaient 30
résisté aux tempêtes de la vie, des faces froides, dures,
effacées comme celles des écus démonétisés. Les bouches

flétries étaient armées de dents avides. Ces pensionnaires faisaient pressentir des drames accomplis ou
en action ; non pas de ces drames joués à la lueur des
rampes, entre des toiles peintes, mais des drames vivants
5 et muets, des drames glacés[1] qui remuaient chaudement
le cœur, des drames continus.

La vieille demoiselle Michonneau gardait sur ses yeux
fatigués un crasseux abat-jour en taffetas vert, cerclé
par du fil d'archal qui aurait effarouché l'ange de la pitié.
10 Son châle à franges maigres et pleurardes[2] semblait couvrir un squelette, tant les formes qu'il cachait étaient
anguleuses. Quel acide avait dépouillé cette créature
de ces formes féminines ? elle devait avoir été jolie et
bien faite : était-ce le vice, le chagrin, la cupidité ? avait-
15 elle trop aimé ? avait-elle été marchande à la toilette,[3] ou
seulement courtisane ? expiait-elle les triomphes d'une
jeunesse insolente au-devant de laquelle s'étaient rués les
plaisirs par une vieillesse que fuyaient les passants ? Son
regard blanc[4] donnait froid, sa figure rabougrie menaçait.
20 Elle avait la voix clairette[5] d'une cigale criant dans son
buisson aux approches de l'hiver. Elle disait avoir pris
soin d'un vieux monsieur affecté d'un catarrhe à la vessie,
et abandonné par ses enfants, qui l'avaient cru sans
ressource. Ce vieillard lui avait légué mille francs de
25 rente viagère, périodiquement disputés par les héritiers,
aux calomnies desquels elle était en butte. Quoique le
jeu des passions eût ravagé sa figure, il s'y trouvait encore certains vestiges d'une blancheur et d'une finesse
dans le tissu qui permettaient de supposer que le corps
30 conservait quelques restes de beauté.

M. Poiret était une espèce de mécanique. En l'apercevant s'étendre comme une ombre grise le long d'une

allée au Jardin des plantes, la tête couverte d'une vieille
casquette flasque, tenant à peine sa canne à pomme
d'ivoire jauni dans sa main, laissant flotter les pans flétris
de sa redingote qui cachait mal une culotte presque vide,
et des jambes en bas bleus qui flageolaient comme celles 5
d'un homme ivre, montrant son gilet blanc sale et son
jabot de grosse mousseline recroquevillée qui s'unissait
imparfaitement à sa cravate cordée autour de son cou de
dindon, bien des gens se demandaient si cette ombre chinoise[1] appartenait à la race audacieuse des fils[2] de Japhet 10
qui papillonnent sur le boulevard Italien.[3]   Quel travail
avait pu le ratatiner ainsi? quelle passion avait bistré sa
face bulbeuse, qui, dessinée en caricature, aurait paru
hors du vrai? Ce qu'il avait été? Mais peut-être avait-
il été employé au ministère de la justice, dans le bureau 15
où les exécuteurs des hautes-œuvres[4] envoient leurs mémoires de frais, le compte des fournitures de voiles noirs[5]
pour les parricides, de son[6] pour les paniers, de ficelle[7]
pour les couteaux.   Peut-être avait-il été receveur à la
porte d'un abattoir, ou sous-inspecteur de la salubrité. 20
Enfin, cet homme semblait avoir été l'un des ânes de
notre grand moulin social, l'un de ces Ratons[8] parisiens
qui ne connaissent même pas leurs Bertrands, quelque
pivot sur lequel avaient tourné les infortunes ou les
saletés publiques, enfin l'un de ces hommes dont nous 25
disons, en les voyant: «Il en faut pourtant comme ça.»
Le beau Paris ignore ces figures blêmes de souffrances
morales ou physiques.   Mais Paris est un véritable océan.
Jetez-y la sonde, vous n'en connaîtrez jamais la profondeur.   Parcourez-le, décrivez-le: quelque soin que vous 30
mettiez à le parcourir, à le décrire; quelque nombreux
et intéressés que soient les explorateurs de cette mer, il

s'y rencontrera toujours un lieu vierge, un antre inconnu, des fleurs, des perles, des monstres, quelque chose d'inouï, oublié par les plongeurs littéraires. La maison Vauquer est une de ces monstruosités curieuses.

5   Deux figures y formaient un contraste frappant avec la masse des pensionnaires et des habitués. Quoique mademoiselle Victorine Taillefer eût une blancheur maladive semblable à celle des jeunes filles attaquées de chlorose, et qu'elle se rattachât à la souffrance générale qui faisait
10 le fond de ce tableau par une tristesse habituelle, par une contenance gênée, par un air pauvre et grêle, néanmoins son visage n'était pas vieux, ses mouvements et sa voix étaient agiles. Ce jeune malheur ressemblait à un arbuste aux feuilles jaunies, fraîchement planté dans un ter-
15 rain contraire. Sa physionomie roussâtre, ses cheveux d'un blond fauve, sa taille trop mince, exprimaient cette grâce que les poëtes modernes trouvaient aux statuettes du moyen âge. Ses yeux gris mélangés de noir exprimaient une douceur, une résignation chrétiennes. Ses vête-
20 ments, simples, peu coûteux, trahissaient des formes jeunes. Elle était jolie par juxtaposition. Heureuse, elle eût été ravissante: le bonheur est la poésie des femmes, comme la toilette en est le fard. Si la joie d'un bal eût reflété ses teintes rosées sur ce visage pâle; si les douceurs
25 d'une vie élégante eussent rempli, eussent vermillonné ces joues déjà légèrement creusées; si l'amour eût ranimé ces yeux tristes, Victorine aurait pu lutter avec les plus belles jeunes filles. Il lui manquait ce qui crée une seconde fois la femme, les chiffons et les billets doux.
30 Son histoire eût fourni le sujet d'un livre. Son père croyait avoir des raisons pour ne pas la reconnaître, refusait de la garder près de lui, ne lui accordait que six cents francs

par an, et avait dénaturé[1] sa fortune afin de pouvoir la
transmettre en entier à son fils. Parente éloignée de la
mère de Victorine, qui jadis était venue mourir de désespoir chez elle, madame Couture prenait soin de l'orpheline
comme de son enfant. Malheureusement, la veuve du 5
commissaire ordonnateur des armées de la République
ne possédait rien au monde que son douaire et sa pension;
elle pouvait laisser un jour cette pauvre fille, sans expérience et sans ressources, à la merci du monde. La
bonne femme menait Victorine à la messe tous les di- 10
manches, à confesse tous les quinze jours, afin d'en faire
à tout hasard une fille pieuse. Elle avait raison. Les
sentiments religieux offraient un avenir à cette enfant désa-
vouée, qui aimait son père, qui tous les ans s'acheminait
chez lui pour y apporter le pardon de sa mère; mais qui, 15
tous les ans, se cognait[2] contre la porte de la maison
paternelle, inexorablement fermée. Son frère, son unique
médiateur, n'était pas venu la voir une seule fois en quatre
ans, et ne lui envoyait aucun secours. Elle suppliait
Dieu de dessiller les yeux de son père, d'attendrir le cœur 20
de son frère, et priait pour eux sans les accuser. Madame
Couture et madame Vauquer ne trouvaient pas assez de
mots dans le dictionnaire des injures pour qualifier cette
conduite barbare. Quand elles maudissaient ce millionnaire infâme, Victorine faisait entendre de douces paroles, 25
semblables au chant du ramier blessé, dont le cri de
douleur exprime encore l'amour.

Eugène de Rastignac avait un visage tout méridional,
le teint blanc, des cheveux noirs, des yeux bleus. Sa
tournure, ses manières, sa pose habituelle, dénotaient le 30
fils d'une famille noble, où l'éducation première n'avait
comporté que des traditions de bon goût. S'il était mé-

nager de ses habits, si les jours ordinaires il achevait d'user
les vêtements de l'an passé, néanmoins il pouvait sortir
quelquefois mis comme l'est un jeune homme élégant.
Ordinairement, il portait une vieille redingote, un mauvais
5 gilet, la méchante cravate noire, flétrie, mal nouée de l'étudiant, un pantalon à l'avenant et des bottes ressemelées.

Entre ces deux personnages et les autres, Vautrin,
l'homme de quarante ans, à favoris peints, servait de
transition.   Il était un de ces gens dont le peuple dit:
10 «Voilà un fameux gaillard!»   Il avait les épaules larges,
le buste bien développé, les muscles apparents, des mains
épaisses, carrées et fortement marquées aux phalanges
par des bouquets de poils touffus et d'un roux ardent.
Sa figure, rayée par des rides prématurées, offrait des
15 signes de dureté que démentaient ses manières souples
et liantes.   Sa voix de basse taille, en harmonie avec sa
grosse gaieté, ne déplaisait point.   Il était obligeant et
rieur.   Si quelque serrure allait mal, il l'avait bientôt dé-
montée, rafistolée, huilée, limée, remontée, en disant:
20 «Ça me connaît.»[1]   Il connaissait tout d'ailleurs, les vais-
seaux, la mer, la France, l'étranger, les affaires, les
hommes, les événements, les lois, les hôtels et les prisons.
Si quelqu'un se plaignait par trop, il lui offrait aussitôt
ses services.   Il avait prêté plusieurs fois de l'argent à
25 madame Vauquer et à quelques pensionnaires; mais ses
obligés seraient morts plutôt que de ne pas le lui rendre,
tant, malgré son air bonhomme, il imprimait de crainte
par un certain regard profond et plein de résolution. A la
manière dont il lançait un jet de salive, il annonçait un
30 sang-froid imperturbable qui ne devait pas le faire reculer
devant un crime pour sortir d'une position équivoque.
Comme un juge sévère, son œil semblait aller au fond de

toutes les questions, de toutes les consciences, de tous les sentiments. Ses mœurs consistaient à sortir après le déjeuner, à revenir pour dîner, à décamper pour toute la soirée, et à rentrer vers minuit, à l'aide d'un passe-partout que lui avait confié madame Vauquer. Lui seul jouissait 5 de cette faveur. Mais aussi était-il au mieux avec la veuve, qu'il appelait *maman* en la saisissant par la taille, flatterie peu comprise! La bonne femme croyait la chose encore facile, tandis que Vautrin seul avait les bras assez longs pour presser cette pesante circonférence. Un trait 10 de son caractère était de payer généreusement quinze francs par mois pour le *gloria*[1] qu'il prenait au dessert. Des gens moins superficiels que ne l'étaient ces jeunes gens emportés par les tourbillons de la vie parisienne, ou ces vieillards indifférents à ce qui ne les touchait pas di- 15 rectement, ne se seraient pas arrêtés à l'impression douteuse que leur causait Vautrin. Il savait ou devinait les affaires de ceux qui l'entouraient, tandis que nul ne pouvait pénétrer ni ses pensées ni ses occupations. Quoiqu'il eût jeté son apparente bonhomie, sa constante complai- 20 sance et sa gaieté comme une barrière entre les autres et lui, souvent il laissait percer l'épouvantable profondeur de son caractère. Souvent une boutade digne de Juvénal, et par laquelle il semblait se complaire à bafouer les lois, à fouetter la haute société, à la convaincre d'inconséquence 25 avec elle-même, devait faire supposer qu'il gardait rancune à l'état social, et qu'il y avait au fond de sa vie un mystère soigneusement enfoui.

Attirée, peut-être à son insu, par la force de l'un ou par la beauté de l'autre, mademoiselle Taillefer parta- 30 geait ses regards furtifs, ses pensées secrètes, entre ce quadragénaire et le jeune étudiant; mais aucun d'eux ne

paraissait songer à elle, quoique d'un jour à l'autre le
hasard pût changer sa position et la rendre un riche
parti.   D'ailleurs, aucune de ces personnes ne se donnait
la peine de vérifier si les malheurs allégués par l'une
5 d'elles étaient faux ou véritables.   Toutes avaient les
unes pour les autres une indifférence mêlée de défiance
qui résultait de leurs situations respectives.   Elles se
savaient impuissantes à soulager leurs peines, et toutes
avaient, en se les contant, épuisé la coupe des condo-
10 léances.   Semblables à de vieux époux, elles n'avaient
plus rien à se dire.   Il ne restait donc entre elles que
les rapports d'une vie mécanique, le jeu de rouages sans
huile.   Toutes devaient passer droit dans la rue devant
un aveugle, écouter sans émotion le récit d'une infortune,
15 et voir dans une mort la solution d'un problème de
misère qui les rendait froides à la plus terrible agonie.
La plus heureuse de ces âmes désolées était madame
Vauquer, qui trônait dans cet hospice libre.   Pour elle
seule, ce petit jardin, que le silence et le froid, le sec et
20 l'humide faisaient vaste comme une steppe, était un riant
bocage.   Pour elle seule cette maison jaune et morne,
qui sentait le vert-de-gris[1] du comptoir, avait des délices.
Ces cabanons lui appartenaient.   Elle nourrissait ces forçats acquis à des peines perpétuelles, en exerçant sur eux
25 une autorité respectée.   Où ces pauvres êtres auraient-
ils trouvé dans Paris, au prix où elle les donnait, des
aliments sains, suffisants, et un appartement qu'ils
étaient maîtres de rendre, sinon élégant ou commode,
du moins propre et salubre?   Se fût-elle permis une in-
30 justice criante, la victime l'aurait supportée sans se
plaindre.

Une réunion semblable devait offrir et offrait en petit

les éléments d'une société complète. Parmi les dix-huit
convives, il se rencontrait, comme dans les collèges,
comme dans le monde, une pauvre créature rebutée, un
souffre-douleur sur qui pleuvaient les plaisanteries. Au
commencement de la seconde année, cette figure devint
pour Eugène de Rastignac la plus saillante de toutes
celles au milieu desquelles il était condamné à vivre encore pendant deux ans. Ce *pâtira*[1] était l'ancien vermicellier, le père Goriot, sur la tête duquel un peintre
aurait, comme l'historien, fait tomber toute la lumière
du tableau. Par quel hasard ce mépris à demi haineux,
cette persécution mélangée de pitié, ce non-respect du
malheur, avaient-ils frappé le plus ancien pensionnaire?
Y avait-il donné lieu par quelques-uns de ces ridicules
ou de ces bizarreries que l'on pardonne moins qu'on ne
pardonne des vices? Ces questions tiennent de près à
bien des injustices sociales. Peut-être est-il dans la
nature humaine de tout faire supporter à qui souffre tout
par humilité vraie, par faiblesse ou par indifférence.
N'aimons-nous pas tous à prouver notre force aux dépens
de quelqu'un ou de quelque chose? L'être le plus
débile, le gamin sonne à toutes les portes quand il gèle,
ou se hisse pour écrire son nom sur un monument
vierge.

Le père Goriot, vieillard de soixante-neuf ans environ,
s'était retiré chez madame Vauquer, en 1813, après avoir
quitté les affaires. Il y avait d'abord pris l'appartement
occupé par madame Couture, et donnait alors douze
cents francs de pension, en homme pour qui cinq louis
de plus ou de moins étaient une bagatelle. Madame
Vauquer avait rafraîchi les trois chambres de cet appartement moyennant une indemnité préalable qui paya,

dit-on, la valeur d'un méchant ameublement composé de
rideaux en calicot jaune, de fauteuils en bois verni
couverts en velours d'Utrecht,[1] de quelques peintures à
la colle,[2] et de papiers que refusaient les cabarets[3] de la
5 banlieue.   Peut-être l'insouciante générosité que mit à
se laisser attraper le père Goriot, qui vers cette époque
était respectueusement nommé M. Goriot, le fit-elle considérer comme un imbécile qui ne connaissait rien aux
affaires.   Goriot vint muni d'une garde-robe bien fournie,
10 le trousseau magnifique du négociant qui ne se refuse
rien en se retirant du commerce.   Madame Vauquer
avait admiré dix-huit chemises de demi-hollande, dont
la finesse était d'autant plus remarquable,[4] que le vermicellier portait sur son jabot dormant[5] deux épingles unies
15 par une chaînette, et dont chacune était montée d'un
gros diamant.   Habituellement vêtu d'un habit bleu-
barbeau,[6] il prenait chaque jour un gilet de piqué blanc,
sous lequel fluctuait son ventre piriforme[7] et proéminent,
qui faisait rebondir une lourde chaîne d'or garnie de
20 breloques.   Sa tabatière, également en or, contenait un
médaillon plein de cheveux qui le rendaient en apparence coupable de quelques bonnes fortunes.[8]   Lorsque
son hôtesse l'accusa d'être un *galantin*,[9] il laissa errer sur
ses lèvres le gai sourire du bourgeois dont on a flatté le
25 dada.   Ses *ormoires*[10] (il prononçait ce mot à la manière
du menu peuple) furent remplies par la nombreuse
argenterie de son ménage.   Les yeux de la veuve s'al-
lumèrent quand elle l'aida complaisamment à déballer et
ranger les louches, les cuillers à ragoût, les couverts,
30 les huiliers, les saucières, plusieurs plats, des déjeuners
en vermeil, enfin des pièces plus ou moins belles, pesant
un certain nombre de marcs, et dont il ne voulait pas se

défaire. Ces cadeaux lui rappelaient les solennités de
sa vie domestique.

— Ceci, dit-il à madame Vauquer en serrant un plat
et une petite écuelle dont le couvercle représentait deux
tourterelles qui se becquetaient, est le premier présent 5
que m'a fait ma femme, le jour de notre anniversaire.
Pauvre bonne! elle y avait consacré ses économies de
demoiselle. Voyez-vous, madame, j'aimerais mieux
gratter la terre avec mes ongles que de me séparer de
cela. Dieu merci! je pourrai prendre dans cette écuelle 10
mon café tous les matins durant le reste de mes jours.
Je ne suis pas à plaindre, j'ai sur la planche du pain de
cuit[1] pour longtemps.

Enfin, madame Vauquer avait bien vu, de son œil de
pie,[2] quelques inscriptions sur le grand-livre[3] qui, vague- 15
ment additionnées, pouvaient faire à cet excellent Goriot
un revenu d'environ huit à dix mille francs. Dès ce
jour, madame Vauquer, née de Conflans, qui avait alors
quarante-huit ans effectifs et n'en acceptait que trente-
neuf, eut des idées. Quoique le larmier[4] des yeux de 20
Goriot fût retourné, gonflé, pendant, ce qui l'obligeait à
les essuyer assez fréquemment, elle lui trouva l'air agréable et comme il faut. D'ailleurs, son mollet charnu,
saillant, pronostiquait, autant que son long nez carré,
des qualités morales auxquelles paraissait tenir la veuve, 25
et que confirmait la face lunaire et naïvement niaise du
bonhomme. Ce devait être une bête solidement bâtie,
capable de dépenser tout son esprit en sentiment. Ses
cheveux en ailes de pigeon,[5] que le coiffeur de l'École
polytechnique[6] vint lui poudrer tous les matins, dessi- 30
naient cinq pointes sur son front bas, et décoraient bien
sa figure. Quoique un peu rustaud, il était si bien tiré

à quatre épingles,[1] il prenait si richement[2] son tabac, il
le humait en homme si sûr de toujours avoir sa tabatière
pleine de macouba,[3] que, le jour où M. Goriot s'installa
chez elle, madame Vauquer se coucha le soir en rôtissant,
5 comme une perdrix dans sa barde, au feu du désir qui la
saisit de quitter le suaire du Vauquer[4] pour renaître en
Goriot.   Se marier, vendre sa pension, donner le bras à
cette fine fleur de bourgeoisie, devenir une dame notable
dans le quartier, y quêter pour les indigents, faire de
10 petites parties le dimanche à Choisy, Soisy, Gentilly;
aller au spectacle à sa guise, en loge, sans attendre les
billets d'auteur[5] que lui donnaient quelques-uns de ses
pensionnaires, au mois de juillet; elle rêva tout l'Eldo-
rado des petits ménages parisiens.   Elle n'avait avoué
15 à personne qu'elle possédait quarante mille francs amas-
sés sou à sou.   Certes, elle se croyait, sous le rapport de
la fortune, un parti sortable.

   — Quant au reste, je vaux bien le bonhomme! se dit-
elle en se retournant dans son lit, comme pour s'attester
20 à elle-même des charmes que la grosse Sylvie trouvait
chaque matin moulés en creux.

   Dès ce jour, pendant environ trois mois, la veuve Vau
quer profita du coiffeur de M. Goriot, et fit quelques
frais de toilette, excusés par la nécessité de donner à sa
25 maison un certain décorum en harmonie avec les personnes honorables qui la fréquentaient.   Elle s'intrigua
beaucoup pour changer le personnel de ses pensionnaires,
en affichant la prétention de n'accepter désormais que
les gens les plus distingués sous tous les rapports.   Un
30 étranger se présentait-il, elle lui vantait la préférence
que M. Goriot, un des négociants les plus notables et les
plus respectables de Paris, lui avait accordée.   Elle dis-

tribua des prospectus en tête desquels se lisait : MAISON VAUQUER. C'était, disait-elle, *une des plus anciennes et des plus estimées pensions bourgeoises du pays latin*.[1] Il y existait une vue des plus agréables sur la vallée des Gobelins[2] (on l'apercevait du troisième étage), et un *joli* jardin, au bout duquel S'ÉTENDAIT une ALLÉE de tilleuls. Elle y parlait du bon air et de la solitude. Ce prospectus lui amena madame la comtesse de l'Ambermesnil, femme de trente-six ans, qui attendait la fin de la liquidation et le règlement d'une pension qui lui était due, en qualité de veuve d'un général mort sur *les* champs de bataille. Madame Vauquer soigna sa table, fit du feu dans les salons pendant près de six mois, et tint si bien les promesses de son prospectus, qu'*elle y mit du sien*. Aussi la comtesse disait-elle à madame Vauquer, en l'appelant *chère amie*, qu'elle lui procurerait la baronne de Vaumerland et la veuve du colonel comte Picquoiseau, deux de ses amies, qui achevaient au Marais[3] leur terme dans une pension plus coûteuse que ne l'était la maison Vauquer. Ces dames seraient, d'ailleurs, fort à leur aise quand les bureaux de la guerre auraient fini leur travail.

— Mais, disait-elle, les bureaux ne terminent rien.

Les deux veuves montaient ensemble, après le dîner, dans la chambre de madame Vauquer, et y faisaient de petites causettes en buvant du cassis et mangeant des friandises réservées pour la bouche de la maîtresse. Madame de l'Ambermesnil approuva beaucoup les vues de son hôtesse sur le Goriot, vues excellentes, qu'elle avait, d'ailleurs, devinées dès le premier jour ; elle le trouvait un homme parfait.

— Ah ! ma chère dame, un homme sain comme mon œil, lui disait la veuve, un homme parfaitement conservé,

et qui peut donner encore bien de l'agrément à une
femme.

La comtesse fit généreusement des observations à madame Vauquer sur sa mise, qui n'était pas en harmonie
5 avec ses prétentions.

— Il faut vous mettre sur le pied de guerre, lui dit-
elle.

Après bien des calculs, les deux veuves allèrent ensemble au Palais-Royal,[1] où elles achetèrent, aux galeries de
10 Bois, un chapeau à plumes et un bonnet. La comtesse
entraîna son amie au magasin de *la Petite Jeannette*, où
elles choisirent une robe et une écharpe. Quand ces
munitions furent employées et que la veuve fut sous les
armes,[2] elle ressembla parfaitement à l'enseigne du *Bœuf*
15 *à la mode*.[3] Néanmoins, elle se trouva si changée à son
avantage, qu'elle se crut l'obligée de la comtesse, et,
quoique peu *donnante*,[4] elle la pria d'accepter un chapeau
de vingt francs. Elle comptait, à la vérité, lui demander le service de sonder Goriot et de la faire valoir au-
20 près de lui. Madame de l'Ambermesnil se prêta fort
amicalement à ce manège, et cerna le vieux vermicellier,
avec lequel elle réussit à avoir une conférence; mais,
après l'avoir trouvé pudibond, pour ne pas dire réfractaire
aux tentatives que lui suggéra son désir particulier de le
25 séduire pour son propre compte, elle sortit révoltée de
sa grossièreté.

— Mon ange, dit-elle à sa chère amie, vous ne tirerez
rien de cet homme-là! il est ridiculement défiant, c'est
un grippe-sou, une bête, un sot, qui ne vous causera que
30 du désagrément.

Il y eut entre M. Goriot et madame de l'Ambermesnil
des choses telles, que la comtesse ne voulut même plus

se trouver avec lui. Le lendemain, elle partit en oubliant de payer six mois de pension et en laissant une défroque prisée cinq francs. Quelque âpreté que madame Vauquer mît à ses recherches, elle ne put obtenir aucun renseignement dans Paris sur la comtesse de l'Ambermesnil. Elle parlait souvent de cette déplorable affaire, en se plaignant de son trop de confiance, quoiqu'elle fût plus méfiante que ne l'est une chatte ; mais elle ressemblait à beaucoup de personnes qui se défient de leurs proches et se livrent au premier venu. Fait moral, bizarre mais vrai, dont la racine est facile à trouver dans le cœur humain. Peut-être certaines gens n'ont-ils plus rien à gagner auprès des personnes avec lesquelles ils vivent ; après leur avoir montré le vide de leur âme, ils se sentent secrètement jugés par elles avec une sévérité méritée ; mais, éprouvant un invincible besoin de flatteries qui leur manquent, ou dévorés par l'envie de paraître posséder les qualités qu'ils n'ont pas, ils espèrent surprendre l'estime ou le cœur de ceux qui leur sont étrangers, au risque d'en déchoir un jour. Enfin, il est des individus nés mercenaires qui ne font aucun bien à leurs amis ou à leurs proches, parce qu'ils le doivent ; tandis qu'en rendant service à des inconnus, ils en recueillent un gain d'amour-propre : plus le cercle de leurs affections est près d'eux, moins ils aiment ; plus il s'étend, plus serviables ils sont. Madame Vauquer tenait sans doute de ces deux natures, essentiellement mesquines, fausses, exécrables.

— Si j'avais été ici, lui disait alors Vautrin, ce malheur ne vous serait pas arrivé ! je vous aurais joliment dévisagé[1] cette farceuse-là. Je connais leurs *frimousses*.[2]

Comme tous les esprits rétrécis, madame Vauquer

avait l'habitude de ne pas sortir du cercle des événements et de ne pas juger leurs causes. Elle aimait à
s'en prendre à autrui de ses propres fautes. Quand
cette perte eut lieu, elle considéra l'honnête vermicellier
5 comme le principe de son infortune, et commença dès
lors, disait-elle, à se dégriser sur son compte. Lorsqu'elle eut reconnu l'inutilité de ses agaceries et de ses
frais de représentation, elle ne tarda pas à en deviner la
raison. Elle s'aperçut alors que son pensionnaire avait
10 déjà, selon son expression, ses *allures*. Enfin, il lui fut
prouvé que son espoir si mignonnement caressé reposait
sur une base chimérique, et qu'elle ne tirerait jamais rien
de cet homme-là, suivant le mot énergique de la comtesse, qui paraissait être une connaisseuse. Elle alla
15 nécessairement plus loin en aversion qu'elle n'était allée
dans son amitié. Sa haine ne fut pas en raison de son
amour, mais de ses espérances trompées. Si le cœur
humain trouve des repos en montant les hauteurs de
l'affection, il s'arrête rarement sur la pente rapide des
20 sentiments haineux. Mais M. Goriot était son pensionnaire, la veuve fut donc obligée de réprimer les explo-
sions de son amour-propre blessé, d'enterrer les soupirs
que lui causa cette déception et de dévorer ses désirs de
vengeance, comme un moine vexé par son prieur. Les
25 petits esprits satisfont leurs sentiments, bons ou mauvais,
par des petitesses incessantes. La veuve employa sa
malice de femme à inventer de sourdes persécutions
contre sa victime. Elle commença par retrancher les
superfluités introduites dans sa pension.

30   — Plus de cornichons,[1] plus d'anchois: c'est des duperies![2] dit-elle à Sylvie, le matin où elle rentra dans son
ancien programme.

M. Goriot était un homme frugal, chez qui la parci-
monie nécessaire aux gens qui font eux-mêmes leur
fortune était dégénérée en habitude. La soupe, le bouilli,
un plat de légumes, avaient été, devaient toujours être
son dîner de prédilection. Il fut donc bien difficile à   5
madame Vauquer de tourmenter son pensionnaire, de
qui elle ne pouvait en rien froisser les goûts. Déses-
pérée de rencontrer un homme inattaquable, elle se mit
à le déconsidérer, et fit ainsi partager son aversion pour
Goriot à ses pensionnaires, qui, par amusement, ser-   10
virent ses vengeances. Vers la fin de la première année,
la veuve en était venue à un tel degré de méfiance,
qu'elle se demandait pourquoi ce négociant, riche de
sept à huit mille livres de rente, qui possédait une argenterie superbe et des bijoux aussi beaux que ceux   15
d'une fille entretenue,¹ demeurait chez elle, en lui payant
une pension si modique relativement à sa fortune. Pendant la plus grande partie de cette première année,
Goriot avait souvent dîné dehors une ou deux fois par
semaine; puis, insensiblement, il en était arrivé à ne   20
plus dîner en ville que deux fois par mois. Les petites
parties fines du sieur Goriot convenaient trop bien aux
intérêts de madame Vauquer, pour qu'elle ne fût pas
mécontente de l'exactitude progressive avec laquelle son
pensionnaire prenait ses repas chez elle. Ces change-   25
ments furent attribués autant à une lente diminution de
fortune qu'au désir de contrarier son hôtesse. Une des
plus détestables habitudes de ces esprits lilliputiens est
de supposer leurs petitesses chez les autres. Malheureusement, à la fin de la deuxième année, M. Goriot   30
justifia les bavardages dont il était l'objet en demandant
à madame Vauquer de passer au second étage, et de

réduire sa pension à neuf cents francs. Il eut besoin
d'une si stricte économie, qu'il ne fit plus de feu chez
lui pendant l'hiver. La veuve Vauquer voulut être payée
d'avance; à quoi consentit M. Goriot, que dès lors elle
5 nomma le père Goriot. Ce fut à qui devinerait les
causes de cette décadence. Exploration difficile! Comme
l'avait dit la fausse comtesse, le père Goriot était un
sournois, un taciturne. Suivant la logique des gens à
tête vide, tous indiscrets parce qu'ils n'ont que des riens
10 à dire, ceux qui ne parlent pas de leurs affaires en doivent faire de mauvaises. Ce négociant si distingué
devint donc un fripon, ce galantin fut un vieux drôle.[1]
Tantôt, selon Vautrin, qui vint vers cette époque ha-
biter la maison Vauquer, le père Goriot était un homme
15 qui allait à la Bourse et qui, suivant une expression
assez énergique de la langue financière, *carottait*[2] sur les
rentes après s'y être ruiné. Tantôt, c'était un de ces
petits joueurs qui vont hasarder et gagner tous les soirs
dix francs au jeu. Tantôt, on en faisait un espion
20 attaché à la haute police; mais Vautrin prétendait qu'il
n'était pas assez rusé pour *en être*.[3] Le père Goriot était
encore un avare qui prêtait à la petite semaine,[4] un homme
qui nourrissait des numéros à la loterie.[5] On en faisait
tout ce que le vice, la honte, l'impuissance, engendrent
25 de plus mystérieux. Seulement, quelque ignobles que
fussent sa conduite ou ses vices, l'aversion qu'il inspirait
n'allait pas jusqu'à le faire bannir: il payait sa pension.
Puis il était utile, chacun essuyait sur lui sa bonne ou sa
mauvaise humeur par des plaisanteries ou par des bour-
30 rades. L'opinion qui paraissait plus probable, et qui
fut généralement adoptée, était celle de madame Vauquer.
A l'entendre, cet homme si bien conservé, sain comme

son œil et avec lequel on pouvait avoir encore beaucoup
d'agrément, était un libertin qui avait des goûts étranges.
Voici sur quels faits la veuve Vauquer appuyait ses calomnies. Quelques mois après le départ de cette désas-
treuse comtesse qui avait su vivre pendant six mois à 5
ses dépens, un matin, avant de se lever, elle entendit
dans son escalier le frou-frou d'une robe de soie et le pas
mignon d'une femme jeune et légère qui filait chez Goriot,
dont la porte s'était intelligemment ouverte. Aussitôt la
grosse Sylvie vint dire à sa maîtresse qu'une fille trop 10
jolie pour être honnête, *mise comme une divinité*, chaussée
en brodequins de prunelle qui n'étaient pas crottés, avait
glissé comme une anguille de la rue jusqu'à sa cuisine,
et lui avait demandé l'appartement de M. Goriot. Madame Vauquer et sa cuisinière se mirent aux écoutes, et sur- 15
prirent plusieurs mots tendrement prononcés pendant la
visite, qui dura quelque temps. Quand M. Goriot recon-
duisit *sa dame*,[1] la grosse Sylvie prit aussitôt son panier
et feignit d'aller au marché, pour suivre le couple
amoureux. 20

— Madame, dit-elle à sa maîtresse en revenant, il faut
que M. Goriot soit diantrement riche tout de même,
pour les mettre[2] sur ce pied-là. Figurez-vous qu'il y
avait, au coin de l'Estrapade,[3] un superbe équipage dans
lequel *elle* est montée. 25

Pendant le dîner, madame Vauquer alla tirer un rideau,
pour empêcher que Goriot ne fût incommodé par le
soleil dont un rayon lui tombait sur les yeux.

— Vous êtes aimé des belles, monsieur Goriot, le soleil
vous cherche, dit-elle en faisant allusion à la visite qu'il 30
avait reçue. Peste! vous avez bon goût, elle était bien
jolie.

— C'était ma fille, dit-il avec une sorte d'orgueil dans lequel les pensionnaires voulurent voir la fatuité d'un vieillard qui sauve les apparences.

Un mois après cette visite, M. Goriot en reçut une autre. Sa fille qui, la première fois, était venue en toilette du matin, vint après le dîner et habillée comme pour aller dans le monde. Les pensionnaires, occupés à causer dans le salon, purent voir en elle une jolie blonde, mince de taille, gracieuse, et beaucoup trop distinguée pour être la fille d'un père Goriot.

— Et de deux![1] dit la grosse Sylvie, qui ne la reconnut pas.

Quelques jours après, une autre fille, grande et bien faite, brune, à cheveux noirs et à l'œil vif, demanda M. Goriot.

— Et de trois! dit Sylvie.

Cette seconde fille, qui, la première fois, était aussi venue voir son père le matin, vint quelques jours après, le soir, en toilette de bal et en voiture.

— Et de quatre! dirent madame Vauquer et la grosse Sylvie, qui ne reconnurent dans cette grande dame aucun vestige de la fille simplement mise le matin qu'elle fit sa première visite.

Goriot payait encore douze cents francs de pension. Madame Vauquer trouva tout naturel qu'un homme riche eût quatre ou cinq maîtresses, et le trouva même fort adroit de les faire passer pour ses filles. Elle ne se formalisa point de ce qu'il les mandait dans la maison Vauquer. Seulement, comme ces visites lui expliquaient l'indifférence de son pensionnaire à son égard, elle se permit, au commencement de la deuxième année, de l'appeler *vieux matou*.[2] Enfin, quand son pensionnaire

tomba dans les neuf cents francs, elle lui demanda fort
insolemment ce qu'il comptait faire de sa maison, en
voyant descendre une de ces dames. Le père Goriot
lui répondit que cette dame était sa fille aînée.

—Vous en avez donc trente-six, des filles?[1] dit aigrement madame Vauquer.

— Je n'en ai que deux, répliqua le pensionnaire avec
la douceur d'un homme ruiné qui arrive à toutes les
docilités de la misère.

Vers la fin de la troisième année, le père Goriot rédui-
sit encore ses dépenses, en montant au troisième étage
et en se mettant à quarante-cinq francs de pension par
mois. Il se passa de tabac, congédia son perruquier et
ne mit plus de poudre. Quand le père Goriot parut
pour la première fois sans être poudré, son hôtesse laissa
échapper une exclamation de surprise en apercevant la
couleur de ses cheveux, ils étaient d'un gris sale et ver-
dâtre. Sa physionomie, que des chagrins secrets avaient
insensiblement rendue plus triste de jour en jour, semblait la plus désolée de toutes celles qui garnissaient la
table. Il n'y eut alors plus aucun doute: le père Goriot
était un vieux libertin dont les yeux n'avaient été pré-
servés de la maligne influence des remèdes nécessités
par ses maladies que par l'habileté d'un médecin. La
couleur dégoûtante de ses cheveux provenait de ses excès
et des drogues qu'il avait prises pour les continuer.
L'état physique et moral du bonhomme donnait raison
à ces radotages. Quand son trousseau fut usé, il acheta
du calicot à quatorze sous l'aune pour remplacer son
beau linge. Ses diamants, sa tabatière d'or, sa chaîne,
ses bijoux disparurent un à un. Il avait quitté l'habit
bleu-barbeau, tout son costume cossu, pour porter, été

comme hiver, une redingote de drap marron grossier, un
gilet en poil de chèvre et un pantalon gris en cuir de
laine.[1] Il devint progressivement maigre; ses mollets
tombèrent; sa figure, bouffie par le contentement d'un
5 bonheur bourgeois, se rida démesurément; son front se
plissa, sa mâchoire se dessina. Durant la quatrième
année de son établissement rue Neuve-Sainte-Geneviève,
il ne se ressemblait plus. Le bon vermicellier de soixante-
deux ans qui ne paraissait pas en avoir quarante, le
10 bourgeois gros et gras, frais de bêtise,[2] dont la tenue
égrillarde réjouissait les passants, qui avait quelque chose
de jeune dans le sourire, semblait être un septuagénaire
hébété, vacillant, blafard. Ses yeux bleus si vivaces
prirent des teintes ternes et gris de fer, ils avaient pâli,
15 ne larmoyaient plus, et leur bordure rouge semblait
pleurer du sang. Aux uns, il faisait horreur; aux autres,
il faisait pitié. De jeunes étudiants en médecine, ayant
remarqué l'abaissement de sa lèvre inférieure et mesuré
le sommet de son angle facial, le déclarèrent atteint de
20 crétinisme, après l'avoir longtemps houspillé sans en rien
tirer. Un soir, après le dîner, madame Vauquer lui ayant
dit en manière de raillerie: «Eh bien, elles ne viennent
donc plus vous voir, vos filles?» en mettant en doute sa
paternité, le père Goriot tressaillit comme si son hôtesse
25 l'eût piqué avec un fer.

— Elles viennent quelquefois, répondit-il d'une voix
émue.

— Ah! ah! vous les voyez encore quelquefois? s'écrièrent les étudiants. Bravo, père Goriot!

30 Mais le vieillard n'entendit pas les plaisanteries que sa
réponse lui attirait: il était retombé dans un état médi-
tatif que ceux qui l'observaient superficiellement pre-

naient pour un engourdissement sénile dû à son défaut
d'intelligence. S'ils l'avaient bien connu, peut-être au-
raient-ils été vivement intéressés par le problème que
présentait sa situation physique et morale; mais rien
n'était plus difficile. Quoiqu'il fût aisé de savoir si 5
Goriot avait réellement été vermicellier, et quel était le
chiffre de sa fortune, les vieilles gens dont la curiosité
s'éveilla sur son compte ne sortaient pas du quartier et
vivaient dans la pension comme des huîtres sur un
rocher. Quant aux autres personnes, l'entraînement 10
particulier de la vie parisienne leur faisait oublier, en
sortant de la rue Neuve-Sainte-Geneviève, le pauvre
vieillard dont ils se moquaient. Pour ces esprits étroits,
comme pour ces jeunes gens insouciants, la sèche misère
du père Goriot et sa stupide attitude étaient incompati- 15
bles avec une fortune et une capacité quelconques.
Quant aux femmes qu'il nommait ses filles, chacun partageait l'opinion de madame Vauquer, qui disait, avec la
logique sévère que l'habitude de tout supposer donne
aux vieilles femmes occupées à bavarder pendant leurs 20
soirées:

— Si le père Goriot avait des filles aussi riches que paraissaient l'être toutes les dames qui sont venues le voir,
il ne serait pas dans ma maison, au troisième, à quarante-cinq francs par mois, et n'irait pas vêtu comme un 25
pauvre.

Rien ne pouvait démentir ces inductions. Aussi, vers
la fin du mois de novembre 1819, époque à laquelle
éclata ce drame, chacun dans la pension avait-il des
idées bien arrêtées sur le pauvre vieillard. Il n'avait 30
jamais eu ni fille ni femme; l'abus des plaisirs en faisait
un colimaçon, un mollusque anthropomorphe[1] à classer

dans les *casquettifères*,[1] disait un employé au Muséum,
un des habitués à cachet.[2]   Poiret était un aigle, un
gentleman auprès de Goriot.   Poiret parlait, raisonnait,
répondait ; il ne disait rien, à la vérité, en parlant, rai-
5 sonnant ou répondant, car il avait l'habitude de répéter
en d'autres termes ce que les autres disaient ; mais il
contribuait à la conversation, il était vivant, il paraissait sensible ;[3] tandis que le père Goriot, disait encore
l'employé au Muséum, était constamment à zéro de
10 Réaumur.[4]

Eugène de Rastignac était revenu dans une disposition
d'esprit que doivent avoir connue les jeunes gens supérieurs, ou ceux auxquels une position difficile communique momentanément les qualités des hommes d'élite.
15 Pendant sa première année de séjour à Paris, le peu de
travail que veulent les premiers grades à prendre dans la
Faculté[5] l'avait laissé libre de goûter les délices visibles
du Paris matériel.   Un étudiant n'a pas trop de temps
s'il veut connaître le répertoire de chaque théâtre, étu-
20 dier les issues du labyrinthe parisien, savoir les usages,
apprendre la langue et s'habituer aux plaisirs particuliers
de la capitale ; fouiller les bons et les mauvais endroits,
suivre les cours qui amusent, inventorier les richesses des
musées.   Un étudiant se passionne alors pour des niaise-
25 ries qui lui paraissent grandioses.   Il a son grand
homme, un professeur du Collège de France,[6] payé pour
se tenir à la hauteur de son auditoire.   Il rehausse sa
cravate et se pose pour la femme des premières galeries
de l'Opéra-Comique.   Dans ces initiations successives,
30 il se dépouille de son aubier,[7] agrandit l'horizon de sa
vie, et finit par concevoir la superposition des couches
humaines qui composent la société.   S'il a commencé

par admirer les voitures au défilé des Champs-Élysées
par un beau soleil, il arrive bientôt à les envier.   Eugène
avait subi cet apprentissage à son insu, quand il partit
en vacances, après avoir été reçu bachelier ès[1] lettres et
bachelier en droit.   Ses illusions d'enfance, ses idées de   5
province avaient disparu.   Son intelligence modifiée,
son ambition exaltée, lui firent voir juste[2] au milieu du
manoir paternel, au sein de la famille.   Son père, sa
mère, ses deux frères, ses deux sœurs, et une tante dont
la fortune consistait en pensions, vivaient sur la petite   10
terre de Rastignac.   Ce domaine, d'un revenu d'environ
trois mille francs, était soumis à l'incertitude qui régit
le produit tout industriel de la vigne, et néanmoins il
fallait en extraire chaque année douze cents francs pour
lui.   L'aspect de cette constante détresse qui lui était   15
généreusement cachée, la comparaison qu'il fut forcé
d'établir entre ses sœurs, qui lui semblaient si belles
dans son enfance, et les femmes de Paris, qui lui avaient
réalisé le type d'une beauté rêvée, l'avenir incertain de
cette nombreuse famille qui reposait sur lui, la parci-   20
monieuse attention avec laquelle il vit serrer les plus
minces productions, la boisson faite pour sa famille avec
les marcs du pressoir, enfin une foule de circonstances
inutiles à consigner ici décuplèrent son désir de parvenir
et lui donnèrent soif des distinctions.   Comme il arrive   25
aux âmes grandes, il voulut ne rien devoir qu'à son
mérite.   Mais son esprit était éminemment méridional;[3]
à l'exécution, ses déterminations devaient donc être
frappées de ces hésitations qui saisissent les jeunes gens
quand ils se trouvent en pleine mer, sans savoir ni de   30
quel côté diriger leurs forces, ni sous quel angle enfler
leurs voiles.   Si d'abord il voulut se jeter à corps perdu

dans le travail, séduit bientôt par la nécessité de se
créer des relations, il remarqua combien les femmes ont
d'influence sur la vie sociale, et avisa soudain à se
lancer dans le monde, afin d'y conquérir des protec-
5 trices: devaient-elles manquer à un jeune homme ardent
et spirituel, dont l'esprit et l'ardeur étaient rehaussés
par une tournure élégante et par une sorte de beauté
nerveuse[1] à laquelle les femmes se laissent prendre
volontiers? Ces idées l'assaillirent au milieu des champs,
10 pendant les promenades que jadis il faisait gaiement
avec ses sœurs, qui le trouvèrent bien changé.   Sa
tante, madame de Marcillac, autrefois présentée à la
cour, y avait connu les sommités aristocratiques.   Tout
à coup le jeune ambitieux reconnut, dans les souvenirs
15 dont sa tante l'avait si souvent bercé, les éléments de
plusieurs conquêtes sociales, au moins aussi importantes
que celles qu'il entreprenait à l'École de droit; il la
questionna sur les liens de parenté qui pouvaient encore
se renouer.   Après avoir secoué les branches de l'arbre
20 généalogique, la vieille dame estima que, de toutes les
personnes qui pouvaient servir son neveu parmi la gent
égoïste des parents riches, madame la vicomtesse de
Beauséant serait la moins récalcitrante.   Elle écrivit à
cette jeune femme une lettre dans l'ancien style, et la
25 remit à Eugène, en lui disant que, s'il réussissait auprès
de la vicomtesse, elle lui ferait retrouver ses autres
parents.   Quelques jours après son arrivée, Rastignac
envoya la lettre de sa tante à madame de Beauséant.
La vicomtesse répondit par une invitation de bal pour
30 le lendemain.

Telle était la situation générale de la pension bourgeoise à la fin du mois de novembre 1819.   Quelques

jours plus tard, Eugène, après être allé au bal de madame
de Beauséant, rentra vers deux heures dans la nuit. Afin
de regagner le temps perdu, le courageux étudiant s'était
promis, en dansant, de travailler jusqu'au matin. Il
allait passer la nuit[1] pour la première fois au milieu de ce 5
silencieux quartier, car il s'était mis sous le charme
d'une fausse énergie en voyant les splendeurs du monde.
Il n'avait pas dîné chez madame Vauquer. Les pensionnaires purent donc croire qu'il ne reviendrait du bal que
le lendemain matin au petit jour, comme il était quel- 10
quefois rentré des fêtes du Prado[2] ou des bals de
l'Odéon,[3] en crottant ses bas de soie et gauchissant ses
escarpins. Avant de mettre les verrous à la porte,
Christophe l'avait ouverte pour regarder dans la rue.
Rastignac se présenta dans ce moment, et put monter à 15
sa chambre sans faire de bruit, suivi de Christophe qui
en faisait beaucoup. Eugène se déshabilla, se mit en
pantoufles, prit une méchante redingote, alluma son feu
de mottes, et se prépara lestement au travail, en sorte
que Christophe couvrit encore par le tapage de ses gros 20
souliers les apprêts peu bruyants du jeune homme.
Eugène resta pensif pendant quelques moments avant
de se plonger dans ses livres de droit. Il venait de reconnaître en madame la vicomtesse de Beauséant l'une
des reines de la mode à Paris, et dont la maison passait 25
pour être la plus agréable du faubourg Saint-Germain.[4]
Elle était d'ailleurs, et par son nom et par sa fortune,
l'une des sommités du monde aristocratique. Grâce à
sa tante de Marcillac, le pauvre étudiant avait été bien
reçu dans cette maison, sans connaître l'étendue de cette 30
faveur. Être admis dans ces salons dorés équivalait à
un brevet de haute noblesse. En se montrant dans

cette société, la plus exclusive de toutes, il avait conquis
le droit d'aller partout.   Ébloui par cette brillante assemblée, ayant à peine échangé quelques paroles avec la
vicomtesse, Eugène s'était contenté de distinguer, parmi
5 la foule des déités parisiennes qui se pressaient dans ce
raout, une de ces femmes que doit adorer tout d'abord
un jeune homme.   La comtesse Anastasie de Restaud,
grande et bien faite, passait pour avoir l'une des plus
jolies tailles de Paris.   Figurez-vous de grands yeux
10 noirs, une main magnifique, un pied bien découpé, du
feu dans les mouvements, une femme que le marquis de
Ronquerolles nommait un cheval de pur sang.   Cette
finesse de nerfs ne lui ôtait aucun avantage; elle avait
les formes pleines et rondes, sans qu'elle pût être accusée
15 de trop d'embonpoint.   *Cheval de pur sang, femme de
race*,[1] ces locutions commençaient à remplacer les anges
du ciel, les figures ossianiques,[2] toute l'ancienne mytho-
logie amoureuse repoussée par le dandysme.   Mais, pour
Rastignac, madame Anastasie de Restaud fut la femme
20 désirable.   Il s'était ménagé deux tours[3] dans la liste des
cavaliers écrite sur l'éventail, et avait pu lui parler pendant la première contredanse.

    — Où vous rencontrer désormais, madame? lui avait-
il dit brusquement avec cette force de passion qui plaît
25 tant aux femmes.

    — Mais, répondit-elle, au Bois,[4] aux Bouffons, chez
moi, partout.

    Et l'aventureux Méridional s'était empressé de se lier
avec cette délicieuse comtesse, autant qu'un jeune
30 homme peut se lier avec une femme pendant une contredanse et une valse.   En se disant cousin de madame de
Beauséant, il fut invité par cette femme, qu'il prit pour

une grande dame, et eut ses entrées chez elle.   Au
dernier sourire qu'elle lui jeta, Rastignac crut sa visite
nécessaire.   Il avait eu le bonheur de rencontrer un
homme qui ne s'était pas moqué de son ignorance, défaut
mortel au milieu des illustres impertinents de l'époque,   5
les Maulincourt, les Ronquerolles, les Maxime de
Trailles, les de Marsay, les Ajuda-Pinto, les Vandenesse,
qui étaient là dans la gloire de leurs fatuités et mêlés
aux femmes les plus élégantes, lady Brandon, la duchesse
de Langeais, la comtesse de Kergarouët, madame de   10
Sérizy, la duchesse de Carigliano, la comtesse Ferraud,
madame de Lanty, la marquise d'Aiglemont, madame
Firmiani, la marquise de Listomère et la marquise
d'Espard, la duchesse de Maufrigneuse et les Grandlieu.[1]
Heureusement donc, le naïf étudiant tomba sur le mar-   15
quis de Montriveau, l'amant de la duchesse de Langeais,
un général simple comme un enfant, qui lui apprit que
la comtesse de Restaud demeurait rue du Helder.   Être
jeune, avoir soif du monde, avoir faim d'une femme, et
voir s'ouvrir pour soi deux maisons! mettre le pied au   20
faubourg Saint-Germain chez la vicomtesse de Beauséant,
le genou dans la Chaussée d'Antin[2] chez la comtesse de
Restaud! plonger d'un regard dans les salons de Paris
en enfilade, et se croire assez joli garçon pour y trouver
aide et protection dans un cœur de femme! se sentir   25
assez ambitieux pour donner un superbe coup de pied à
la corde roide[3] sur laquelle il faut marcher avec l'assurance du sauteur qui ne tombera pas, et avoir trouvé
dans une charmante femme le meilleur des balanciers!
Avec ces pensées et devant cette femme qui se dressait   30
sublime auprès d'un feu de mottes, entre le Code[4] et la
misère, qui n'aurait, comme Eugène, sondé l'avenir par

une méditation, qui ne l'aurait meublé de succès? Sa
pensée vagabonde escomptait si drument[1] ses joies
futures, qu'il se croyait auprès de madame de Restaud,
quand un soupir semblable à un *Han!* de saint Joseph[2]
5 troubla le silence de la nuit, retentit au cœur du jeune
homme de manière à le lui faire prendre pour le râle d'un
moribond.   Il ouvrit doucement sa porte et, quand il
fut dans le corridor, il aperçut une ligne de lumière
tracée au bas de la porte du père Goriot.   Eugène
10 craignit que son voisin ne se trouvât indisposé, il approcha son œil de la serrure, regarda dans la chambre et
vit le vieillard occupé de travaux qui lui parurent trop
criminels pour qu'il ne crût pas rendre service à la
société en examinant bien ce que machinait nuitamment
15 le soi-disant vermicellier.   Le père Goriot, qui sans doute
avait attaché sur la barre d'une table renversée un plat
et une soupière en vermeil, tournait une espèce de câble
autour de ces objets richement sculptés, en les serrant
avec une si grande force, qu'il les tordait vraisemblable-
20 ment pour les convertir en lingots.

— Peste! quel homme! se dit Rastignac en voyant
les bras nerveux du vieillard qui, à l'aide de cette corde,
pétrissait sans bruit l'argent doré comme une pâte.   Mais
serait-ce donc un voleur ou un recéleur qui, pour se
25 livrer plus sûrement à son commerce, affecterait la bêtise,
l'impuissance, et vivrait en mendiant? se dit Eugène en
se relevant un moment.

L'étudiant appliqua de nouveau son œil à la serrure.
Le père Goriot, qui avait déroulé son câble, prit la masse
30 d'argent, la mit sur la table après y avoir étendu sa couverture, et l'y roula pour l'arrondir en barre, opération
dont il s'acquitta avec une facilité merveilleuse.

— Il serait donc aussi fort que l'était Auguste, roi de Pologne?[1] se dit Eugène quand la barre ronde fut à peu près façonnée.

Le père Goriot regarda son ouvrage d'un air triste, des larmes sortirent de ses yeux, il souffla le rat de cave[2] à la lueur duquel il avait tordu ce vermeil, et Eugène l'entendit se coucher en poussant un soupir.

— Il est fou, pensa l'étudiant.

— Pauvre enfant! dit à haute voix le père Goriot.

A cette parole, Rastignac jugea prudent de garder le silence sur cet événement, et de ne pas inconsidérément condamner son voisin. Il allait rentrer, quand il distingua soudain un bruit assez difficile à exprimer et qui devait être produit par des hommes en chaussons de lisière[3] montant l'escalier. Eugène prêta l'oreille, et reconnut, en effet, le son alternatif de la respiration de deux hommes. Sans avoir entendu ni le cri de la porte ni les pas des hommes, il vit tout à coup une faible lueur au second étage, chez M. Vautrin.

— Voilà bien des mystères dans une pension bourgeoise! se dit-il.

Il descendit quelques marches, se mit à écouter, et le son de l'or frappa son oreille. Bientôt la lumière fut éteinte, les deux respirations se firent entendre derechef sans que la porte eût crié. Puis, à mesure que les deux hommes descendirent, le bruit alla s'affaiblissant.

— Qui va là? cria madame Vauquer en ouvrant la fenêtre de sa chambre.

— C'est moi qui rentre, maman Vauquer, dit Vautrin de sa grosse voix.

— C'est singulier! Christophe avait mis les verrous, se dit Eugène en rentrant dans sa chambre. Il faut

veiller pour bien savoir ce qui se passe autour de soi,
dans Paris.

Détourné par ces petits événements de sa méditation
ambitieusement amoureuse, il se mit au travail. Distrait
par les soupçons qui lui venaient sur le compte du père
Goriot, plus distrait encore par la figure de madame de
Restaud, qui de moment en moment se posait devant
lui comme la messagère d'une brillante destinée, il finit
par se coucher et par dormir à poings fermés.[1] Sur dix
nuits promises au travail par les jeunes gens, ils en
donnent sept au sommeil. Il faut avoir plus de vingt
ans pour veiller.

Le lendemain matin régnait à Paris un de ces épais
brouillards qui l'enveloppent et l'embrument si bien, que
les gens les plus exacts sont trompés sur le temps. Les
rendez-vous d'affaires se manquent. Chacun se croit à
huit heures quand midi sonne. Il était neuf heures et
demie, madame Vauquer n'avait pas encore bougé de
son lit. Christophe et la grosse Sylvie, attardés aussi,
prenaient tranquillement leur café, préparé avec les
couches supérieures du lait destiné aux pensionnaires, et
que Sylvie faisait longtemps bouillir, afin que madame
Vauquer ne s'aperçût pas de cette dîme illégalement
levée.

— Sylvie, dit Christophe en mouillant sa première
rôtie, M. Vautrin, qu'est[2] un bon homme tout de même,
a encore vu deux personnes cette nuit. Si madame s'en
inquiétait, ne faudrait rien lui dire.

— Vous a-t-il donné quelque chose?

— Il m'a donné cent sous pour son mois, une manière
de me dire: «Tais-toi.»

— Sauf lui et madame Couture, qui ne sont pas regar-

dants, les autres voudraient nous retirer de la main
gauche ce qu'ils nous donnent de la main droite au jour
de l'an, dit Sylvie.

— Encore,[1] qu'est-ce qu'ils donnent? fit Christophe,
une méchante pièce *ed'*[2] cent sous. Voilà depuis deux 5
ans le père Goriot qui fait ses souliers lui-même. Ce
grigou de Poiret se passe de cirage, et le boirait plutôt
que de le mettre à ses savates. Quant au gringalet
d'étudiant, il me donne quarante sous. Quarante sous
ne payent pas mes brosses, et il vend ses vieux habits, 10
par-dessus le marché. Qué baraque![3]

— Bah! fit Sylvie en buvant de petites gorgées de
café, nos places sont encore les meilleures du quartier:
on y vit bien. Mais, à propos du grand papa Vautrin,
Christophe, vous a-t-on dit quelque chose? 15

— Oui. J'ai rencontré il y a quelques jours un monsieur dans la rue, qui m'a dit: «N'est-ce pas chez vous
que demeure un gros monsieur qui a des favoris qu'il
teint?» Moi, j'ai dit: «Non, monsieur, il ne les teint
pas. Un homme gai comme lui, il n'en a pas le temps.» 20
J'ai donc dit ça à M. Vautrin, qui m'a répondu: «Tu as
bien fait, mon garçon! Réponds toujours comme ça.
Rien n'est plus désagréable que de laisser connaître nos
infirmités. Ça peut faire manquer des mariages.»

— Eh bien, à moi, au marché, on a voulu m'englauder[4] 25
aussi pour me faire dire si je lui voyais passer[5] sa chemise. C'te farce![6] ... Tiens, dit-elle en s'interrompant,
voilà dix heures quart moins[7] qui sonnent au Val-de-
Grâce, et personne ne bouge!

— Ah bah! ils sont tous sortis. Madame Couture et 30
sa jeune personne sont allées manger le bon Dieu[8] à
Saint-Étienne dès huit heures. Le père Goriot est sorti

avec un paquet. L'étudiant ne reviendra qu'après son
cours, à dix heures. Je les ai vus partir en faisant mes
escaliers, que le père Goriot[1] m'a donné un coup avec ce
qu'il portait, qu'était dur[2] comme du fer. Qué qui fait[3]
5 donc, ce bonhomme-là? Les autres le font aller comme
une toupie, mais c'est un brave homme tout de même, et
qui vaut mieux qu'eux tous. Il ne donne pas grand'-
chose; mais les dames chez lesquelles il m'envoie quelquefois allongent de fameux pourboires, et sont joliment
10 ficelées.[4]

— Celles qu'il appelle ses filles, hein? Elles sont une
douzaine.

— Je ne suis jamais allé que chez deux, les mêmes qui
sont venues ici.

15 — Voilà madame qui se remue; elle va faire son
sabbat:[5] faut que j'y aille. Vous veillerez au lait,
Christophe, rapport au[6] chat.

Sylvie monta chez sa maîtresse.

— Comment! Sylvie, voilà dix heures quart moins,
20 vous m'avez laissée dormir comme une marmotte! Jamais
pareille chose n'est arrivée.

— C'est le brouillard, qu'est à couper au couteau.

— Mais le déjeuner?

— Bah! vos pensionnaires avaient bien le diable a'
25 corps;[7] ils ont tous décanillé[8] dès le *patron-jacquette*.[9]

— Parle donc bien, Sylvie, reprit madame Vauquer:
on dit le *patron-minette*.

— Ah! madame, je dirai comme vous voudrez. Tant
y a que vous pouvez déjeuner à dix heures. La Michon-
30 nette et le Poireau n'ont pas bougé. Il n'y a qu'eux qui
soient dans la maison, et ils dorment comme des souches[10]
qui sont.

— Mais, Sylvie, tu les mets tous les deux ensemble,
comme si. . .

— Comme si, quoi? reprit Sylvie en laissant échapper
un gros rire bête.   Les deux font la paire.

— C'est singulier, Sylvie: comment M. Vautrin est-il
donc rentré cette nuit après que Christophe a eu mis[1] les
verrous?

— Bien au contraire, madame. Il a entendu M. Vautrin,
et est descendu pour lui ouvrir la porte.   Et voilà ce
que vous avez cru. . .

— Donne-moi ma camisole, et va vite voir au déjeuner.
Arrange le reste du mouton avec des pommes de terre, et
donne des poires cuites, de celles qui coûtent deux liards
la pièce.

Quelques instants après, madame Vauquer descendit au
moment où son chat venait de renverser d'un coup de
patte l'assiette qui couvrait un bol de lait, et le lapait en
toute hâte.

— Mistigris![2] s'écria-t-elle.

Le chat se sauva, puis revint se frotter à ses jambes.

— Oui, oui, fais ton capon,[3] vieux lâche! lui dit-elle.
— Sylvie! Sylvie!

— Eh bien, quoi, madame?

— Voyez donc ce qu'a bu le chat.

— C'est la faute de cet animal de Christophe, à qui
j'avais dit de mettre le couvert.   Où est-il passé? — Ne
vous inquiétez pas, madame; ce sera le café du père Goriot.   Je mettrai de l'eau dedans, il ne s'en apercevra
pas.   Il ne fait attention à rien, pas même à ce qu'il
mange.

— Où donc est-il allé, ce chinois-là?[4] dit madame
Vauquer en plaçant les assiettes.

— Est-ce qu'on sait?　Il fait des trafics des cinq cents diables.[1]

— J'ai trop dormi, dit madame Vauquer.

— Mais aussi madame est-elle fraîche comme une
5 rose. . .

En ce moment, la sonnette se fit entendre, et Vautrin
entra dans le salon en chantant de sa grosse voix:

> J'ai longtemps parcouru le monde,
> Et l'on m'a vu de toute part. . .

10 — Oh! oh! bonjour, maman Vauquer, dit-il en apercevant l'hôtesse, qu'il prit galamment dans ses bras.

— Allons, finissez donc. . .

— Dites: «Impertinent!» reprit-il.　Allons, dites-le.
Voulez-vous bien le dire?　Tenez, je vais mettre le couvert
15 avec vous.　Ah! je suis gentil, n'est-ce pas?

> Courtiser la brune et la blonde,
> Aimer, soupirer. . .

Je viens de voir quelque chose de singulier. . .

> . . . . au hasard.[2]

20 — Quoi? dit la veuve.

— Le père Goriot était à huit heures et demie rue Dau-
phine, chez l'orfèvre qui achète de vieux couverts et des
galons.[3]　Il lui a vendu pour une bonne somme un ustensile
de ménage en vermeil, assez joliment tortillé pour un
25 homme qui n'est pas de la manique.[4]

— Bah! vraiment?

— Oui.　Je revenais ici après avoir conduit un de mes
amis qui s'expatrie par les Messageries[5] royales; j'ai attendu le père Goriot pour voir: histoire de rire.[6]　Il a re-
30 monté dans ce quartier-ci, rue des Grès, où il est entré
dans la maison d'un usurier connu, nommé Gobseck, un
fier drôle,[7] capable de faire des dominos avec les os de

son père; un juif, un arabe,[1] un grec, un bohémien, un homme qu'on serait bien embarrassé de dévaliser, il met ses écus à la Banque.[2]

— Qu'est-ce que fait donc ce père Goriot?

— Il ne fait rien, dit Vautrin, il défait.   C'est un imbé-   5
cile assez bête pour se ruiner à aimer les filles qui. . .

— Le voilà! dit Sylvie.

— Christophe, cria le père Goriot, monte avec moi.

Christophe suivit le père Goriot, et redescendit bientôt.

— Où vas-tu? dit madame Vauquer à son domestique.   10

— Faire une commission pour M. Goriot.

— Qu'est-ce que c'est que ça? dit Vautrin en arrachant des mains de Christophe une lettre sur laquelle il lut: *A madame la comtesse Anastasie de Restaud.*   Et tu vas. . .? reprit-il rendant la lettre à Christophe.   15

— Rue du Helder.   J'ai ordre de ne remettre ceci qu'à madame la comtesse.

— Qu'est-ce qu'il y a là dedans? dit Vautrin en mettant la lettre au jour; un billet de banque? Non. — Il entr'ou-vrit l'enveloppe. — Un billet acquitté, s'écria-t-il.   Four-   20
che![3] il est galant, le roquentin.   Va, vieux lascar,[4] dit-il en coiffant de sa large main Christophe, qu'il fit tourner sur lui-même comme un dé, tu auras un bon pourboire.

Le couvert était mis.   Sylvie faisait bouillir le lait. Madame Vauquer allumait le poêle, aidée par Vautrin,   25
qui fredonnait toujours:

> J'ai longtemps parcouru le monde,
> Et l'on m'a vu de toute part. . .

Quand tout fut prêt, madame Couture et mademoiselle Taillefer rentrèrent.   30

— D'où venez-vous donc si matin, ma belle dame? dit madame Vauquer à madame Couture.

— Nous venons de faire nos dévotions à Saint-Étienne
du Mont; ne devons-nous pas aller aujourd'hui chez M.
Taillefer? Pauvre petite, elle tremble comme la feuille,
reprit madame Couture en s'asseyant devant le poêle, à
5 la bouche duquel elle présenta ses souliers qui fumèrent.

— Chauffez-vous donc, Victorine, dit madame Vauquer.

— C'est bien, mademoiselle, de prier le bon Dieu d'attendrir le cœur de votre père, dit Vautrin en avançant
une chaise à l'orpheline. Mais ça ne suffit pas. Il vous
10 faudrait un ami qui se chargeât de dire son fait[1] à ce mar-
souin-là, un sauvage qui a, dit-on, trois millions, et qui
ne vous donne pas de dot. Une belle fille a besoin de
dot dans ce temps-ci.

— Pauvre enfant! dit madame Vauquer. Allez, mon
15 chou,[2] votre monstre de père attire le malheur à plaisir[3]
sur lui.

A ces mots, les yeux de Victorine se mouillèrent de
larmes, et la veuve s'arrêta sur un signe que lui fit madame Couture.

20 — Si nous pouvions seulement le voir, si je pouvais lui
parler, lui remettre la dernière lettre de sa femme, reprit
la veuve du commissaire ordonnateur. Je n'ai jamais
osé la risquer par la poste; il connaît mon écriture. . .

— *O femmes innocentes, malheureuses et persécutées!*
25 s'écria Vautrin en interrompant, voilà donc où vous en
êtes? D'ici à quelques jours, je me mêlerai de vos affaires, et tout ira bien.

— Oh! monsieur, dit Victorine en jetant un regard à
la fois humide et brûlant à Vautrin, qui ne s'en émut
30 pas, si vous saviez un moyen d'arriver à mon père, dites-
lui bien que son affection et l'honneur de ma mère me
sont plus précieux que toutes les richesses du monde. Si

vous obteniez quelque adoucissement à sa rigueur, je
prierais Dieu pour vous.   Soyez sûr d'une reconnaissance. . .

—*J'ai longtemps parcouru le monde*, chanta Vautrin
d'une voix ironique.   5

En ce moment, Goriot, mademoiselle Michonneau,
Poiret, descendirent, attirés peut-être par l'odeur du roux
que faisait Sylvie pour accommoder les restes du mouton.
A l'instant où les sept convives s'attablèrent en se souhaitant le bonjour, dix heures sonnèrent: on entendit 10
dans la rue le pas de l'étudiant.

— Ah bien, monsieur Eugène, dit Sylvie, aujourd'hui,
vous allez déjeuner avec tout le monde.

L'étudiant salua les pensionnaires, et s'assit auprès du
père Goriot.   15

— Il vient de m'arriver une singulière aventure, dit-il
en se servant abondamment du mouton et se coupant un
morceau de pain que madame Vauquer mesurait toujours
de l'œil.

— Une aventure? dit Poiret.   20

— Eh bien, pourquoi vous en étonneriez-vous, vieux
chapeau? dit Vautrin à Poiret.   Monsieur est bien fait
pour en avoir.

Mademoiselle Taillefer coula timidement un regard
sur le jeune étudiant.   25

— Dites-nous votre aventure, demanda madame
Vauquer.

— Hier, j'étais au bal chez madame la vicomtesse de
Beauséant, une cousine à moi, qui possède une maison
magnifique, des appartements habillés de soie, enfin qui 30
nous a donné une fête superbe, où je me suis amusé
comme un roi. . .

— Telet,[1] dit Vautrin en interrompant net.

— Monsieur, reprit vivement Eugène, que voulez-vous
dire?

— Je dis *telet*, parce que les roitelets s'amusent beaucoup plus que les rois.

— C'est vrai: j'aimerais mieux être ce petit oiseau sans
souci que roi, parce que. . ., fit Poiret l'*idémiste*.[2]

— Enfin, reprit l'étudiant en lui coupant la parole, je
danse avec une des plus belles femmes du bal, une comtesse ravissante, la plus délicieuse créature que j'aie jamais vue.   Elle était coiffée avec des fleurs de pêcher,
elle avait au côté le plus beau bouquet de fleurs, des fleurs
naturelles qui embaumaient; mais, bah! il faudrait que
vous l'eussiez vue, il est impossible de peindre une femme
animée par la danse.   Eh bien, ce matin, j'ai rencontré
cette divine comtesse, sur les neuf heures, à pied, rue des
Grès.   Oh! le cœur m'a battu, je me figurais. . .

— Qu'elle venait ici, dit Vautrin en jetant un regard
profond à l'étudiant.   Elle allait sans doute chez le papa
Gobseck, un usurier.   Si jamais vous fouillez des cœurs
de femmes à Paris, vous y trouverez l'usurier avant
l'amant.   Votre comtesse se nomme Anastasie de Restaud,
et demeure rue du Helder.

A ce nom, l'étudiant regarda fixement Vautrin.   Le
père Goriot leva brusquement la tête, il jeta sur les deux
interlocuteurs un regard lumineux et plein d'inquiétude
qui surprit les pensionnaires.

— Christophe arrivera trop tard, elle y sera donc allée!
s'écria douloureusement Goriot.

— J'ai deviné, dit Vautrin en se penchant à l'oreille
de madame Vauquer.

Goriot mangeait machinalement et sans savoir ce qu'il

mangeait. Jamais il n'avait semblé plus stupide et plus
·absorbé qu'il ne l'était en ce moment.

— Qui diable, monsieur Vautrin, a pu vous dire son
nom? demanda Eugène.

— Ah! ah! voilà, répondit Vautrin. Le père Goriot 5
le savait bien, lui! pourquoi ne le saurais-je pas?

— M. Goriot? s'écria l'étudiant.

— Quoi! dit le pauvre vieillard. Elle était donc bien
belle hier?

— Qui?

— Madame de Restaud.   10

— Voyez-vous le vieux grigou, dit madame Vauquer à
Vautrin, comme ses yeux s'allument!

— Il l'entretiendrait donc? dit à voix basse mademoiselle Michonneau à l'étudiant.

— Oh! oui, elle était furieusement belle, reprit Eugène, 15
que le père Goriot regardait avidement. Si madame de
Beauséant n'avait pas été là, ma divine comtesse eût été
la reine du bal; les jeunes gens n'avaient d'yeux que pour
elle, j'étais le douzième inscrit sur sa liste, elle dansait 20
toutes les contredanses. Les autres femmes enrageaient.
Si une créature a été heureuse hier, c'est bien elle. On a
bien raison de dire qu'il n'y a rien de plus beau que fré-
gate à la voile, cheval au galop et femme qui danse.

— Hier en haut de la roue, chez une duchesse, dit 25
Vautrin; ce matin en bas de l'échelle, chez un escompteur:
voilà les Parisiennes. Si leurs maris ne peuvent entretenir leur luxe effréné, elles se vendent. Si elles ne savent
pas se vendre, elles éventreraient leurs mères pour y
chercher de quoi briller. Enfin elles font les cent mille 30
coups.[1] Connu, connu!

Le visage du père Goriot, qui s'était allumé comme le

soleil d'un beau jour en entendant l'étudiant, devint
sombre à cette cruelle observation de Vautrin.

— Eh bien, dit madame Vauquer, où donc est votre
aventure? Lui avez-vous parlé? lui avez-vous demandé
5 si elle voulait apprendre le droit?[1]

— Elle ne m'a pas vu, dit Eugène. Mais rencontrer
une des plus jolies femmes de Paris rue des Grès, à neuf
heures, une femme qui a dû rentrer du bal à deux heures
du matin, n'est-ce pas singulier? Il n'y a que Paris pour
10 ces aventures-là.

— Bah! il y en a de bien plus drôles, s'écria Vautrin.

Mademoiselle Taillefer avait à peine écouté, tant elle
était préoccupée par la tentative qu'elle allait faire.
Madame Couture lui fit signe de se lever pour aller
15 s'habiller. Quand les deux dames sortirent, le père
Goriot les imita.

— Eh bien, l'avez-vous vu? dit madame Vauquer à
Vautrin et à ses autres pensionnaires. Il est clair qu'il
s'est ruiné pour ces femmes-là.

20 — Jamais on ne me fera croire, s'écria l'étudiant, que la
belle comtesse de Restaud appartienne au père Goriot.

— Mais, lui dit Vautrin en l'interrompant, nous ne
tenons pas à vous le faire croire. Vous êtes encore trop
jeune pour bien connaître Paris; vous saurez plus tard
25 qu'il s'y rencontre ce que nous nommons des *hommes à
passions.* . .

A ces mots, mademoiselle Michonneau regarda
Vautrin d'un air intelligent. Vous eussiez dit un cheval
de régiment entendant le son de la trompette.

30 — Ah! ah! fit Vautrin en s'interrompant pour lui
jeter un regard profond, *que* nous *n'avons néu* nos
petites passions,[2] nous?

La vieille fille baissa les yeux comme une religieuse qui voit des statues.

— Eh bien, reprit-il, ces gens-là chaussent une idée et n'en démordent pas. Ils n'ont soif que d'une certaine eau prise à une certaine fontaine, et souvent croupie; pour en boire, ils vendraient leurs femmes, leurs enfants; ils vendraient leur âme au diable. Pour les uns, cette fontaine est le jeu, la Bourse, une collection de tableaux ou d'insectes, la musique; pour d'autres, c'est une femme qui sait leur cuisiner des friandises. A ceux-là, vous leur offririez toutes les femmes de la terre, ils s'en moquent, ils ne veulent que celle qui satisfait leur passion. Souvent cette femme ne les aime pas du tout, vous les rudoie, leur vend fort cher des bribes de satisfactions; eh bien, mes farceurs ne se lassent pas, et mettraient leur dernière couverture au mont-de-piété pour lui apporter leur dernier écu. Le père Goriot est un de ces gens-là. La comtesse l'exploite parce qu'il est discret; et voilà le beau monde! Le pauvre bonhomme ne pense qu'à elle. Hors de sa passion, vous le voyez, c'est une bête brute. Mettez-le sur ce chapitre-là, son visage étincelle comme un diamant. Il n'est pas difficile de deviner ce secret-là. Il a porté ce matin du vermeil à la fonte, et je l'ai vu entrant chez le papa Gobseck, rue des Grès. Suivez bien! En revenant, il a envoyé chez la comtesse de Restaud ce niais de Christophe qui nous a montré l'adresse de la lettre dans laquelle était un billet acquitté. Il est clair que, si la comtesse allait aussi chez le vieil escompteur, il y avait urgence. Le père Goriot a galamment financé pour elle. Il ne faut pas coudre deux idées pour voir clair là dedans. Cela vous prouve, mon jeune étudiant, que, pendant que votre

comtesse riait, dansait, faisait ses singeries, balançait
ses fleurs de pêcher et pinçait sa robe, elle était dans
ses petits souliers,[1] comme on dit, en pensant à ses
lettres de change protestées, ou à celles de son amant.

5　　— Vous me donnez une furieuse envie de savoir la
vérité. J'irai demain chez madame de Restaud, s'écria
Eugène.

— Oui, dit Poiret, il faut aller demain chez madame
de Restaud.

10　　— Vous y trouverez peut-être le bonhomme Goriot, qui
viendra toucher le montant de ses galanteries.

— Mais, dit Eugène avec un air de dégoût, votre Paris
est donc un bourbier?

— Et un drôle de bourbier, reprit Vautrin. Ceux qui
15　s'y crottent en voiture sont d'honnêtes gens, ceux qui
s'y crottent à pied sont des fripons. Ayez le malheur d'y
décrocher n'importe quoi, vous êtes montré sur la place
du Palais-de-Justice comme une curiosité. Volez un
million, vous êtes marqué dans les salons comme une
20　vertu. Vous payez trente millions à la gendarmerie et à
la justice pour maintenir cette morale-là. . . Joli!

— Comment, s'écria madame Vauquer, le père Goriot
aurait fondu son déjeuner[2] de vermeil?

— N'y avait-il pas deux tourterelles sur le couvercle
25　dit Eugène.

— C'est bien cela.

— Il y tenait donc beaucoup, il a pleuré quand il a eu
pétri l'écuelle et le plat. Je l'ai vu par hasard, dit
Eugène.

30　　— Il y tenait comme à sa vie, répondit la veuve.

— Voyez-vous le bonhomme, combien il est passionné!
s'écria Vautrin. Cette femme-là sait lui chatouiller l'âme.

L'étudiant remonta chez lui. Vautrin sortit. Quelques instants après, madame Couture et Victorine montèrent dans un fiacre que Sylvie alla leur chercher. Poiret offrit son bras à mademoiselle Michonneau, et tous deux allè- rent se promener au Jardin des Plantes,[1] pendant les deux 5 belles heures de la journée.

— Eh bien, les voilà donc quasiment mariés, dit la grosse Sylvie. Ils sortent ensemble aujourd'hui pour la première fois. Ils sont tous deux si secs, que, s'ils se co- gnent, ils feront feu comme un briquet. 10

— Gare au châle de mademoiselle Michonneau, dit en riant madame Vauquer, il prendra comme de l'amadou.

A quatre heures du soir, quand Goriot rentra, il vit, à la lueur de deux lampes fumeuses, Victorine dont les yeux étaient rouges. Madame Vauquer écoutait le récit 15 de la visite infructueuse faite à M. Taillefer pendant la matinée. Ennuyé de recevoir sa fille et cette vieille femme, Taillefer les avait laissées parvenir jusqu'à lui pour s'expliquer avec elles.

— Ma chère dame, disait madame Couture à madame 20 Vauquer, figurez-vous qu'il n'a pas même fait asseoir Vic- torine, qu'est[2] restée constamment debout. A moi, il m'a dit, sans se mettre en colère, tout froidement, de nous épargner la peine de venir chez lui; que mademoiselle, sans dire sa fille, se nuisait dans son esprit en l'impor- 25 tunant (une fois par an, le monstre!); que, la mère de Victorine ayant été épousée sans fortune, elle n'avait rien à prétendre; enfin les choses les plus dures, qui ont fait fondre en larmes cette pauvre petite. La petite s'est jetée alors aux pieds de son père, et lui a dit avec courage 30 qu'elle n'insistait autant que pour sa mère, qu'elle obéi- rait à ses volontés sans murmure; mais qu'elle le sup-

pliait de lire le testament de la pauvre défunte; elle a
pris la lettre et la lui a présentée en disant les plus belles
choses du monde et les mieux senties, je ne sais pas où
elle les a prises, Dieu les lui dictait, car la pauvre enfant
5 était si bien inspirée, qu'en l'entendant, moi, je pleurais
comme une bête.   Savez-vous ce que faisait cette horreur
d'homme?   Il se coupait les ongles! il a pris cette lettre
que la pauvre madame Taillefer avait trempée de larmes,
et l'a jetée sur la cheminée en disant: «C'est bon!» Il a
10 voulu relever sa fille, qui lui prenait les mains pour les
lui baiser, mais il les a retirées.   Est-ce pas[1] une scéléra-
tesse?   Son grand dadais de fils est entré sans saluer sa
sœur.

— C'est donc des monstres?[2] dit le père Goriot.

15   — Et puis, dit madame Couture sans faire attention à
l'exclamation du bonhomme, le père et le fils s'en sont
allés en me saluant et me priant de les excuser; ils
avaient des affaires pressantes.   Voilà notre visite.   Au
moins, il a vu sa fille.   Je ne sais pas comment il peut
20 la renier, elle lui ressemble comme deux gouttes d'eau.

Les pensionnaires, internes et externes, arrivèrent les
uns après les autres, en se souhaitant mutuellement le
bonjour, et se disant de ces riens qui constituent, chez
certaines classes parisiennes, un esprit drolatique dans
25 lequel la bêtise entre comme élément principal, et dont
le mérite consiste particulièrement dans le geste ou la
prononciation.   Cette espèce d'argot varie continuelle-
ment.   La plaisanterie qui en est le principe n'a jamais
un mois d'existence.   Un événement politique, un procès
30 en cour d'assises, une chanson des rues, les farces d'un
acteur, tout sert à entretenir ce jeu d'esprit qui consiste
surtout à prendre les idées et les mots comme des

volants, et à se les renvoyer sur des raquettes. La récente invention du diorama, qui portait l'illusion de l'optique à un plus haut degré que dans les panoramas, avait amené dans quelques ateliers de peinture la plaisanterie de parler en *rama*, espèce de charge[1] qu'un jeune peintre, habitué de la pension Vauquer, y avait inoculée.

— Eh bien, *monsieurre*[2] Poiret, dit l'employé au Muséum, comment va cette petite *santérama ?*

Puis, sans attendre sa réponse:

— Mesdames, vous avez du chagrin, dit-il à madame Couture et à Victorine.

— Allons-nous *dînaire?* s'écria Horace Bianchon, un étudiant en médecine, ami de Rastignac; ma petite estomac[3] est descendue *usque ad talones.*[4]

— Il fait un fameux *froitorama !*[5] dit Vautrin. Dérangez-vous donc, père Goriot! Que diable! votre pied prend toute la gueule du poêle.

— Illustre monsieur Vautrin, dit Bianchon, pourquoi dites-vous *froitorama?* Il y a une faute, c'est *froidorama.*

— Non, dit l'employé du Muséum, c'est *froitorama,* par la règle: « J'ai *froit* aux pieds. »[6]

—Ah! ah!

— Voici Son Excellence le marquis de Rastignac, docteur en droit-travers,[7] s'écria Bianchon en saisissant Eugène par le cou et le serrant de manière à l'étouffer. Ohé! les autres, ohé!

Mademoiselle Michonneau entra doucement, salua les convives sans rien dire, et s'alla placer près des trois femmes.

— Elle me fait toujours grelotter, cette vieille chauve-

souris, dit à voix basse Bianchon à Vautrin en montrant
mademoiselle Michonneau.   Moi qui étudie le système
de Gall,[1] je lui trouve les bosses de Judas.[2]

— Monsieur l'a connu? dit Vautrin.

5   — Qui ne l'a pas rencontré! répondit Bianchon. Ma
parole d'honneur, cette vieille fille blanche me fait l'effet
de ces longs vers qui finissent par ronger une poutre.

— Voilà ce que c'est, jeune homme, dit le quadragénaire en peignant ses favoris.

10
Et rose, elle a vécu ce que vivent les roses,
L'espace d'un matin.[3]

— Ah! ah! voici une fameuse *soupeaurama*, dit Poiret
en voyant Christophe qui entrait en tenant respectueusement le potage.

15   — Pardonnez-moi, monsieur, dit madame Vauquer,
c'est une soupe aux choux.

Tous les jeunes gens éclatèrent de rire.

— Enfoncé,[4] Poiret!

— Poirrrrrette enfoncé!

20   — Marquez deux points[5] à maman Vauquer, dit Vautrin.

— Quelqu'un a-t-il fait attention au brouillard de ce
matin? dit l'employé.

— C'était, dit Bianchon, un brouillard frénétique et
sans exemple, un brouillard lugubre, mélancolique, vert,
25 poussif, un brouillard Goriot.

— Goriorama, dit le peintre, parce qu'on n'y voyait
goutte.[6]

— Hé! milord Gâôriotte,[7] il être questiônne de véaus.

Assis au bas bout de la table, près de la porte par la-
30 quelle on servait, le père Goriot leva la tête en flairant
un morceau de pain qu'il avait sous sa serviette, par une
vieille habitude commerciale qui reparaissait quelquefois.

— Eh bien, lui cria aigrement madame Vauquer d'une voix qui domina le bruit des cuillers, des assiettes et des voix, est-ce que vous ne trouvez pas le pain bon?

— Au contraire, madame, répondit-il, il est fait avec de la farine d'Étampes, première qualité. 5

— A quoi voyez-vous cela? lui dit Eugène.

— A la blancheur, au goût.

— Au goût du nez, puisque vous le sentez, dit madame Vauquer. Vous devenez si économe, que vous finirez par trouver le moyen de vous nourrir en humant l'air de 10 la cuisine.

— Prenez alors un brevet d'invention, cria l'employé au Muséum, vous ferez une belle fortune.

— Laissez donc, il fait ça pour nous persuader qu'il a été vermicellier, dit le peintre. 15

— Votre nez est donc une cornue? demanda encore l'employé au Muséum.

— Cor quoi? fit Bianchon.

— Cor-nouille.

— Cor-nemuse. 20

— Cor-naline.

— Cor-niche.

— Cor-nichon.

— Cor-beau.

— Cor-nac. 25

— Cor-norama.

Ces huit réponses partirent de tous les côtés de la salle avec la rapidité d'un feu de file, et prêtèrent d'autant plus à rire, que le pauvre père Goriot regardait les convives d'un air niais, comme un homme qui tâche de com- 30 prendre une langue étrangère.

— Cor...? dit-il à Vautrin qui se trouvait près de lui.

— Cor aux pieds, mon vieux! dit Vautrin en enfonçant
le chapeau du père Goriot par une tape qu'il lui appliqua
sur la tête et qui le lui fit descendre jusque sur les yeux.

Le pauvre vieillard, stupéfait de cette brusque attaque,
5 resta pendant un moment immobile.   Christophe emporta
l'assiette du bonhomme, croyant qu'il avait fini sa soupe;
en sorte que, quand Goriot, après avoir relevé son chapeau, prit sa cuiller, il frappa sur la table.   Tous les convives éclatèrent de rire.

10   — Monsieur, dit le vieillard, vous êtes un mauvais
plaisant, et, si vous vous permettez encore de me donner
de pareils renfoncements. . .

— Eh bien, quoi, papa? dit Vautrin en l'interrompant.

— Eh bien, vous payerez cela bien cher quelque jour. . .

15   — En enfer, pas vrai? dit le peintre, dans ce petit
coin noir où l'on met les enfants méchants!

— Eh bien, mademoiselle, dit Vautrin à Victorine, vous
ne mangez pas.   Le papa s'est donc montré récalcitrant?

— Une horreur! dit madame Couture.

20   — Il faut le mettre à la raison, dit Vautrin.

— Mais, dit Rastignac, qui se trouvait assez près de
Bianchon, mademoiselle pourrait intenter un procès sur
la question des aliments, puisqu'elle ne mange pas. Eh!
eh! voyez donc comme le père Goriot examine mademoi-
25 selle Victorine.

Le vieillard oubliait de manger pour contempler la
pauvre jeune fille, dans les traits de laquelle éclatait une
douleur vraie, la douleur de l'enfant méconnue qui aime
son père.

30   — Mon cher, dit Eugène à voix basse, nous nous
sommes trompés sur le père Goriot.   Ce n'est ni un imbécile ni un homme sans nerfs.   Applique-lui ton système

de Gall, et dis-moi ce que tu en penseras. Je lui ai vu
cette nuit tordre[1] un plat de vermeil, comme si c'eût été
de la cire; et, dans ce moment, l'air de son visage trahit
des sentiments extraordinaires. Sa vie me paraît être
trop mystérieuse pour ne pas valoir la peine d'être étudiée. 5
Oui, Bianchon, tu as beau rire, je ne plaisante pas.

— Cet homme est un fait médical, dit Bianchon, d'accord; s'il le veut, je le dissèque.

— Non, tâte-lui la tête.

— Ah bien, sa bêtise est peut-être contagieuse. 10

Le lendemain, Rastignac s'habilla fort élégamment, et
alla, vers trois heures de l'après-midi, chez madame de
Restaud en se livrant pendant la route à ces espérances
étourdiment folles qui rendent la vie des jeunes gens si
belle d'émotions: ils ne calculent alors ni les obstacles ni 15
les dangers, ils voient en tout le succès, poétisent leur
existence par le seul jeu de leur imagination, et se font
malheureux ou tristes par le renversement de projets qui
ne vivaient encore que dans leurs désirs effrénés; s'ils
n'étaient pas ignorants et timides, le monde social serait 20
impossible. Eugène marchait avec mille précautions pour
ne se point crotter; mais il marchait en pensant à ce
qu'il dirait à madame de Restaud, il s'approvisionnait
d'esprit, il inventait les reparties d'une conversation ima-
ginaire, il préparait ses mots fins, ses phrases à la Tal- 25
leyrand,[2] en supposant de petites circonstances favorables
à la déclaration sur laquelle il fondait son avenir: il se
crotta, l'étudiant, et fut forcé de faire cirer ses bottes et
brosser son pantalon au Palais-Royal.

— Si j'étais riche, se dit-il en changeant une pièce 30
de cent sous qu'il avait prise *en cas de malheur*,[3] je serais
allé en voiture, j'aurais pu penser à mon aise.

Enfin il arriva rue du Helder et demanda la comtesse
de Restaud.   Avec la rage froide d'un homme sûr de
triompher un jour, il reçut le coup d'œil méprisant des
gens qui l'avaient vu traversant la cour à pied, sans avoir
5 entendu le bruit d'une voiture à la porte.   Ce coup d'œil
lui fut d'autant plus sensible, qu'il avait déjà compris son
infériorité en entrant dans cette cour, où piaffait un beau
cheval richement attelé à l'un de ces cabriolets pimpants
qui affichent le luxe d'une existence dissipatrice, et sous-
10 entendent l'habitude de toutes les félicités parisiennes.
Il se mit, à lui tout seul, de mauvaise humeur. Les tiroirs
ouverts dans son cerveau et qu'il comptait trouver pleins
d'esprit se fermèrent, il devint stupide.   En attendant
la réponse de la comtesse, à laquelle un valet de chambre
15 allait dire les noms du visiteur, Eugène se posa sur un
seul pied devant une croisée de l'antichambre, s'appuya
le coude sur une espagnolette et regarda machinalement
dans la cour.   Il trouvait le temps long, il s'en serait
allé s'il n'avait pas été doué de cette ténacité méridionale
20 qui enfante des prodiges quand elle va en ligne droite.

— Monsieur, dit le valet de chambre, madame est dans
son boudoir et fort occupée, elle ne m'a pas répondu;
mais, si monsieur veut passer au salon, il y a déjà quelqu'un.

25 Tout en admirant l'épouvantable pouvoir de ces gens
qui, d'un seul mot, accusent ou jugent leurs maîtres,
Rastignac ouvrit délibérément la porte par laquelle était
sorti le valet de chambre, afin sans doute de faire croire
à ces insolents valets qu'il connaissait les êtres de la mai-
30 son; mais il déboucha fort étourdiment dans une pièce
où se trouvaient des lampes, des buffets, un appareil
à chauffer des serviettes pour le bain, et qui menait à la

fois dans un corridor obscur et dans un escalier dérobé.
Les rires étouffés qu'il entendit dans l'antichambre mirent le comble à sa confusion.

—Monsieur, le salon est par ici, lui dit le valet de
chambre avec ce faux respect qui semble être une raillerie   5
de plus.

Eugène revint sur ses pas avec une telle précipitation,
qu'il se heurta contre une baignoire, mais il retint assez
heureusement son chapeau pour l'empêcher de tomber
dans le bain.   En ce moment, une porte s'ouvrit au fond   10
du long corridor éclairé par une petite lampe, Rastignac
y entendit à la fois la voix de madame de Restaud, celle
du père Goriot et le bruit d'un baiser.   Il rentra dans la
salle à manger, la traversa, suivit le valet de chambre,
et entra dans un premier salon où il resta posé devant   15
la fenêtre, en s'apercevant qu'elle donnait sur la cour.
Il voulait voir si ce père Goriot était bien réellement son
père Goriot.   Le cœur lui battait étrangement, il se sou-
venait des épouvantables réflexions de Vautrin.   Le valet
de chambre attendait Eugène à la porte du salon, mais   20
il en sortit tout à coup un élégant jeune homme, qui dit
impatiemment:

— Je m'en vais, Maurice.   Vous direz à madame la
comtesse que je l'ai attendue plus d'une demi-heure.

Cet impertinent, qui sans doute avait le droit de l'être,   25
chantonna quelque roulade italienne en se dirigeant vers
la fenêtre où stationnait Eugène, autant pour voir la figure
de l'étudiant que pour regarder dans la cour.

— Mais M. le comte ferait mieux d'attendre encore un
instant; madame a fini, dit Maurice en retournant à l'an-   30
tichambre.

En ce moment, le père Goriot débouchait près de la

porte cochère par la sortie du petit escalier. Le bonhomme
tirait son parapluie et se disposait à le déployer, sans
faire attention que la grande porte était ouverte pour
donner passage à un jeune homme décoré[1] qui conduisait
5 un tilbury.   Le père Goriot n'eut que le temps de se jeter
en arrière pour n'être pas écrasé.   Le taffetas du parapluie
avait effrayé le cheval, qui fit un léger écart en se préci-
pitant vers le perron.   Ce jeune homme détourna la tête
d'un air de colère, regarda le père Goriot, et lui fit, avant
10 qu'il sortît, un salut qui peignait la considération forcée
que l'on accorde aux usuriers dont on a besoin, ou ce
respect nécessaire exigé par un homme taré, mais dont
on rougit plus tard.   Le père Goriot répondit par un petit
salut amical, plein de bonhomie.   Ces événements se pas-
15 sèrent avec la rapidité de l'éclair.   Trop attentif pour
s'apercevoir qu'il n'était pas seul, Eugène entendit tout
à coup la voix de la comtesse.

— Ah! Maxime, vous vous en alliez? dit-elle avec un
ton de reproche où se mêlait un peu de dépit.

20   La comtesse n'avait pas fait attention à l'entrée du tilbury.   Rastignac se retourna brusquement et vit la comtesse coquettement vêtue d'un peignoir en cachemire
blanc, à nœuds roses, coiffée négligemment comme le
sont les femmes de Paris au matin; elle embaumait, elle
25 avait sans doute pris un bain, et sa beauté, pour ainsi
dire assouplie, semblait plus voluptueuse; ses yeux étaient
humides.   L'œil des jeunes gens sait tout voir; leurs esprits s'unissent aux rayonnements de la femme comme
une plante aspire dans l'air des substances qui lui sont
30 propres; Eugène sentit donc la fraîcheur épanouie des
mains de cette femme sans avoir besoin d'y toucher.   Il
voyait, à travers le cachemire, les teintes rosées du cor-

sage que le peignoir, légèrement entr'ouvert, laissait parfois à nu, et sur lequel son regard s'étalait. Les ressources du busc[1] étaient inutiles à la comtesse, la ceinture
marquait seule sa taille flexible, son cou invitait à l'amour,
ses pieds étaient jolis dans les pantoufles. Quand Maxime   5
prit cette main pour la baiser, Eugène aperçut alors
Maxime, et la comtesse aperçut Eugène.

—Ah! c'est vous, monsieur de Rastignac! je suis bien
aise de vous voir, dit-elle d'un air auquel savent obéir les
gens d'esprit.   10

Maxime regardait alternativement Eugène et la comtesse d'une manière assez significative pour faire décamper l'intrus.

—Ah çà! ma chère, j'espère que tu vas me mettre ce
petit drôle à la porte!   15

Cette phrase était une traduction claire et intelligible
des regards du jeune homme impertinemment fier que la
comtesse Anastasie avait nommé Maxime, et dont elle
consultait le visage avec cette intention soumise qui dit
tous les secrets d'une femme sans qu'elle s'en doute. Ras- 20
tignac se sentit une haine violente pour ce jeune homme.
D'abord, les beaux cheveux blonds et bien frisés de
Maxime lui apprirent combien les siens étaient horribles;
puis Maxime avait des bottes fines et propres, tandis que
les siennes, malgré le soin qu'il avait pris en marchant,   25
s'étaient empreintes d'une légère teinte de boue; enfin,
Maxime portait une redingote qui lui serrait élégamment
la taille et le faisait ressembler à une jolie femme, tandis
qu'Eugène avait à deux heures et demie un habit noir.[2]
Le spirituel enfant de la Charente[3] sentit la supériorité   30
que la mise donnait à ce dandy, mince et grand, à l'œil
clair, au teint pâle, un de ces hommes capables de ruiner

des orphelins.   Sans attendre la réponse d'Eugène,
madame de Restaud se sauva comme à tire-d'aile dans
l'autre salon, en laissant flotter les pans de son peignoir
qui se roulaient et se déroulaient de manière à lui donner
5 l'apparence d'un papillon; et Maxime la suivit.   Eugène,
furieux, suivit Maxime et la comtesse.   Ces trois personnages se trouvèrent donc en présence, à la hauteur de la
cheminée, au milieu du grand salon.   L'étudiant savait
bien qu'il allait gêner cet odieux Maxime; mais, au risque
10 de déplaire à madame de Restaud, il voulut gêner le
dandy.   Tout à coup, en se souvenant d'avoir vu ce jeune
homme au bal de madame de Beauséant, il devina ce
qu'était Maxime pour madame de Restaud; et, avec cette
audace juvénile qui fait commettre de grandes sottises ou
15 obtenir de grands succès, il se dit:

—Voilà mon rival, je veux triompher de lui.

L'imprudent! il ignorait que le comte Maxime de
Trailles se laissait insulter, tirait le premier et tuait son
homme.   Eugène était un adroit chasseur, mais il n'avait
20 pas encore abattu vingt poupées sur vingt-deux dans un
tir.   Le jeune comte se jeta dans une bergère au coin du
feu, prit les pincettes et fouilla le foyer par un mouvement si violent, si grimaud, que le beau visage d'Anastasie se chagrina soudain.   La jeune femme se tourna vers
25 Eugène et lui lança un de ces regards froidement interro
gatifs qui disent si bien: «Pourquoi ne vous en allez-
vous pas?» que les gens bien élevés savent aussitôt faire
de ces phrases qu'il faudrait appeler des phrases de
sortie.

30   Eugène prit un air agréable et dit:

—Madame, j'avais hâte de vous voir pour. . .

Il s'arrêta tout court.   Une porte s'ouvrit.   Le monsieur

qui conduisait le tilbury se montra soudain, sans chapeau, ne salua pas la comtesse, regarda soucieusement
Eugène, et tendit la main à Maxime en lui disant: « Bonjour, » avec une expression fraternelle qui surprit singulièrement Eugène.   Les jeunes gens de province ignorent   5
combien est douce la vie à trois.

— M. de Restaud, dit la comtesse à l'étudiant en lui
montrant son mari.

Eugène s'inclina profondément.

— Monsieur, dit-elle en continuant et en présentant   10
Eugène au comte de Restaud, est M. de Rastignac, parent
de madame la vicomtesse de Beauséant par les Marcillac,
et que j'ai eu le plaisir de rencontrer à son dernier
bal.

Parent de madame la vicomtesse de Beauséant par les   15
Marcillac! ces mots, que la comtesse prononça presque
emphatiquement, par suite de l'espèce d'orgueil qu'é-
prouve une maîtresse de maison à prouver qu'elle n'a chez
elle que des gens de distinction, furent d'un effet magique: le comte quitta son air froidement cérémonieux   20
et salua l'étudiant.

— Enchanté, dit-il, monsieur, de pouvoir faire votre
connaissance.

Le comte Maxime de Trailles lui-même jeta sur Eugène un regard inquiet et quitta tout à coup son air im-   25
pertinent.   Ce coup de baguette, dû à la puissante
intervention d'un nom, ouvrit trente cases dans le cerveau du Méridional, et lui rendit l'esprit qu'il avait
préparé.   Une soudaine lumière lui fit voir clair dans
l'atmosphère de la haute société parisienne, encore téné-   30
breuse pour lui.   La maison Vauquer, le père Goriot,
étaient alors bien loin de sa pensée.

— Je croyais les Marcillac éteints? dit le comte de
Restaud à Eugène.

— Oui, monsieur, répondit-il. Mon grand-oncle, le
chevalier de Rastignac, a épousé l'héritière de la famille
5 de Marcillac.   Il n'a eu qu'une fille, qui a épousé le
maréchal de Clarimbault, aïeul maternel de madame de
Beauséant.   Nous sommes la branche cadette, branche
d'autant plus pauvre, que mon grand-oncle, vice-amiral,
a tout perdu au service du roi.   Le gouvernement révo-
10 lutionnaire n'a pas voulu admettre nos créances dans la
liquidation qu'il a faite de la Compagnie des Indes.[1]

— Monsieur votre grand-oncle ne commandait-il pas
. *le Vengeur*[2] avant 1789?

— Précisément.

15 — Alors, il a connu mon grand-père, qui commandait
le Warwick.

Maxime haussa légèrement les épaules en regardant
madame de Restaud, et eut l'air de lui dire: «S'il se
met à causer marine avec celui-là, nous sommes perdus.»
20 Anastasie comprit le regard de M. de Trailles.   Avec
cette admirable puissance que possèdent les femmes, elle
se mit à sourire en disant:

— Venez, Maxime, j'ai quelque chose à vous demander. — Messieurs, nous vous laisserons naviguer de con-
25 serve[3] sur *le Warwick* et sur *le Vengeur*.

Elle se leva et fit un signe plein de traîtrise railleuse à
Maxime, qui prit avec elle la route du boudoir.   A peine
ce couple *morganatique*, jolie expression allemande qui n'a
pas son équivalent[4] en français, avait-il atteint la porte,
30 que le comte interrompit sa conversation avec Eugène.

— Anastasie! restez donc, ma chère, s'écria-t-il avec
humeur; vous savez bien que. . .

— Je reviens, je reviens, dit-elle en l'interrompant; il ne me faut qu'un moment pour dire à Maxime ce dont je veux le charger.

Elle revint promptement. Comme toutes les femmes qui, forcées d'observer le caractère de leur mari pour 5 pouvoir se conduire à leur fantaisie, savent reconnaître jusqu'où elles peuvent aller afin de ne pas perdre une confiance précieuse, et qui alors ne le choquent jamais dans les petites choses de la vie, la comtesse avait vu d'après les inflexions de la voix du comte qu'il n'y aurait 10 aucune sécurité à rester dans le boudoir. Ces contre-temps étaient dus à Eugène. Aussi la comtesse montra-t-elle l'étudiant d'un air et par un geste pleins de dépit à Maxime, qui dit fort épigrammatiquement au comte, à sa femme et à Eugène: 15

— Écoutez, vous êtes en affaires, je ne veux pas vous gêner; adieu.

Il se sauva.

— Restez donc, Maxime! cria le comte.

— Venez dîner, dit la comtesse, qui, laissant encore 20 une fois Eugène et le comte, suivit Maxime dans le premier salon, où ils restèrent assez de temps ensemble pour croire que M. de Restaud congédierait Eugène.

Rastignac les entendait tour à tour éclatant de rire, causant, se taisant; mais le malicieux étudiant faisait de 25 l'esprit avec M. de Restaud, le flattait ou l'embarquait dans des discussions, afin de revoir la comtesse et de savoir quelles étaient ses relations avec le père Goriot. Cette femme, évidemment amoureuse de Maxime, cette femme, maîtresse[1] de son mari, liée secrètement au 30 vieux vermicellier, lui semblait tout un mystère. Il voulait pénétrer ce mystère, espérant ainsi pouvoir

régner en souverain sur cette femme si éminemment
Parisienne.

— Anastasie! dit le comte appelant de nouveau sa
femme.

5 — Allons, mon pauvre Maxime, dit-elle au jeune
homme, il faut se résigner. A ce soir. . .

— J'espère, *Nasie*, lui dit-il à l'oreille, que vous consi-
gnerez ce petit jeune homme dont les yeux s'allumaient
comme des charbons quand votre peignoir s'entr'ouvrait.
10 Il vous ferait des déclarations, vous compromettrait, et
vous me forceriez à le tuer.

— Êtes-vous fou, Maxime? dit-elle. Ces petits étudiants
ne sont-ils pas, au contraire, d'excellents paratonnerres?[1]
Je le ferai, certes, prendre en grippe à Restaud.

15 Maxime éclata de rire et sortit suivi de la comtesse,
qui se mit à la fenêtre pour le voir montant en voiture,
faisant piaffer son cheval et agitant son fouet. Elle ne
revint que quand la grande porte fut fermée.

— Dites donc, lui cria le comte quand elle rentra, ma
20 chère, la terre où demeure la famille de monsieur n'est
pas loin de Verteuil, sur la Charente. Le grand-oncle
de monsieur et mon grand-père se connaissaient.

— Enchantée d'être en pays de connaissance, dit la
comtesse distraite.

25 — Plus que vous ne le croyez, dit à voix basse Eugène.
— Comment? dit-elle vivement.

— Mais, reprit l'étudiant, je viens de voir sortir de
chez vous un monsieur avec lequel je suis porte à porte
dans la même pension, le père Goriot.

30 A ce nom enjolivé du mot *père*, le comte, qui tison-
nait, jeta les pincettes dans le feu, comme si elles lui
eussent brûlé les mains, et se leva.

— Monsieur, vous auriez pu dire M. Goriot! s'écria-t-il.

La comtesse pâlit d'abord en voyant l'impatience de son mari, puis elle rougit, et fut évidemment embarrassée; elle répondit d'une voix qu'elle voulut rendre naturelle, et d'un air faussement dégagé:

— Il est impossible de connaître quelqu'un que nous aimions mieux. . . 5

Elle s'interrompit, regarda son piano, comme s'il se réveillait en elle quelque fantaisie, et dit:

— Aimez-vous la musique, monsieur?

— Beaucoup, répondit Eugène, devenu rouge et bêtifié 10 par l'idée confuse qu'il eut d'avoir commis quelque lourde sottise.

— Chantez-vous? s'écria-t-elle en allant à son piano, dont elle attaqua vivement toutes les touches en les 15 remuant depuis l'*ut*[1] d'en bas jusqu'au *fa* d'en haut. Rrrrah![2]

— Non, madame.

Le comte de Restaud se promenait de long en large.

— C'est dommage, vous vous êtes privé d'un grand 20 moyen de succès. — *Ca-a-ro, ca-a-a-ro, ca-a-a-a-ro, non du-bi-ta-re*, chanta la comtesse.

En prononçant le nom du père Goriot, Eugène avait donné un coup de baguette magique, mais dont l'effet était l'inverse de celui qu'avaient frappé ces mots: «Parent de madame de Beauséant.» Il se trouvait dans la 25 situation d'un homme introduit par faveur chez un amateur de curiosités, et qui, touchant par mégarde une armoire pleine de figures sculptées, fait tomber trois ou quatre têtes mal collées. Il aurait voulu se jeter dans 30 un gouffre. Le visage de madame de Restaud était sec, froid, et ses yeux, devenus indifférents, fuyaient ceux du malencontreux étudiant.

— Madame, dit-il, vous avez à causer avec M. de Restaud, veuillez agréer mes hommages, et me permettre...

— Toutes les fois que vous viendrez, dit précipitamment la comtesse en arrêtant Eugène par un geste, vous
5 êtes sûr de nous faire, à M. de Restaud comme à moi, le
plus vif plaisir.

Eugène salua profondément le couple et sortit suivi de
M. de Restaud, qui, malgré ses instances, l'accompagna
jusque dans l'antichambre.

10 — Toutes les fois que monsieur se présentera, dit le
comte à Maurice, ni madame ni moi n'y serons.

Quand Eugène mit le pied sur le perron, il s'aperçut
qu'il pleuvait.

— Allons, se dit-il, je suis venu faire une gaucherie
15 dont j'ignore la cause et la portée, je gâterai par-dessus
le marché mon habit et mon chapeau.   Je devrais rester
dans un coin à piocher le droit, ne penser qu'à devenir
un rude magistrat.   Puis-je aller dans le monde quand,
pour y manœuvrer convenablement, il faut un tas de
20 cabriolets, de bottes cirées, d'agrès indispensables, des
chaînes d'or, dès le matin des gants de daim blancs qui
coûtent six francs, et toujours des gants jaunes le soir?
Vieux drôle de père Goriot, va!

Quand il se trouva sous la porte de la rue, le cocher
25 d'une voiture de louage,[1] qui venait sans doute de remiser[2]
de nouveaux mariés et qui ne demandait pas mieux que
de voler à son maître quelques courses de contrebande,
fit à Eugène un signe en le voyant sans parapluie, en
habit noir, gilet blanc, gants jaunes et bottes cirées.
30 Eugène était sous l'empire d'une de ces rages sourdes
qui poussent un jeune homme à s'enfoncer de plus en
plus dans l'abîme où il est entré, comme s'il espérait y

trouver une heureuse issue. Il consentit par un mouvement de tête à la demande du cocher. Il monta dans
la voiture, où quelques grains de fleurs d'oranger et des
brins de cannetille attestaient le passage des mariés.

— Où monsieur va-t-il? demanda le cocher, qui n'avait 5
déjà plus ses gants blancs.

— Parbleu! se dit Eugène, puisque je m'enfonce, il
faut au moins que cela me serve à quelque chose! — Allez
à l'hôtel de Beauséant, ajouta-t-il à haute voix.

— Lequel? dit le cocher. 10

Mot sublime qui confondit Eugène. Cet élégant
inédit[1] ne savait pas qu'il y avait deux hôtels Beauséant,
il ne connaissait pas combien il était riche en parents
qui ne se souciaient pas de lui.

— Le vicomte de Beauséant, rue. . . 15

— De Grenelle, dit le cocher en hochant la tête et
l'interrompant. Voyez-vous, il y a encore l'hôtel du
comte et du marquis de Beauséant, rue Saint-Dominique,
ajouta-t-il en relevant le marchepied.

— Je le sais bien, répondit Eugène d'un air sec. — 20
Tout le monde aujourd'hui se moque donc de moi! dit-il
en jetant son chapeau sur les coussins de devant. Voilà
une escapade qui va me coûter la rançon d'un roi. Mais,
au moins, je vais faire ma visite à ma soi-disant cousine
d'une manière solidement aristocratique. Le père Goriot 25
me coûte déjà au moins dix francs, le vieux scélérat!
Ma foi, je vais raconter mon aventure à madame de
Beauséant, peut-être la ferai-je rire. Elle saura sans
doute le mystère des liaisons criminelles de ce vieux rat
sans queue et de cette belle femme. Il vaut mieux plaire 30
à ma cousine que de me cogner contre cette femme immorale, qui me fait l'effet d'être bien coûteuse. Si le

nom de la belle vicomtesse est si puissant, de quel poids
doit donc être sa personne? Adressons-nous en haut.
Quand on s'attaque à quelque chose dans le ciel, il faut
viser Dieu!

5 Ces paroles sont la formule brève des mille et une pensées entre lesquelles il flottait. Il reprit un peu de
calme et d'assurance en voyant tomber la pluie. Il se
dit que, s'il allait dissiper deux des précieuses pièces de
cent sous qui lui restaient, elles seraient heureusement
10 employées à la conservation de son habit, de ses bottes
et de son chapeau. Il n'entendit pas sans un mouvement d'hilarité son cocher criant: «La porte, s'il vous
plaît!»[1] Un suisse rouge et doré fit grogner sur ses gonds
la porte de l'hôtel, et Rastignac vit avec une douce
15 satisfaction sa voiture passant sous le porche, tournant
dans la cour et s'arrêtant sous la marquise du perron.
Le cocher à grosse houppelande bleue bordée de rouge
vint déplier le marchepied. En descendant de sa voiture,
Eugène entendit des rires étouffés qui partaient de
20 dessous le péristyle. Trois ou quatre valets avaient
déjà plaisanté sur cet équipage de mariée vulgaire. Leur
rire éclaira l'étudiant au moment où il compara cette
voiture à l'un des plus élégants coupés de Paris, attelé
de deux chevaux fringants qui avaient des roses à
25 l'oreille, qui mordaient leur frein, et qu'un cocher poudré,
bien cravaté, tenait en bride comme s'ils eussent voulu
s'échapper. A la Chaussée-d'Antin, madame de Restaud avait dans sa cour le fin cabriolet de l'homme de
vingt-six ans. Au faubourg Saint-Germain, attendait le
30 luxe d'un grand seigneur, un équipage que trente mille
francs n'auraient pas payé.

— Qui donc est là? se dit Eugène en comprenant un

peu tardivement qu'il devait se rencontrer à Paris bien
peu de femmes qui ne fussent occupées, et que la conquête d'une de ces reines coûtait plus que du sang.
Diantre! ma cousine aura sans doute aussi son Maxime.

Il monta le perron la mort dans l'âme. A son aspect, 5
la porte vitrée s'ouvrit; il trouva les valets sérieux
comme des ânes qu'on étrille. La fête à laquelle il avait
assisté s'était donnée dans les grands appartements de
réception, situés au rez-de-chaussée de l'hôtel de Beauséant. N'ayant pas eu le temps, entre l'invitation et le 10
bal, de faire une visite à sa cousine, il n'avait donc pas
encore pénétré dans les appartements de madame de
Beauséant; il allait donc voir pour la première fois les
merveilles de cette élégance personnelle qui trahit l'âme
et les mœurs d'une femme de distinction. Étude d'autant 15
plus curieuse, que le salon de madame de Restaud lui
fournissait un terme de comparaison. A quatre heures
et demie, la vicomtesse était visible. Cinq minutes plus
tôt, elle n'eût pas reçu son cousin. Eugène, qui ne
savait rien des diverses étiquettes parisiennes, fut conduit 20
par un grand escalier plein de fleurs, blanc de ton, à
rampe dorée, à tapis rouge, chez madame de Beauséant,
dont il ignorait la biographie verbale, une de ces
changeantes histoires qui se content tous les soirs
d'oreille à oreille dans les salons de Paris. 25

La vicomtesse était liée depuis trois ans avec un des
plus célèbres et des plus riches seigneurs portugais, le
marquis d'Ajuda-Pinto. C'était une de ces liaisons innocentes qui ont tant d'attraits pour les personnes ainsi
liées, qu'elles ne peuvent supporter personne en tiers. 30
Aussi le vicomte de Beauséant avait-il donné lui-même
l'exemple au public en respectant, bon gré, mal gré, cette

union morganatique. Les personnes qui, dans les premiers jours de cette amitié, vinrent voir la vicomtesse à
deux heures, y trouvaient le marquis d'Ajuda-Pinto. Madame de Beauséant, incapable de fermer sa porte, ce qui
5 eût été fort inconvenant, recevait si froidement les gens
et contemplait si studieusement sa corniche, que chacun
comprenait combien il la gênait. Quand on sut dans Paris
qu'on gênait madame de Beauséant en venant la voir
entre deux et quatre heures, elle se trouva dans la soli-
10 tude la plus complète. Elle allait aux Bouffons ou à
l'Opéra en compagnie de M. de Beauséant et de M.
d'Ajuda-Pinto; mais, en homme qui sait vivre, M. de
Beauséant quittait toujours sa femme et le Portugais
après les y avoir installés. M. d'Ajuda devait se marier.
15 Il épousait une demoiselle de Rochefide. Dans toute la
haute société, une seule personne ignorait encore ce
mariage, cette personne était madame de Beauséant.
Quelques-unes de ses amies lui en avaient bien parlé
vaguement; elle en avait ri, croyant que ses amies vou-
20 laient troubler un bonheur jalousé. Cependant, les bans
allaient se publier. Quoiqu'il fût venu pour notifier ce
mariage à la vicomtesse, le beau Portugais n'avait pas
encore osé en dire un traître mot. Pourquoi? Rien
sans doute n'est plus difficile que de notifier à une
25 femme un semblable *ultimatum*. Certains hommes se
trouvent plus à l'aise sur le terrain, devant un homme
qui leur menace le cœur avec une épée, que devant une
femme qui, après avoir débité ses élégies pendant deux
heures, fait la morte et demande des sels. En ce
30 moment donc, M. d'Ajuda-Pinto était sur les épines, et
voulait sortir, en se disant que madame de Beauséant
apprendrait cette nouvelle, il lui écrirait, il serait plus

commode de traiter ce galant assassinat par correspondance que de vive voix. Quand le valet de chambre de
la vicomtesse annonça M. Eugène de Rastignac, il fit
tressaillir de joie le marquis d'Ajuda-Pinto. Sachez-le
bien, une femme aimante est encore plus ingénieuse à se 5
créer des doutes qu'elle n'est habile à varier le plaisir.
Quand elle est sur le point d'être quittée, elle devine plus
rapidement le sens d'un geste que le coursier de Virgile[1]
ne flaire les lointains corpuscules qui lui annoncent
l'amour. Aussi comptez que madame de Beauséant sur- 10
prit ce tressaillement involontaire, léger, mais naïvement
épouvantable. Eugène ignorait qu'on ne doit jamais se
présenter chez qui que ce soit, à Paris, sans s'être fait
conter par les amis de la maison l'histoire du mari, celle
de la femme ou des enfants, afin de n'y commettre 15
aucune de ces balourdises dont on dit pittoresquement
en Pologne: *Attelez cinq bœufs à votre char!* sans doute
pour vous tirer du mauvais pas où vous vous embourbez.
Si ces malheurs de la conversation n'ont encore aucun
nom en France, on les y suppose sans doute impossibles, 20
par suite de l'énorme publicité qu'y obtiennent les médi-
sances. Après s'être embourbé chez madame de Restaud,
qui ne lui avait pas même laissé le temps d'atteler les
cinq bœufs à son char, Eugène seul était capable de
recommencer son métier de bouvier, en se présentant 25
chez madame de Beauséant. Mais, s'il avait horriblement gêné madame de Restaud et M. de Trailles, il tirait
d'embarras M. d'Ajuda.

— Adieu, dit le Portugais en s'empressant de gagner
la porte quand Eugène entra dans un petit salon coquet, 30
gris et rose, où le luxe semblait n'être que de l'élégance.

— Mais à ce soir, dit madame de Beauséant en retournant la tête et jetant un regard au marquis. N'allons-nous pas aux Bouffons?

— Je ne le puis, dit-il en prenant le bouton de la porte.

Madame de Beauséant se leva, le rappela près d'elle,
5 sans faire la moindre attention à Eugène, qui, debout,
étourdi par les scintillements d'une richesse merveilleuse,
croyait à la réalité des contes arabes, et ne savait où se
fourrer en se trouvant en présence de cette femme sans
être remarqué par elle. La vicomtesse avait levé l'index
10 de sa main droite, et, par un joli mouvement, désignait
au marquis une place devant elle. Il y eut dans ce
geste un si violent despotisme de passion, que le marquis
laissa le bouton de la porte et vint. Eugène le regarda
non sans envie.

15 — Voilà, se dit-il, l'homme au coupé! Mais il faut
donc avoir des chevaux fringants, des livrées et de l'or
à flots pour obtenir le regard d'une femme de Paris?

Le démon du luxe le mordit au cœur, la fièvre du gain
le prit, la soif de l'or lui sécha la gorge. Il avait cent
20 trente francs pour son trimestre. Son père, sa mère, ses
frères, ses sœurs, sa tante, ne dépensaient pas deux cents
francs par mois, à eux tous. Cette rapide comparaison
entre sa situation présente et le but auquel il fallait parvenir contribua à le stupéfier.

25 — Pourquoi, dit en riant la vicomtesse au Portugais,
ne *pouvez-vous pas* venir aux Italiens?[1]

— Des affaires! Je dîne chez l'ambassadeur d'Angle-
terre.

— Vous les quitterez.

30 Quand un homme trompe, il est invinciblement forcé
d'entasser mensonges sur mensonges. M. d'Ajuda dit
alors en riant:

— Vous l'exigez?

— Oui certes.

— Voilà ce que je voulais me faire dire, répondit-il en jetant un de ces fins regards qui auraient rassuré toute autre femme.

Il prit la main de la vicomtesse, la baisa et partit.

Eugène passa la main dans ses cheveux et se tortilla pour saluer, en croyant que madame de Beauséant allait penser à lui; tout à coup elle s'élance, se précipite dans la galerie, court à la fenêtre et regarde M. d'Ajuda pendant qu'il montait en voiture; elle prête l'oreille à l'ordre et entend le chasseur répétant au cocher:

— Chez M. de Rochefide.

Ces mots et la manière dont M. d'Ajuda se plongea dans sa voiture furent l'éclair et la foudre pour cette femme, qui revint en proie à de mortelles appréhensions. Les plus horribles catastrophes ne sont que cela dans le grand monde. La vicomtesse rentra dans sa chambre à coucher, se mit à une table et prit un joli papier.

« Du moment, écrivit-elle, que vous dînez chez les Rochefide, et non à l'ambassade anglaise, vous me devez une explication, je vous attends. »

Après avoir redressé quelques lettres défigurées par le tremblement convulsif de sa main, elle mit un C, qui voulait dire: «Claire de Bourgogne,» et sonna.

— Jacques, dit-elle à son valet de chambre qui vint aussitôt, vous irez à sept heures et demie chez M. de Rochefide, vous y demanderez le marquis d'Ajuda. Si M. le marquis y est, vous lui ferez parvenir ce billet sans demander de réponse; s'il n'y est pas, vous reviendrez et me rapporterez ma lettre.

— Madame la vicomtesse a quelqu'un dans son salon.

— Ah! c'est vrai, dit-elle en poussant la porte.

Eugène commençait à se trouver très mal à l'aise; il aperçut enfin la vicomtesse, qui lui dit d'un ton dont l'émotion lui remua les fibres du cœur:

5 — Pardon, monsieur, j'avais un mot à écrire; je suis maintenant tout à vous.

Elle ne savait ce qu'elle disait, car voici ce qu'elle pensait: «Ah! il veut épouser mademoiselle de Roche-fide! Mais est-il donc libre? Ce soir, ce mariage sera 10 brisé, ou je . . . Mais il n'en sera plus question demain.»

— Ma cousine . . . , répondit Eugène.

— Hein?[1] fit la vicomtesse en lui jetant un regard dont l'impertinence glaça l'étudiant.

Eugène comprit ce *hein?* Depuis trois heures, il avait 15 appris tant de choses, qu'il s'était mis sur le qui-vive.

— Madame . . . , reprit-il en rougissant.

Il hésita, puis il dit en continuant:

— Pardonnez-moi; j'ai besoin de tant de protection, qu'un bout de parenté n'aurait rien gâté.

20 Madame de Beauséant sourit, mais tristement: elle sen-tait déjà le malheur qui grondait dans son atmosphère.

— Si vous connaissiez la situation dans laquelle se trouve ma famille, dit-il en continuant, vous aimeriez à jouer le rôle d'une de ces fées bienfaisantes qui se plai-25 saient à dissiper les obstacles autour de leurs filleuls.

— Eh bien, mon cousin, dit-elle en riant, à quoi puis-je vous être bonne?

— Mais le sais-je? Vous appartenir par un lien de parenté qui se perd dans l'ombre est déjà toute une 30 fortune. Vous m'avez troublé, je ne sais plus ce que je venais vous dire. Vous êtes la seule personne que je connaisse à Paris. . . Ah! je voulais vous consulter en

vous demandant de m'accepter comme un pauvre enfant
qui désire se coudre à votre jupe, et qui saurait mourir
pour vous.

— Vous tueriez quelqu'un pour moi?

— J'en tuerais deux, fit Eugène.   5

— Enfant! Oui, vous êtes un enfant, dit-elle en répri-
mant quelques larmes; vous aimeriez sincèrement, vous!

— Oh! fit-il en hochant la tête.

La vicomtesse s'intéressa vivement à l'étudiant pour
une réponse d'ambitieux. Le Méridional en était à son   10
premier calcul. Entre le boudoir bleu de madame de
Restaud et le salon rose de madame de Beauséant, il
avait fait trois années de ce *droit*[1] *parisien* dont on ne
parle pas, quoiqu'il constitue une haute jurisprudence
sociale qui, bien apprise et bien pratiquée, mène à tout.   15

— Ah! j'y suis, dit Eugène. J'avais remarqué madame
de Restaud à votre bal, je suis allé ce matin chez elle.

— Vous avez dû bien la gêner, dit en souriant madame
de Beauséant.

— Eh! oui, je suis un ignorant qui mettra contre lui   20
tout le monde, si vous me refusez votre secours. Je
crois qu'il est fort difficile de rencontrer à Paris une
femme jeune, belle, riche, élégante qui soit inoccupée, et
il m'en faut une qui m'apprenne ce que, vous autres
femmes, vous savez si bien expliquer: la vie. Je trou-   25
verai partout un M. de Trailles. Je venais donc à vous
pour vous demander le mot d'une énigme, et vous prier
de me dire de quelle nature est la sottise que j'y ai faite.
J'ai parlé d'un père. . .

— Madame la duchesse de Langeais, dit Jacques en   30
coupant la parole à l'étudiant, qui fit le geste d'un homme
violemment contrarié.

— Si vous voulez réussir, dit la vicomtesse à voix
basse, d'abord ne soyez pas aussi démonstratif.

— Eh! bonjour, ma chère, reprit-elle en se levant et
allant au-devant de la duchesse, dont elle pressa les
5 mains avec l'effusion caressante qu'elle aurait pu montrer
pour une sœur, et à laquelle la duchesse répondit par les
plus jolies câlineries.

— Voilà deux bonnes amies, se dit Rastignac. J'aurai
dès lors deux protectrices; ces deux femmes doivent
10 avoir les mêmes affections, et celle-ci s'intéressera sans
doute à moi.

— A quelle heureuse pensée dois-je le bonheur de
vous voir, ma chère Antoinette? dit madame de Beauséant.

15 — Mais j'ai vu M. d'Ajuda-Pinto entrant chez M. de
Rochefide, et j'ai pensé qu'alors vous étiez seule.

Madame de Beauséant ne se pinça point les lèvres,
elle ne rougit pas, son regard resta le même, son front
parut s'éclaircir pendant que la duchesse prononçait ces
20 fatales paroles.

— Si j'avais su que vous fussiez occupée . . . , ajouta la
duchesse en se tournant vers Eugène.

— Monsieur est M. Eugène de Rastignac, un de mes
cousins, dit la vicomtesse. Avez-vous des nouvelles du
25 général de Montriveau? fit-elle. Sérizy m'a dit hier
qu'on ne le voyait plus; l'avez-vous eu chez vous
aujourd'hui?

La duchesse, qui passait pour être abandonnée par M.
de Montriveau, de qui elle était éperdument éprise,
30 sentit au cœur la pointe de cette question et rougit en
répondant:

— Il était hier à l'Élysée.[1]

— De service? dit madame de Beauséant.

— Clara, vous savez sans doute, reprit la duchesse en jetant des flots de malignité par ses regards, que, demain, les bans de M. d'Ajuda-Pinto et de mademoiselle de Rochefide se publient?

Ce coup était trop violent, la vicomtesse pâlit et répondit en riant:

— Un de ces bruits dont s'amusent les sots. Pourquoi M. d'Ajuda porterait-il chez les Rochefide un des plus beaux noms du Portugal? Les Rochefide sont des gens anoblis d'hier.

— Mais Berthe réunira, dit-on, deux cent mille livres de rente.

— M. d'Ajuda est trop riche pour faire de ces calculs.

— Mais, ma chère, mademoiselle de Rochefide est charmante.

— Ah!

— Enfin, il y dîne aujourd'hui, les conditions sont arrêtées. Vous m'étonnez étrangement d'être si peu instruite.

— Quelle sottise avez-vous donc faite, monsieur? dit madame de Beauséant. — Ce pauvre enfant est si nouvellement jeté dans le monde, qu'il ne comprend rien, ma chère Antoinette, à ce que nous disons. Soyez bonne pour lui, remettons à causer de cela demain. Demain, voyez-vous, tout sera sans doute officiel, et vous pourrez être officieuse à coup sûr.

La duchesse tourna sur Eugène un de ces regards impertinents qui enveloppent un homme des pieds à la tête, l'aplatissent et le mettent à l'état de zéro.

— Madame j'ai, sans le savoir, plongé un poignard dans le cœur de madame de Restaud. Sans le savoir,

voilà ma faute, dit l'étudiant, que son génie avait assez
bien servi et qui avait découvert les mordantes épi-
grammes cachées sous les phrases affectueuses de ces deux
femmes.   Vous continuez à voir et vous craignez peut-
5 être les gens qui sont dans le secret du mal qu'ils vous
font, tandis que celui qui blesse en ignorant la profondeur de la blessure est regardé comme un sot, un
maladroit qui ne sait profiter de rien, et chacun le
méprise.

10   Madame de Beauséant jeta sur l'étudiant un de ces
regards fondants où les grandes âmes savent mettre tout
à la fois de la reconnaissance et de la dignité.   Ce regard fut comme un baume qui calma la plaie que venait
de faire au cœur de l'étudiant le coup d'œil d'huissier-
15 priseur[1] par lequel la duchesse l'avait évalué.

    — Figurez-vous que je venais, dit Eugène en conti-
nuant, de capter la bienveillance du comte de Restaud;
car, dit-il en se tournant vers la duchesse d'un air à la
fois humble et malicieux, il faut vous dire, madame, que
20 je ne suis encore qu'un pauvre diable d'étudiant, bien
seul, bien pauvre. . .

    — Ne dites pas cela, monsieur de Rastignac.   Nous
autres femmes, nous ne voulons jamais de ce dont personne ne veut.

25   — Bah! fit Eugène, je n'ai que vingt-deux ans, il faut
savoir supporter les malheurs de son âge.   D'ailleurs, je
suis à confesse, et il est impossible de se mettre à genoux
dans un plus joli confessionnal: on y fait les péchés dont
on s'accuse dans l'autre.

30   La duchesse prit un air froid à ce discours antireli-
gieux, dont elle proscrivit le mauvais goût en disant à
la vicomtesse:

— Monsieur arrive. . .

Madame de Beauséant se prit à rire franchement et de son cousin et de la duchesse.

— Il arrive, ma·chère, et cherche une institutrice qui lui enseigne le bon goût.

— Madame la duchesse, reprit Eugène, n'est-il pas naturel de vouloir s'initier aux secrets de ce qui nous charme? — Allons, se dit-il en lui-même, je suis sûr que je leur fais des phrases de coiffeur.[1]

— Mais madame de Restaud est, je crois, l'écolière de M. de Trailles, dit la duchesse.

— Je n'en savais rien, madame, reprit l'étudiant. Aussi me suis-je étourdiment jeté entre eux. Enfin, je m'étais assez bien entendu avec le mari, je me voyais souffert pour un temps par la femme, lorsque je me suis avisé de leur dire que je connaissais un homme que je venais de voir sortant par un escalier dérobé, et qui avait au fond d'un couloir embrassé la comtesse.

— Qui est-ce? dirent les deux femmes.

— Un vieillard qui vit à raison de deux louis par mois, au fond du faubourg Saint-Marceau, comme moi, pauvre étudiant; un véritable malheureux dont tout le monde se moque, et que nous appelons le père Goriot!

— Mais, enfant que vous êtes, s'écria la vicomtesse, madame de Restaud est une demoiselle Goriot.

— La fille d'un vermicellier, reprit la duchesse, une petite femme qui s'est fait présenter le même jour qu'une fille de pâtissier. Ne vous en souvenez-vous pas, Clara? Le roi s'est mis à rire, et a dit en latin un bon mot sur la farine. Des gens . . ., comment donc? des gens. . .

— *Ejusdem farinœ,*[2] dit Eugène.

— C'est cela, dit la duchesse.

— Ah! c'est son père! reprit l'étudiant en faisant un geste d'horreur.

— Mais oui; ce bonhomme avait deux filles dont il est quasi fou, quoique l'une et l'autre l'aient à peu près renié.

5 — La seconde n'est-elle pas, dit la vicomtesse en regardant madame de Langeais, mariée à un banquier dont le nom est allemand, un baron de Nucingen? Ne se nomme-t-elle pas Delphine? N'est-ce pas une blonde qui a une loge de côté à l'Opéra, qui vient aussi aux 10 Bouffons, et rit très haut pour se faire remarquer?

La duchesse sourit en disant:

— Mais, ma chère, je vous admire. Pourquoi vous occupez-vous donc tant de ces gens-là? Il a fallu être amoureux fou, comme l'était Restaud, pour s'être enfa- 15 riné[1] de mademoiselle Anastasie. Oh! il n'en sera pas le bon marchand![2] Elle est entre les mains de M. de Trailles, qui la perdra.

— Elles ont renié leur père! répétait Eugène.

— Eh bien, oui, leur père, le père, un père, reprit la 20 vicomtesse, un bon père qui leur a donné, dit-on, à cha- cune cinq ou six cent mille francs pour faire leur bon- heur en les mariant bien, et qui ne s'était réservé que huit à dix mille livres de rente pour lui, croyant que ses filles resteraient ses filles, qu'il s'était créé chez elles 25 deux existences, deux maisons où il serait adoré, choyé. En deux ans, ses gendres l'ont banni de leur société comme le dernier des misérables. . .

Quelques larmes roulèrent dans les yeux d'Eugène, ré- cemment rafraîchi par les pures et saintes émotions de 30 la famille, encore sous le charme des croyances jeunes, et qui n'en était qu'à sa première journée sur le champ de bataille de la civilisation parisienne. Les émotions

véritables sont si communicatives, que, pendant un
moment, ces trois personnes se regardèrent en silence.

— Eh! mon Dieu, dit madame de Langeais, oui, cela
semble bien horrible, et nous voyons cependant cela
tous les jours. N'y a-t-il pas une cause à cela? Dites-
moi, ma chère, avez-vous pensé jamais à ce qu'est un
gendre? Un gendre est un homme pour qui nous élève-
rons, vous ou moi, une chère petite créature à laquelle
nous tiendrons par mille liens, qui sera pendant dix-sept
ans la joie de la famille, qui en est l'âme blanche, dirait
Lamartine,[1] et qui en deviendra la peste. Quand cet
homme nous l'aura prise, il commencera par saisir son
amour comme une hache, afin de couper dans le cœur et
au vif de cet ange tous les sentiments par lesquels elle
s'attachait à sa famille. Hier, notre fille était tout pour
nous, nous étions tout pour elle; le lendemain, elle se
fait notre ennemie. Ne voyons-nous pas cette tragédie
s'accomplissant tous les jours? Ici, la belle-fille est de
la dernière impertinence avec le beau-père, qui a tout
sacrifié pour son fils. Plus loin, un gendre met sa belle-
mère à la porte. J'entends demander ce qu'il y a de
dramatique aujourd'hui dans la société; mais le drame
du gendre est effrayant, sans compter nos mariages, qui
sont devenus de fort sottes choses. Je me rends parfaitement compte de ce qui est arrivé à ce vieux vermicellier. Je crois me rappeler que ce Foriot[2]. . .

— Goriot, madame.

— Oui, ce Moriot a été président de sa section[3] pendant la Révolution; il a été dans le secret de la fameuse
disette,[4] et a commencé sa fortune par vendre dans ce
temps-là des farines dix fois plus qu'elles ne lui coûtaient. Il en a eu tant qu'il en a voulu. L'intendant

de ma grand'mère lui en a vendu pour des sommes immenses.   Ce Noriot partageait sans doute, comme tous
ces gens-là, avec le comité de salut public.[1]   Je me sou-
viens que l'intendant disait à ma grand'mère qu'elle pou-
5 vait rester en toute sûreté à Grandvilliers, parce que ses
blés étaient une excellente carte civique.[2]   Eh bien, ce
Loriot, qui vendait du blé aux coupeurs de têtes, n'a eu
qu'une passion.   Il adore, dit-on, ses filles.   Il a juché
l'aînée dans la maison de Restaud, et greffé l'autre sur
10 le baron de Nucingen, un riche banquier qui fait le
royaliste.   Vous comprenez bien que, sous l'Empire, les
deux gendres ne se sont pas trop formalisés d'avoir ce
vieux Quatre-vingt-treize[3] chez eux; ça pouvait encore
aller avec Buonaparte.[4]   Mais, quand les Bourbons sont
15 revenus, le bonhomme a gêné M. de Restaud, et plus encore le banquier.   Les filles, qui aimaient peut-être toujours leur père, ont voulu ménager la chèvre et le chou,[5]
le père et le mari; elles ont reçu le Toriot quand elles
n'avaient personne; elles ont imaginé des prétextes de
20 tendresse.   «Papa, venez, nous serons mieux, parce que
nous serons seuls! etc.»   Moi, ma chère, je crois que les
sentiments vrais ont des yeux et une intelligence: le
cœur de ce pauvre Quatre-vingt-treize a donc saigné.   Il
a vu que ses filles avaient honte de lui; que, si elles
25 aimaient leurs maris, il nuisait à ses gendres.   Il fallait
donc se sacrifier.   Il s'est sacrifié, parce qu'il était père:
il s'est banni de lui-même.   En voyant ses filles contentes, il comprit qu'il avait bien fait.   Le père et les
enfants ont été complices de ce petit crime.   Nous
30 voyons cela partout.   Ce père Doriot n'aurait-il pas été
une tache de cambouis dans le salon de ses filles? il y
aurait été gêné, il se serait ennuyé.   Ce qui arrive à ce

père peut arriver à la plus jolie femme avec l'homme qu'elle aimera le mieux: si elle l'ennuie de son amour, il s'en va, il fait des lâchetés pour la fuir. Tous les sentiments en sont là. Notre cœur est un trésor, videz-le d'un coup, vous êtes ruinés. Nons ne pardonnons pas plus à un sentiment de s'être montré tout entier qu'à un homme de ne pas avoir un sou à lui. Ce père avait tout donné. Il avait donné, pendant vingt ans, ses entrailles, son amour; il avait donné sa fortune en un jour. Le citron bien pressé, ses filles ont laissé le reste au coin des rues.

—Le monde est infâme, dit la vicomtesse en effilant son châle et sans lever les yeux, car elle était atteinte au vif par les mots que madame de Langeais avait dits, pour elle, en racontant cette histoire.

—Infâme? Non, reprit la duchesse; il va son train, voilà tout. Si je vous en parle ainsi, c'est pour montrer que je ne suis pas la dupe du monde. Je pense comme vous, dit-elle en pressant la main de la vicomtesse. Le monde est un bourbier, tâchons de rester sur les hauteurs.

Elle se leva, embrassa madame de Beauséant au front en lui disant:

—Vous êtes bien belle en ce moment, ma chère. Vous avez les plus jolies couleurs que j'aie vues jamais.

Puis elle sortit après avoir légèrement incliné la tête en regardant le cousin.

—Le père Goriot est sublime! dit Eugène en se souvenant de l'avoir vu tordant son vermeil la nuit.

Madame de Beauséant n'entendit pas, elle était pensive. Quelques moments de silence s'écoulèrent, et le pauvre étudiant, par une sorte de stupeur honteuse, n'osait ni s'en aller, ni rester, ni parler.

— Le monde est infâme et méchant, dit enfin la vicomtesse.   Aussitôt qu'un malheur nous arrive, il se rencontre toujours un ami prêt à venir nous le dire, et à
nous fouiller le cœur avec un poignard en nous faisant
5 admirer le manche.   Déjà le sarcasme, déjà les railleries !
Ah ! je me défendrai.

Elle releva la tête comme une grande dame qu'elle était,
et des éclairs sortirent de ses yeux fiers.

— Ah ! fit-elle en voyant Eugène, vous êtes là !

10 — Encore, dit-il piteusement.

— Eh bien, monsieur de Rastignac, traitez ce monde
comme il le mérite.   Vous voulez parvenir, je vous aiderai.
Vous sonderez combien est profonde la corruption féminine, vous toiserez la largeur de la misérable vanité des
15 hommes.   Quoique j'aie bien lu dans ce livre du monde,
il y avait des pages qui cependant m'étaient inconnues.
Maintenant, je sais tout.   Plus froidement vous calculerez,
plus avant vous irez.   Frappez sans pitié, vous serez craint.
N'acceptez les hommes et les femmes que comme des
20 chevaux de poste que vous laisserez crever à chaque re-
lais, vous arriverez ainsi au faîte de vos désirs.   Voyez-
vous, vous ne serez rien ici si vous n'avez pas une femme
qui s'intéresse à vous.   Il vous la faut jeune, riche, élégante.   Mais, si vous avez un sentiment vrai, cachez-le
25 comme un trésor ; ne le laissez jamais soupçonner, vous
seriez perdu.   Vous ne seriez plus le bourreau, vous de-
viendriez la victime.   Si jamais vous aimez, gardez bien
votre secret ! ne le livrez pas avant d'avoir bien su à qui
vous ouvrirez votre cœur.   Pour préserver par avance cet
30 amour qui n'existe pas encore, apprenez à vous méfier
de ce monde-ci.   Écoutez-moi, Miguel ![1]... (Elle se trompait naïvement de nom sans s'en apercevoir.)   Il existe

quelque chose de plus épouvantable que ne l'est l'abandon
du père par ses deux filles, qui le voudraient mort: c'est
la rivalité des deux sœurs entre elles. Restaud a de la
naissance, sa femme a été adoptée, elle a été présentée;
mais sa sœur, sa riche sœur, la belle madame Delphine 5
de Nucingen, femme d'un homme d'argent, meurt de
chagrin; la jalousie la dévore, elle est à cent lieues de sa
sœur; sa sœur n'est plus sa sœur; ces deux femmes se
renient entre elles comme elles renient leur père. Aussi,
madame de Nucingen laperait-elle toute la boue qu'il y a 10
entre la rue Saint-Lazare et la rue de Grenelle pour entrer
dans mon salon. Elle a cru que de Marsay la ferait arriver à son but, et elle s'est faite l'esclave de de Marsay,
elle assomme de Marsay. De Marsay se soucie fort peu
d'elle. Si vous me la présentez, vous serez son Benjamin,[1] 15
elle vous adorera. Aimez-la si vous pouvez après, sinon
servez-vous d'elle. Je la verrai une ou deux fois, en
grande soirée, quand il y aura cohue; mais je ne la re-
cevrai jamais le matin. Je la saluerai, cela suffira. Vous
vous êtes fermé la porte de la comtesse pour avoir pro- 20
noncé le nom du père Goriot. Oui, mon cher, vous iriez
vingt fois chez madame de Restaud, vingt fois vous
la trouveriez absente. Vous avez été consigné. Eh bien,
que le père Goriot vous introduise près de madame Delphine de Nucingen. La belle madame de Nucingen sera 25
pour vous une enseigne. Soyez l'homme qu'elle distingue,
les femmes raffoleront de vous. Ses rivales, ses amies,
ses meilleures amies voudront vous enlever à elle. Il y a
des femmes qui aiment l'homme déjà choisi par une autre,
comme il y a de pauvres bourgeoises qui, en prenant nos 30
chapeaux, espèrent avoir nos manières. Vous aurez des
succès. A Paris, le succès est tout, c'est la clef du pou-

voir. Si les femmes vous trouvent de l'esprit, du talent,
les hommes le croiront, si vous ne les détrompez pas.
Vous pourrez alors tout vouloir, vous aurez le pied partout.   Vous saurez alors ce qu'est le monde, une réunion
5 de dupes et de fripons.   Ne soyez ni parmi les uns ni
parmi les autres.   Je vous donne mon nom comme un fil
d'Ariane[1] pour entrer dans ce labyrinthe.   Ne le com-
promettez pas, dit-elle en recourbant son cou et jetant un
regard de reine à l'étudiant, rendez-le-moi blanc.   Allez,
10 laissez-moi.   Nous autres femmes, nous avons aussi nos
batailles à livrer.

  — S'il vous fallait un homme de bonne volonté pour
aller mettre le feu à une mine? dit Eugène en l'interrompant.

15 — Eh bien? dit-elle.

  Il se frappa le cœur, sourit au sourire de sa cousine,
et sortit.   Il était cinq heures.   Eugène avait faim, il
craignit de ne pas arriver à temps pour l'heure du dîner.
Cette crainte lui fit sentir le bonheur d'être rapidement
20 emporté dans Paris.   Ce plaisir purement machinal le
laissa tout entier aux pensées qui l'assaillaient. Lorsqu'un
jeune homme de son âge est atteint par le mépris, il
s'emporte, il enrage, il menace du poing la société tout
entière, il veut se venger et doute aussi de lui-même.
25 Rastignac était en ce moment accablé par ces mots:
Vous vous êtes fermé la porte de la comtesse.

  — J'irai! se dit-il, et, si madame de Beauséant a raison,
si je suis consigné. . . je . . . Madame de Restaud me trouvera dans tous les salons où elle va.   J'apprendrai à faire
30 des armes, à tirer le pistolet, je lui tuerai son Maxime!

  «Et de l'argent! lui criait sa conscience, où donc en
prendras-tu?»

Tout à coup, la richesse étalée chez la comtesse de Restaud brilla devant ses yeux.   Il avait vu là le luxe dont
une demoiselle Goriot devait être amoureuse, des dorures,
des objets de prix en évidence, le luxe inintelligent du parvenu, le gaspillage de la femme entretenue.   Cette fasci- 5
nante image fut soudainement écrasée par le grandiose
hôtel de Beauséant.   Son imagination, transportée dans
les hautes régions de la société parisienne, lui inspira
mille pensées mauvaises au cœur, en lui élargissant la
tête et la conscience.   Il vit le monde comme il est: les 10
lois et la morale impuissantes chez les riches, et vit dans
la fortune l'*ultima ratio mundi*.[1]

.   — Vautrin a raison, la fortune est la vertu! se dit-il.

Arrivé rue Neuve-Sainte-Geneviève, il monta rapidement chez lui, descendit pour donner dix francs au 15
cocher, et vint dans cette salle à manger nauséabonde,
où il aperçut comme des animaux à un râtelier, les dix-
huit convives en train de se repaître.   Le spectacle de
ces misères et l'aspect de cette salle lui furent horribles.
La transition était trop brusque, le contraste trop complet, 20
pour ne pas développer outre mesure chez lui le sentiment de l'ambition.   D'un côté, les fraîches et charmantes
images de la nature sociale la plus élégante, des figures
jeunes, vives, encadrées par les merveilles de l'art et du
luxe, des têtes passionnées, pleines de poésie; de l'autre, 25
de sinistres tableaux bordés de fange, et des faces où les
passions n'avaient laissé que leurs cordes et leur mé-
canisme.   Les enseignements que la colère d'une femme
abandonnée[2] avait arrachés à madame de Beauséant,
ses offres captieuses revinrent dans sa mémoire, et la 30
misère les commenta.   Rastignac résolut d'ouvrir deux
tranchées parallèles pour arriver à la fortune, de s'appuyer

sur la science et sur l'amour, d'être un savant docteur et
un homme à la mode.　Il était encore bien enfant! Ces
deux lignes sont des asymptotes[1] qui ne peuvent jamais
se rejoindre.

5　　　— Vous êtes bien sombre, monsieur le marquis, lui dit
Vautrin, qui lui jeta un de ces regards par lesquels cet
homme semblait s'initier aux secrets les plus cachés du
cœur.

　　　— Je ne suis pas disposé à souffrir les plaisanteries
10 de ceux qui m'appellent «monsieur le marquis,» répondit-
il.　Ici, pour être vraiment marquis, il faut avoir cent
mille livres de rente, et, quand on vit dans la maison
Vauquer, on n'est pas précisément le favori de la
Fortune.

15　　　Vautrin regarda Rastignac d'un air paternel et mépris-
sant, comme s'il eût dit: «Marmot! dont je ne ferais
qu'une bouchée!» Puis il répondit:

　　　— Vous êtes de mauvaise humeur, parce que vous
n'avez peut-être pas réussi auprès de la belle comtesse de
20 Restaud.

　　　— Elle m'a fermé sa porte pour lui avoir dit que son
père mangeait à notre table, s'écria Rastignac.

　　　Tous les convives s'entre-regardèrent.　Le père Goriot
baissa les yeux et se retourna pour les essuyer.

25　　　— Vous m'avez jeté du tabac dans l'œil, dit-il à son
voisin.

　　　— Qui vexera le père Goriot s'attaquera désormais à
moi, répondit Eugène en regardant le voisin de l'ancien
vermicellier; il vaut mieux que nous tous.　Je ne parle
30 pas des dames, dit-il en se retournant vers mademoiselle
Taillefer.

　　　Cette phrase fut un dénoûment, Eugène l'avait pro-

noncée d'un air qui imposa silence aux convives. Vautrin
seul lui dit en goguenardant:

— Pour prendre le père Goriot à votre compte, et vous
établir son éditeur responsable,[1] il faut savoir bien tenir
une épée et bien tirer le pistolet.

— Ainsi ferai-je, dit Eugène.

— Vous êtes donc entré en campagne aujourd'hui?

— Peut-être, répondit Rastignac. Mais je ne dois
compte de mes affaires à personne, attendu que je ne
cherche pas à deviner celles que les autres font la nuit.

Vautrin regarda Rastignac de travers.

— Mon petit, quand on ne veut pas être dupe des ma-
rionnettes, il faut entrer tout à fait dans la baraque, et
ne pas se contenter de regarder par les trous de la tapis-
serie. Assez causé, ajouta-t-il en voyant Eugène près de
se gendarmer. Nous aurons ensemble un petit bout de
conversation quand vous le voudrez.

Le dîner devint sombre et froid. Le père Goriot, absorbé par la profonde douleur que lui avait causée la
phrase de l'étudiant, ne comprit pas que les dispositions
des esprits étaient changées à son égard, et qu'un jeune
homme en état d'imposer silence à la persécution avait
pris sa défense.

— M. Goriot, dit madame Vauquer à voix basse, serait
donc le père d'une comtesse à c't' heure?[2]

— Et d'une baronne, lui répliqua Rastignac.

— Il n'a que ça à faire, dit Bianchon à Rastignac; je
lui ai pris la tête: il n'y a qu'une bosse, celle de la paternité, ce sera un *père éternel*.

Eugène était trop sérieux pour que la plaisanterie de
Bianchon le fît rire. Il voulait profiter des conseils de
madame de Beauséant, et se demandait où et comment

il se procurerait de l'argent. Il devint soucieux en
voyant les savanes du monde qui se déroulaient à ses
yeux à la fois vides et pleines; chacun le laissa seul dans
la salle à manger quand le dîner fut fini.

5 — Vous avez donc vu ma fille? lui dit Goriot d'une
voix émue.

Réveillé de sa méditation par le bonhomme, Eugène
lui prit la main, et, le contemplant avec une sorte d'at-
tendrissement:

10 — Vous êtes un brave et digne homme, répondit-il.
Nous causerons de vos filles plus tard.

Il se leva sans vouloir écouter le père Goriot, et se retira dans sa chambre, où il écrivit à sa mère la lettre
suivante:

15 «Ma chère mère, vois si tu n'as pas une troisième
mamelle à t'ouvrir pour moi. Je suis dans une situation
à faire promptement fortune. J'ai besoin de douze cents
francs, et il me les faut à tout prix. Ne dis rien de ma
demande à mon père, il s'y opposerait peut-être, et, si je
20 n'avais pas cet argent, je serais en proie à un désespoir
qui me conduirait à me brûler la cervelle. Je t'expli-
querai mes motifs aussitôt que je te verrai, car il faudrait
t'écrire des volumes pour te faire comprendre la situation
dans laquelle je suis. Je n'ai pas joué, ma bonne mère,
25 je ne dois rien; mais, si tu tiens à me conserver la vie
que tu m'as donnée, il faut me trouver cette somme.
Enfin, je vais chez la vicomtesse de Beauséant, qui m'a
pris sous sa protection. Je dois aller dans le monde, et
n'ai pas un sou pour avoir des gants propres. Je saurai
30 ne manger que du pain, ne boire que de l'eau, je jeûnerai
au besoin; mais je ne puis me passer des outils avec
lesquels on pioche la vigne dans ce pays-ci. Il s'agit

pour moi de faire mon chemin ou de rester dans la boue.
Je sais toutes les espérances que vous avez mises en moi,
et veux les réaliser promptement. Ma bonne mère,
vends quelques-uns de tes anciens bijoux, je te les rem-
placerai bientôt. Je connais assez la situation de notre 5
famille pour savoir apprécier de tels sacrifices, et tu dois
croire que je ne te demande pas de les faire en vain,
sinon je serais un monstre. Ne vois dans ma prière que
le cri d'une impérieuse nécessité. Notre avenir est tout
entier dans ce subside, avec lequel je dois ouvrir la 10
campagne; car cette vie de Paris est un combat perpétuel. Si, pour compléter la somme, il n'y a pas
d'autres ressources que de vendre les dentelles de ma
tante, dis-lui que je lui en enverrai de plus belles, etc.»

Il écrivit à chacune de ses sœurs en leur demandant 15
leurs économies, et, pour les leur arracher sans qu'elles
parlassent en famille du sacrifice qu'elles ne manqueraient
pas de lui faire avec bonheur, il intéressa leur délicatesse
en attaquant les cordes de l'honneur, qui sont si bien
tendues et résonnent si fort dans de jeunes cœurs. Quand 20
il eut écrit ces lettres, il éprouva néanmoins une trépi-
dation involontaire: il palpitait, il tressaillait. Ce
jeune ambitieux connaissait la noblesse immaculée de ces
âmes ensevelies dans la solitude, il savait quelles peines
il causerait à ses deux sœurs, et aussi quelles seraient 25
leurs joies; avec quel plaisir elles s'entretiendraient en
secret de ce frère bien-aimé, au fond du clos. Sa conscience se dressa lumineuse et les lui montra comptant
en secret leur petit trésor: il les vit, déployant le génie
malicieux des jeunes filles pour lui envoyer *incognito* cet 30
argent, essayant une première tromperie pour être sublimes.

— Le cœur d'une sœur est un diamant de pureté, un abîme de tendresse! se dit-il.

Il avait honte d'avoir écrit. Combien seraient puissants leurs vœux, combien pur serait l'élan de leurs âmes vers le ciel! Avec quelle volupté ne se sacrifieraient-elles pas! De quelle douleur serait atteinte sa mère, si elle ne pouvait envoyer toute la somme! Ces beaux sentiments, ces effroyables sacrifices allaient lui servir d'échelons pour arriver à Delphine de Nucingen. Quelques larmes, derniers grains d'encens jetés sur l'autel sacré de la famille, lui sortirent des yeux. Il se promena dans une agitation pleine de désespoir. Le père Goriot, le voyant ainsi par sa porte qui était restée entre-bâillée, entra et lui dit:

— Qu'avez-vous, monsieur?

— Ah! mon bon voisin, je suis encore fils et frère comme vous êtes père. Vous avez raison de trembler pour la comtesse Anastasie: elle est à un M. Maxime de Trailles qui la perdra.

Le père Goriot se retira en balbutiant quelques paroles dont Eugène ne saisit pas le sens. Le lendemain, Rastignac alla jeter ses lettres à la poste. Il hésita jusqu'au dernier moment, mais il les lança dans la boîte en disant: «Je réussirai!» Le mot du joueur, du grand capitaine, mot fataliste qui perd plus d'hommes qu'il n'en sauve.

Quelques jours après, Eugène alla chez madame de Restaud et n'y fut pas reçu. Trois fois il y retourna, trois fois encore il trouva la porte close, quoiqu'il se présentât à des heures où le comte Maxime de Trailles n'y était pas. La vicomtesse avait eu raison. L'étudiant n'étudia plus. Il allait au cours pour y répondre

à l'appel, et, quand il avait attesté sa présence, il dé-
campait. Il s'était fait le raisonnement que se font la
plupart des étudiants. Il réservait ses études pour le
moment où il s'agirait de passer ses examens; il avait
résolu d'entasser ses inscriptions[1] de seconde et de 5
troisième année, puis d'apprendre le droit sérieusement
et d'un seul coup au dernier moment. Il avait ainsi
quinze mois de loisirs pour naviguer sur l'océan de Paris,
pour s'y livrer à la traite des femmes,[2] ou y pêcher la
fortune. Pendant cette semaine, il vit deux fois madame 10
de Beauséant, chez laquelle il n'allait qu'au moment où
sortait la voiture du marquis d'Ajuda. Pour quelques
jours encore, cette illustre femme, la plus poétique figure
du faubourg Saint-Germain, resta victorieuse, et fit suspendre le mariage de mademoiselle de Rochefide avec le 15
marquis d'Ajuda-Pinto. Mais ces derniers jours, que la
crainte de perdre son bonheur rendit les plus ardents de
tous, devaient précipiter la catastrophe. Le marquis
d'Ajuda, de concert avec les Rochefide, avait regardé
cette brouille et ce raccommodement comme une circon- 20
stance heureuse: ils espéraient que madame de Beauséant s'accoutumerait à l'idée de ce mariage et finirait
par sacrifier ses matinées à un avenir prévu dans la vie
des hommes. Malgré les plus saintes promesses renou-
velées chaque jour, M. d'Ajuda jouait donc la comédie, 25
et la vicomtesse aimait à être trompée. «Au lieu de
sauter noblement par la fenêtre, elle se laissait rouler
dans les escaliers,» disait la duchesse de Langeais, sa
meilleure amie. Néanmoins, ces dernières lueurs brillèrent assez longtemps pour que la vicomtesse restât à 30
Paris et y servît son jeune parent, auquel elle portait
une sorte d'affection superstitieuse. Eugène s'était

montré pour elle plein de dévouement et de sensibilité
dans une circonstance où les femmes ne voient de
pitié, de consolation vraie dans aucun regard. Si un
homme leur dit alors de douces paroles, il les dit par
5 spéculation.[1]

Dans le désir de parfaitement bien connaître son échi-
quier avant de tenter l'abordage de la maison de Nucingen, Rastignac voulut se mettre au fait de la vie antérieure du père Goriot, et recueillit des renseignements
10 certains, qui peuvent se réduire à ceci:

Jean-Joachim Goriot était, avant la Révolution, un
simple ouvrier vermicellier, habile, économe, et assez
entreprenant pour avoir acheté le fonds de son maître,
que le hasard rendit victime du premier soulèvement de
15 1789. Il s'était établi rue de la Jussienne, près de la
halle aux blés, et avait eu le gros bon sens[2] d'accepter la
présidence de sa section, afin de faire protéger son commerce par les personnages les plus influents de cette
dangereuse époque. Cette sagesse avait été l'origine de
20 sa fortune, qui commença dans la disette, fausse ou vraie,
par suite de laquelle les grains acquirent un prix énorme
à Paris. Le peuple se tuait à la porte des boulangers,
tandis que certaines personnes allaient chercher sans
émeute des pâtes d'Italie[3] chez les épiciers. Pendant
25 cette année, le citoyen[4] Goriot amassa les capitaux qui,
plus tard, lui servirent à faire son commerce avec toute la
supériorité que donne une grande masse d'argent à celui
qui la possède; il lui arriva ce qui arrive à tous les
hommes qui n'ont qu'une capacité relative: sa médiocrité
30 le sauva. D'ailleurs, sa fortune n'étant connue qu'au moment où il n'y avait plus de danger à être riche, il n'excita l'envie de personne. Le commerce des grains sem-

blait avoir absorbé toute son intelligence. S'agissait-il de
blés, de farines, de grenailles, de reconnaître leur qualité, leur provenance, de veiller à leur conservation, de
prévoir les cours,[1] de prophétiser l'abondance ou la pé-
nurie des récoltes, de se procurer les céréales à bon   5
marché, de s'en approvisionner en Sicile, en Ukraine,
Goriot n'avait pas son second.   A lui voir conduire ses
affaires, expliquer les lois sur l'exportation, sur l'impor-
tation des grains, étudier leur esprit, saisir leurs défauts,
un homme l'eût jugé capable d'être ministre d'État.   10
Patient, actif, énergique, constant, rapide dans ses expé-
ditions, il avait un coup d'œil d'aigle, il devançait tout,
prévoyait tout, savait tout, cachait tout; diplomate pour
concevoir, soldat pour marcher.   Sorti de sa spécialité, de
sa simple et obscure boutique, sur le pas de laquelle il   15
demeurait pendant ses heures d'oisiveté, l'épaule appuyée au montant de la porte, il redevenait l'ouvrier
stupide et grossier, l'homme incapable de comprendre un
raisonnement, insensible à tous les plaisirs de l'esprit,
l'homme qui s'endormait au spectacle, un de ces Doli-   20
bans[2] parisiens, forts seulement en bêtise.   Ces natures
se ressemblent presque toutes.   A presque toutes, vous
trouveriez un sentiment sublime au cœur.   Deux sentiments exclusifs avaient rempli le cœur du vermicellier,
en avaient absorbé l'humide,[3] comme le commerce des   25
grains employait toute l'intelligence de sa cervelle.   Sa
femme, fille unique d'un riche fermier de la Brie, fut
pour lui l'objet d'une admiration religieuse, d'un amour
sans bornes.   Goriot avait admiré en elle une nature
frêle et forte, sensible et jolie, qui contrastait vigoureuse-   30
ment avec la sienne.   S'il est un sentiment inné dans le
cœur de l'homme, n'est-ce pas l'orgueil de la protection

exercée à tout moment en faveur d'un être faible?
Joignez-y l'amour, cette reconnaissance vive de toutes
les âmes franches pour le principe de leurs plaisirs, et
vous comprendrez une foule de bizarreries morales.
5 Après sept ans de bonheur sans nuages, Goriot, malheureusement pour lui, perdit sa femme: elle commençait à prendre de l'empire sur lui, en dehors de la
sphère des sentiments.   Peut-être eût-elle cultivé cette
nature inerte, peut-être y eût-elle jeté l'intelligence des
10 choses du monde et de la vie.   Dans cette situation, le
sentiment de la paternité se développa chez Goriot
jusqu'à la déraison.   Il reporta ses affections trompées
par la mort sur ses deux filles, qui, d'abord, satisfirent
pleinement tous ses sentiments.   Quelque brillantes que
15 fussent les propositions qui lui furent faites par des
négociants ou des fermiers jaloux de lui donner leurs
filles, il voulut rester veuf.   Son beau-père, le seul homme
pour lequel il avait eu du penchant, prétendait savoir
pertinemment que Goriot avait juré de ne pas faire
20 d'infidélité à sa femme, quoique morte.   Les gens de la
halle, incapables de comprendre cette sublime folie, en
plaisantèrent et donnèrent à Goriot quelque grotesque
sobriquet.   Le premier d'entre eux qui, en buvant le vin
d'un marché,[1] s'avisa de le prononcer, reçut du ver-
25 micellier un coup de poing sur l'épaule qui l'envoya,
la tête la première, sur une borne de la rue Oblin.   Le
dévouement irréfléchi, l'amour ombrageux et délicat que
portait Goriot à ses filles était si connu, qu'un jour un de
ses concurrents, voulant le faire partir du marché pour
30 rester maître du cours, lui dit que Delphine venait d'être
renversée par un cabriolet.   Le vermicellier, pâle et blême,
quitta aussitôt la halle.   Il fut malade pendant plusieurs

jours par suite de la réaction des sentiments contraires
auxquels le livra cette fausse alarme. S'il n'appliqua pas
sa tape meurtrière sur l'épaule de cet homme, il le chassa
de la halle en le forçant, dans une circonstance critique,
à faire faillite. L'éducation de ses deux filles fut naturel- 5
lement déraisonnable. Riche de plus de soixante mille
francs de rente, et ne dépensant pas douze cents francs
pour lui, le bonheur de Goriot était de satisfaire les fantaisies de ses filles: les plus excellents maîtres furent
chargés de les douer des talents qui signalent une bonne 10
éducation; elles eurent une demoiselle de compagnie;
heureusement pour elles, ce fut une femme d'esprit et de
goût; elles allaient à cheval, elles avaient voiture, elles
vivaient comme auraient vécu les maîtresses d'un vieux
seigneur riche; il leur suffisait d'exprimer les plus coûteux 15
désirs pour voir leur père s'empressant de les combler;
il ne demandait qu'une caresse en retour de ses offrandes.
Goriot mettait ses filles au rang des anges, et nécessairement au-dessus de lui, le pauvre homme! il aimait jusqu'au mal qu'elles lui faisaient. Quand ses filles furent 20
en âge d'être mariées, elles purent choisir leurs maris
suivant leurs goûts: chacune d'elles devait avoir en dot
la moitié de la fortune de son père. Courtisée pour sa
beauté par le comte de Restaud, Anastasie avait des
penchants aristocratiques qui la portèrent à quitter la 25
maison paternelle pour s'élancer dans les hautes sphères
sociales. Delphine aimait l'argent: elle épousa Nucingen, banquier d'origine allemande qui devint baron du
Saint-Empire.[1] Goriot resta vermicellier. Ses filles et
ses gendres se choquèrent bientôt de lui voir continuer 30
ce commerce, quoique ce fût toute sa vie. Après avoir
subi pendant cinq ans leurs instances, il consentit à se

retirer avec le produit de son fonds,[1] et les bénéfices de
ces dernières années: capital que madame Vauquer, chez
laquelle il était venu s'établir, avait estimé rapporter de
huit à dix mille livres de rente. Il se jeta dans cette
5 pension par suite du désespoir qui l'avait saisi en voyant
ses deux filles obligées par leurs maris de refuser non
seulement de le prendre chez elles, mais encore de l'y
recevoir ostensiblement.

Ces renseignements étaient tout ce que savait un M.
10 Muret sur le compte du père Goriot, dont il avait acheté
le fonds. Les suppositions que Rastignac avait entendu
faire par la duchesse de Langeais se trouvaient ainsi
confirmées. Ici se termine l'exposition de cette obscure
mais effroyable tragédie parisienne.

15 Vers la fin de cette première semaine du mois de dé-
cembre, Rastignac reçut deux lettres, l'une de sa mère,
l'autre de sa sœur aînée. Ces écritures si connues le
firent à la fois palpiter d'aise et trembler de terreur.
Ces deux frêles papiers contenaient un arrêt de vie ou
20 de mort sur ses espérances. S'il concevait quelque
terreur en se rappelant la détresse de ses parents, il
avait trop bien éprouvé leur prédilection pour ne pas
craindre d'avoir aspiré leurs dernières gouttes de sang.
La lettre de sa mère était ainsi conçue:

25 «Mon cher enfant, je t'envoie ce que tu m'as demandé. Fais un bon emploi de cet argent; je ne pourrais, quand il s'agirait de te sauver la vie, trouver une
seconde fois une somme si considérable sans que ton
père en fût instruit, ce qui troublerait l'harmonie de
30 notre ménage. Pour nous la procurer, nous serions
obligés de donner des garanties sur notre terre. Il
m'est impossible de juger le mérite de projets que je ne

connais pas; mais de quelle nature sont-ils donc, pour
te faire craindre de me les confier? Cette explication
ne demandait pas des volumes, il ne nous faut qu'un
mot à nous autres mères, et ce mot m'aurait évité les
angoisses de l'incertitude. Je ne saurais te cacher l'im- 5
pression douloureuse que ta lettre m'a causée. Mon
cher fils, quel est donc le sentiment qui t'a contraint à
jeter un tel effroi dans mon cœur? Tu as dû bien
souffrir en m'écrivant, car j'ai bien souffert en te lisant.
Dans quelle carrière t'engages-tu donc? Ta vie, ton 10
bonheur, seraient attachés à paraître ce que tu n'es pas,
à voir un monde où tu ne saurais aller sans faire des dépenses d'argent que tu ne peux soutenir, sans perdre un
temps précieux pour tes études? Mon bon Eugène,
crois-en le cœur de ta mère, les voies tortueuses ne 15
mènent à rien de grand. La patience et la résignation
doivent être les vertus des jeunes gens qui sont dans ta
position. Je ne te gronde pas, je ne voudrais commu-
niquer à notre offrande aucune amertume. Mes paroles
sont celles d'une mère aussi confiante que prévoyante. 20
Si tu sais quelles sont tes obligations, je sais, moi, combien ton cœur est pur, combien tes intentions sont
excellentes. Aussi puis-je te dire sans crainte: Va, mon
bien-aimé, marche! Je tremble parce que je suis mère;
mais chacun de tes pas sera tendrement accompagné de 25
nos vœux et de nos bénédictions. Sois prudent, cher
enfant. Tu dois être sage comme un homme, les destinées de cinq personnes qui te sont chères reposent sur
ta tête. Oui, toutes nos fortunes sont en toi, comme
ton bonheur est le nôtre. Nous prions tous Dieu de te 30
seconder dans tes entreprises. Ta tante Marcillac a été,
dans cette circonstance, d'une bonté inouïe: elle allait

jusqu'à concevoir ce que tu me dis de tes gants.   Mais
elle a un faible pour l'aîné, disait-elle gaiement.   Mon
Eugène, aime bien ta tante, je ne te dirai ce qu'elle a
fait pour toi que quand tu auras réussi; autrement, son
5 argent te brûlerait les doigts.   Vous ne savez pas,
enfants, ce que c'est que de sacrifier des souvenirs!
Mais que ne vous sacrifierait-on pas?   Elle me charge
de te dire qu'elle te baise au front, et voudrait te com-
muniquer par ce baiser la force d'être souvent heureux.
10 Cette bonne et excellente femme t'aurait écrit si elle
n'avait pas la goutte aux doigts.   Ton père va bien.
La récolte de 1819 passe nos espérances.   Adieu, cher
enfant; je ne dirai rien de tes sœurs: Laure t'écrit.   Je
lui laisse le plaisir de babiller sur les petits événements
15 de la famille.   Fasse le ciel que tu réussisses!   Oh! oui,
réussis, mon Eugène, tu m'as fait connaître une douleur
trop vive pour que je puisse la supporter une seconde
fois.   J'ai su ce que c'était que d'être pauvre, en désirant
la fortune pour la donner à mon enfant.   Allons, adieu.
20 Ne nous laisse pas sans nouvelles, et prends ici le baiser
que ta mère t'envoie.»

Quand Eugène eut achevé cette lettre, il était en
pleurs, il pensait au père Goriot tordant son vermeil
et le vendant pour aller payer la lettre de change de sa
25 fille.

— Ta mère a tordu ses bijoux! se disait-il.   Ta tante
a pleuré sans doute en vendant quelques-unes de ses
reliques!   De quel droit maudirais-tu Anastasie? tu
viens d'imiter pour l'égoïsme de ton avenir ce qu'elle
30 a fait pour son amant!   Qui, d'elle ou de toi, vaut
mieux?

L'étudiant se sentit les entrailles rongées par une

sensation de chaleur intolérable. Il voulait renoncer au monde, il voulait ne pas prendre cet argent. Il éprouva ces nobles et beaux remords secrets dont le mérite est rarement apprécié par les hommes quand ils jugent leurs semblables, et qui font souvent absoudre par les anges du ciel le criminel condamné par les juristes de la terre. Rastignac ouvrit la lettre de sa sœur, dont les expressions innocemment gracieuses lui rafraîchirent le cœur :

« Ta lettre est venue bien à propos, cher frère. Agathe et moi, nous voulions employer notre argent de tant de manières différentes, que nous ne savions plus à quel achat nous résoudre. Tu as fait comme le domestique du roi d'Espagne quand il a renversé les montres de son maître, tu nous as mises d'accord. Vraiment, nous étions constamment en querelle pour celui de nos désirs auquel nous donnerions la préférence, et nous n'avions pas deviné, mon bon Eugène, l'emploi qui comprenait tous nos désirs. Agathe a sauté de joie. Enfin, nous avons été comme deux folles pendant toute la journée ; *à telles enseignes*[1] (style de tante), que ma mère nous disait de son air sévère : « Mais qu'avez-vous donc, mesdemoiselles ? » Si nous avions été grondées un brin, nous en aurions été, je crois, encore plus contentes. Une femme doit trouver bien du plaisir à souffrir pour celui qu'elle aime ! Moi seule étais rêveuse et chagrine au milieu de ma joie. Je ferai sans doute une mauvaise femme, je suis trop dépensière. Je m'étais acheté deux ceintures, un joli poinçon pour percer les œillets de mes corsets, des niaiseries, en sorte que j'avais moins d'argent que cette grosse Agathe, qui est économe, et entasse ses écus[2] comme une pie.[3] Elle avait deux cents

francs! Moi, mon pauvre ami, je n'ai que cinquante
écus. Je suis bien punie, je voudrais jeter ma ceinture
dans le puits, il me sera toujours pénible de la porter.
Je t'ai volé. Agathe a été charmante. Elle m'a dit:
5 «Envoyons les trois cent cinquante francs, à nous
deux!» Mais je n'ai pu me tenir de te raconter les
choses comme elles se sont passées. Sais-tu comment
nous avons fait pour obéir à tes commandements? Nous
avons pris notre glorieux argent, nous sommes allées
10 nous promener toutes deux, et, quand une fois nous
avons eu gagné la grande route, nous avons couru à
Ruffec, où nous avons tout bonnement donné la somme
à M. Grimbert, qui tient le bureau des Messageries
royales! Nous étions légères comme des hirondelles en
15 revenant. «Est-ce que le bonheur nous allégirait?»[1] me
dit Agathe. Nous nous sommes dit mille choses que je
ne vous répéterai pas, monsieur le Parisien, il était trop
question de vous. Oh! cher frère, nous t'aimons bien,
voilà tout en deux mots. Quant au secret, selon ma
20 tante, de petites masques comme nous sont capables de
tout, même de se taire. Ma mère est allée mystérieuse-
ment à Angoulême avec ma tante, et toutes deux ont
gardé le silence sur la haute politique de leur voyage,
qui n'a pas eu lieu sans de longues conférences d'où
25 nous avons été bannies, ainsi que M. le baron. De
grandes conjectures occupent les esprits dans l'État de
Rastignac. La robe de mousseline semée de fleurs à
jour que brodent les infantes[2] pour Sa Majesté la reine
avance dans le plus profond secret. Il n'y a plus que
30 deux laizes à faire. Il a été décidé qu'on ne ferait pas
de mur du côté de Verteuil, il y aura une haie. Le
menu peuple y perdra des fruits, des espaliers, mais on

y gagnera une belle vue pour les étrangers.   Si l'héritier
présomptif avait besoin de mouchoirs, il est prévenu que
la douairière de Marcillac, en fouillant dans ses trésors
et ses malles, désignées sous le nom de Pompéi et
d'Herculanum, a découvert une pièce de belle toile de   5
Hollande, qu'elle ne se connaissait pas; les princesses
Agathe et Laure mettent à ses ordres leur fil, leur
aiguille, et des mains toujours un peu trop rouges.   Les
deux jeunes princes don Henri et don Gabriel ont conservé la funeste habitude de se gorger de raisiné, de 10
faire enrager leurs sœurs, de ne vouloir rien apprendre,
de s'amuser à dénicher des oiseaux, de tapager, et de
couper, malgré les lois de l'État, des osiers pour se faire
des badines.   Le nonce du pape, vulgairement appelé
M. le curé, menace de les excommunier s'ils continuent à 15
laisser les saints canons de la grammaire pour les canons
du sureau belliqueux.[1]   Adieu, cher frère; jamais lettre
n'a porté tant de vœux faits pour ton bonheur, ni tant
d'amour satisfait.   Tu auras donc bien des choses à
nous dire quand tu viendras!   Tu me diras tout, à moi, 20
je suis l'aînée.   Ma tante nous a laissé soupçonner que
tu avais des succès dans le monde.

L'on parle d'une dame et l'on se tait du reste...

Avec nous, s'entend!   Dis donc, Eugène, si tu voulais,
nous pourrions nous passer de mouchoirs, et nous te 25
ferions des chemises.   Réponds-moi vite à ce sujet.   S'il
te fallait promptement de belles chemises bien cousues,
nous serions obligées de nous y mettre tout de suite; et,
s'il y avait à Paris des façons que nous ne connussions
pas, tu nous enverrais un modèle, surtout pour les poi- 30
gnets.   Adieu, adieu! je t'embrasse au front du côté
gauche, sur la tempe qui m'appartient exclusivement...

Je laisse l'autre feuillet pour Agathe, qui m'a promis de
ne rien lire de ce que je te dis.   Mais, pour en être plus
sûre, je resterai près d'elle pendant qu'elle t'écrira.   Ta
sœur qui t'aime.   «LAURE DE RASTIGNAC.»

—Oh! oui, se dit Eugène, oui, la fortune à tout prix!
Des trésors ne payeraient pas ce dévouement.   Je voudrais leur apporter tous les bonheurs ensemble.   Quinze
cent cinquante francs! se dit-il après une pause.   Il
faut que chaque pièce porte coup![1]   Laure a raison.
10 Nom d'une femme! je n'ai que des chemises de grosse
toile.   Pour le bonheur d'un autre, une jeune fille devient rusée autant qu'un voleur.   Innocente pour elle et
prévoyante pour moi, elle est comme l'ange du ciel qui
pardonne les fautes de la terre sans les comprendre.

15   Le monde était à lui!   Déjà son tailleur avait été con-
voqué, sondé, conquis.   En voyant M. de Trailles,
Rastignac avait compris l'influence qu'exercent les tail-
leurs sur la vie des jeunes gens.   Hélas! il n'existe pas
de moyenne entre ces deux termes: un tailleur est ou un
20 ennemi mortel, ou un ami donné par la facture.[2]   Eugène
rencontra dans le sien un homme qui avait compris la
paternité de son commerce, et qui se considérait comme
un trait d'union entre le présent et l'avenir des jeunes
gens.   Aussi Rastignac reconnaissant a-t-il fait la for-
25 tune de cet homme par un de ces mots auxquels il ex-
cella plus tard.

—Je lui connais, disait-il, deux pantalons qui ont fait
faire des mariages de vingt mille livres de rente.

Quinze cents francs et des habits à discrétion!   En
30 ce moment, le pauvre Méridional ne douta plus de rien,
et descendit au déjeuner avec cet air indéfinissable que
donne à un jeune homme la possession d'une somme

quelconque. A l'instant où l'argent se glisse dans la poche d'un étudiant, il se dresse en lui-même une colonne fantastique sur laquelle il s'appuie. Il marche mieux qu'auparavant, il se sent un point d'appui pour son levier, il a le regard plein, direct, il a les mouvements agiles; la veille, humble et timide, il aurait reçu des coups; le lendemain, il en donnerait à un premier ministre. Il se passe en lui des phénomènes inouïs: il veut tout et peut tout, il désire à tort et à travers, il est gai, généreux, expansif. Enfin, l'oiseau naguère sans ailes a retrouvé son envergure. L'étudiant sans argent happe un brin de plaisir comme un chien qui dérobe un os à travers mille périls, il le casse, en suce la moelle, et court encore; mais le jeune homme qui fait mouvoir dans son gousset quelques fugitives pièces d'or déguste ses jouissances, il les détaille, il s'y complaît, il se balance dans le ciel, il ne sait plus ce que signifie le mot *misère*. Paris lui appartient tout entier. Age où tout est luisant, où tout scintille et flambe! âge de force joyeuse dont personne ne profite, ni l'homme ni la femme! âge des dettes et des vives craintes qui décuplent tous les plaisirs! Qui n'a pas pratiqué[1] la rive gauche de la Seine, entre la rue Saint-Jacques et la rue des Saints-Pères, ne connaît rien à la vie humaine!

—Ah! si les femmes de Paris savaient! se disait Rastignac en dévorant les poires cuites, à deux liards la pièce, servies par madame Vauquer, elles viendraient se faire aimer ici.

En ce moment, un facteur des Messageries royales se présenta dans la salle à manger, après avoir fait sonner la porte à claire-voie. Il demanda M. Eugène de Rastignac, auquel il tendit deux sacs à prendre et un registre à émarger. Rastignac fut alors sanglé comme d'un coup de fouet par le regard profond que lui lança Vautrin.

— Vous aurez de quoi payer des leçons d'armes et des séances au tir, lui dit cet homme.

— Les galions sont arrivés,[1] lui dit madame Vauquer en regardant les sacs.

Mademoiselle Michonneau craignait de jeter les yeux sur l'argent, de peur de montrer sa convoitise.

— Vous avez une bonne mère, dit madame Couture.

— Monsieur a une bonne mère, répéta Poiret.

— Oui, la maman s'est saignée, dit Vautrin. Vous pourrez maintenant faire vos farces,[2] aller dans le monde, y pêcher des dots, et danser avec des comtesses qui ont des fleurs de pêcher sur la tête. Mais, croyez-moi, jeune homme, fréquentez le tir.

Vautrin fit le geste d'un homme qui vise son adversaire. Rastignac voulut donner pour boire[3] au facteur et ne trouva rien dans sa poche. Vautrin fouilla dans la sienne et jeta vingt sous à l'homme.

— Vous avez bon crédit, reprit-il en regardant l'étudiant.

Rastignac fut forcé de le remercier, quoique depuis les mots aigrement échangés, le jour où il était revenu de chez madame de Beauséant, cet homme lui fût insupportable. Pendant ces huit jours, Eugène et Vautrin étaient restés silencieusement en présence, et s'observaient l'un l'autre. L'étudiant se demandait vainement pourquoi. Sans doute, les idées se projettent en raison directe de la force avec laquelle elles se conçoivent, et vont frapper là où le cerveau les envoie, par une loi mathématique comparable à celle qui dirige les bombes

au sortir du mortier. Divers en sont les effets. S'il
est des natures tendres où les idées se logent et qu'elles
ravagent, il est aussi des natures vigoureusement munies,
des crânes à rempart d'airain sur lesquels les volontés
des autres s'aplatissent et tombent comme les balles de- 5
vant une muraille; puis il est encore des natures flasques
et cotonneuses où les idées d'autrui viennent mourir
comme des boulets s'amortissent dans la terre molle des
redoutes. Rastignac avait une de ces têtes pleines de
poudre qui sautent au moindre choc. Il était trop vi- 10
vacement jeune pour ne pas être accessible à cette pro-
jection des idées, à cette contagion des sentiments dont
tant de bizarres phénomènes nous frappent à notre insu.
Sa vue morale avait la portée lucide de ses yeux de lynx.
Chacun de ses doubles sens avait cette longueur mysté- 15
rieuse, cette flexibilité d'aller et de retour qui nous émer-
veille chez les gens supérieurs, bretteurs habiles à saisir
le défaut de toutes les cuirasses. Depuis un mois, il
s'était d'ailleurs développé chez Eugène autant de qualités que de défauts. Ses défauts, le monde et l'accom- 20
plissement de ses croissants désirs les lui avaient de-
mandés. Parmi ses qualités se trouvait cette vivacité
méridionale qui fait marcher droit à la difficulté pour
la résoudre, et qui ne permet pas à un homme d'outre-
Loire[1] de rester dans une incertitude quelconque; qualité 25
que les gens du Nord nomment un défaut: pour eux, si
ce fut l'origine de la fortune de Murat,[2] ce fut aussi la
cause de sa mort. Il faudrait conclure de là que, quand
un Méridional sait unir la fourberie du Nord à l'audace
d'outre-Loire, il est complet et reste roi de Suède.[3] 30
Rastignac ne pouvait donc pas demeurer longtemps sous
le feu des batteries de Vautrin sans savoir si cet homme

était son ami ou son ennemi.   De moment en moment,
il lui semblait que ce singulier personnage pénétrait ses
passions et lisait dans son cœur, tandis que chez lui
tout était si bien clos, qu'il semblait avoir la profondeur
5 immobile d'un sphinx qui sait, voit tout, et ne dit rien.
En se sentant le gousset plein, Eugène se mutina.

— Faites-moi le plaisir d'attendre, dit-il à Vautrin,
qui se levait pour sortir après avoir savouré les dernières
gorgées de son café.

10   — Pourquoi ? répondit le quadragénaire en mettant
son chapeau à larges bords et prenant une canne en fer
avec laquelle il faisait souvent des moulinets en homme
qui n'aurait pas craint d'être assailli par quatre voleurs.

— Je vais vous rendre,[1] reprit Rastignac qui défit
15 promptement un sac et compta cent quarante francs à
madame Vauquer.   Les bons comptes font les bons
amis, dit-il à la veuve.   Nous sommes quittes jusqu'à la
Saint-Sylvestre.   Changez-moi ces cent sous.[2]

— Les bons amis font les bons comptes, répéta Poiret
20 en regardant Vautrin.

— Voici vingt sous, dit Rastignac en tendant une
pièce au sphinx en perruque.

— On dirait que vous avez peur de me devoir quelque
chose ? s'écria Vautrin en plongeant un regard divina-
25 teur dans l'âme du jeune homme, auquel il jeta un de ces
sourires goguenards et diogéniques[3] desquels Eugène
avait été sur le point de se fâcher cent fois.

— Mais . . . oui, répondit l'étudiant qui tenait ses
deux sacs à la main et s'était levé pour monter chez lui.

30   Vautrin sortait par la porte qui donnait dans le salon,
et l'étudiant se disposait à s'en aller par celle qui menait
sur le carré de l'escalier.

— Savez-vous, monsieur le marquis de Rastignacorama,[1] que ce que vous me dites n'est pas exactement
poli, dit alors Vautrin en fouettant[2] la porte du salon et
venant à l'étudiant, qui le regarda froidement.

Rastignac ferma la porte de la salle à manger, en emmenant avec lui Vautrin au bas de l'escalier, dans le
carré qui séparait la salle à manger de la cuisine, où se
trouvait une porte pleine[3] donnant sur le jardin et surmontée d'un long carreau garni de barreaux en fer. Là,
l'étudiant dit devant Sylvie, qui déboucha de sa cuisine:

— *Monsieur*[4] Vautrin, je ne suis pas marquis, et je ne
m'appelle pas Rastignacorama.

— Ils vont se battre, dit mademoiselle Michonneau
d'un air indifférent.

— Se battre! répéta Poiret.

— Que non,[5] répondit madame Vauquer en caressant
sa pile d'écus.

— Mais les voilà qui vont sous les tilleuls, cria mademoiselle Victorine en se levant pour regarder dans le
jardin. Ce pauvre jeune homme a pourtant raison.

— Remontons, ma chère petite, dit madame Couture;
ces affaires-là ne nous regardent pas.

Quand madame Couture et Victorine se levèrent, elles
rencontrèrent, à la porte, la grosse Sylvie qui leur barra
le passage.

— Quoi qui[6] n'y a donc? dit-elle. M. Vautrin a dit
à M. Eugène: «Expliquons-nous!» Puis il l'a pris par le
bras, et les voilà qui marchent dans nos artichauts.

En ce moment, Vautrin parut.

— Maman Vauquer, dit-il en souriant, ne vous effrayez
de rien, je vais essayer mes pistolets sous les tilleuls.

— Oh! monsieur, dit Victorine en joignant les mains, pourquoi voulez-vous tuer M. Eugène?

Vautrin fit deux pas en arrière et contempla Victorine.

5 — Autre histoire,[1] s'écria-t-il d'une voix railleuse qui fit rougir la pauvre fille. Il est bien gentil, n'est-ce pas, ce jeune homme-là? reprit-il. Vous me donnez une idée. Je ferai votre bonheur à tous deux, ma belle enfant.

Madame Couture avait pris sa pupille par le bras et 10 l'avait entraînée en lui disant à l'oreille:

— Mais, Victorine, vous êtes inconcevable ce matin.

— Je ne veux pas qu'on tire des coups de pistolet chez moi, dit madame Vauquer. N'allez-vous pas effrayer tout le voisinage et amener la police, à c't' heure?

15 — Allons, du calme, maman Vauquer, répondit Vautrin. Là là, tout beau, nous irons au tir.

Il rejoignit Rastignac, qu'il prit familièrement par le bras.

— Quand je vous aurais prouvé qu'à trente-cinq pas 20 je mets cinq fois de suite ma balle dans un as de pique, lui dit-il, cela ne vous ôterait pas votre courage. Vous m'avez l'air d'être un peu rageur et vous vous feriez tuer comme un imbécile.

— Vous reculez, dit Eugène.

25 — Ne m'échauffez pas la bile, répondit Vautrin. Il ne fait pas froid ce matin, venez nous asseoir là-bas, dit-il en montrant les sièges peints en vert. Là, personne ne nous entendra. J'ai à causer avec vous. Vous êtes un bon petit jeune homme auquel je ne veux pas de mal. 30 Je vous aime, foi de Tromp[2]... (milie tonnerres!), foi de Vautrin. Pourquoi vous aimé-je, je vous le dirai. En attendant, je vous connais comme si je vous avais

fait, et vais vous le prouver.   Mettez là vos sacs, reprit-
il en lui montrant la table ronde.

Rastignac posa son argent sur la table et s'assit en
proie à une curiosité que développa chez lui au plus haut
degré le changement soudain opéré dans les manières
de cet homme, qui, après avoir parlé de le tuer, se posait
comme son protecteur.

— Vous voudriez bien savoir qui je suis, ce que j'ai
fait, ou ce que je fais, reprit Vautrin.   Vous êtes trop
curieux, mon petit.   Allons, du calme.   Vous allez en
entendre bien d'autres!   J'ai eu des malheurs.   Écoutez-
moi d'abord, vous me répondrez après.   Voilà ma vie
antérieure en trois mots.   Qui suis-je? Vautrin.   Que
fais-je? Ce qui me plaît.   Passons.   Voulez-vous connaître mon caractère?   Je suis bon avec ceux qui me
font du bien ou dont le cœur parle au mien.   A ceux-là
tout est permis, ils peuvent me donner des coups de
pied dans les os des jambes sans que je leur dise: *Prends
garde!*   Mais, nom d'une pipe! je suis méchant comme
le diable avec ceux qui me tracassent, ou qui ne me
reviennent pas.   Et il est bon de vous apprendre que je
me soucie de tuer un homme comme de ça! dit-il en
lançant un jet de salive.   Seulement, je m'efforce de le
tuer proprement, quand il le faut absolument.   Je suis
ce que vous appelez un artiste.   J'ai lu les *Mémoires de
Benvenuto Cellini,*[1] tel que vous me voyez, et en italien encore!   J'ai appris de cet homme-là, qui était un fier luron,
à imiter la Providence qui nous tue à tort et à travers,
et à aimer le beau partout où il se trouve.   N'est-ce pas,
d'ailleurs, une belle partie à jouer que d'être seul contre
tous les hommes et d'avoir la chance?   J'ai bien réfléchi
à la constitution actuelle de votre désordre social.   Mon

petit, le duel est un jeu d'enfants, une sottise.   Quand,
de deux hommes vivants, l'un doit disparaître, il faut
être imbécile pour s'en remettre au hasard.   Le duel?
croix ou pile! voilà.   Je mets cinq balles de suite dans
5 un as de pique en renfonçant chaque nouvelle balle sur
l'autre, et à trente-cinq pas encore! quand on est doué
de ce petit talent-là, l'on peut se croire sûr d'abattre son
homme.   Eh bien, j'ai tiré sur un homme à vingt pas,
je l'ai manqué.   Le drôle n'avait jamais manié de sa vie
10 un pistolet.   Tenez! dit cet homme extraordinaire en
défaisant son gilet et montrant sa poitrine velue comme
le dos d'un ours, mais garnie d'un crin fauve qui causait
une sorte de dégoût mêlé d'effroi, ce blanc-bec m'a roussi
le poil, ajouta-t-il en mettant le doigt de Rastignac sur
15 un trou qu'il avait au sein.   Mais, dans ce temps-là,
j'étais un enfant, j'avais votre âge, vingt et un ans.   Je
croyais encore à quelque chose, à l'amour d'une femme,
un tas de bêtises dans lesquelles vous allez vous embar-
bouiller.   Nous nous serions battus, pas vrai?   Vous
20 auriez pu me tuer.   Supposez que je sois en terre, où seriez-vous?   Il faudrait décamper, aller en Suisse, manger
l'argent du papa, qui n'en a guère.   Je vais vous éclairer,
moi, la position dans laquelle vous êtes; mais je vais le
faire avec la supériorité d'un homme qui, après avoir
25 examiné les choses d'ici-bas, a vu qu'il n'y avait que
deux partis à prendre: ou une stupide obéissance ou la
révolte.   Je n'obéis à rien, est-ce clair?   Savez-vous ce
qu'il vous faut, à vous, au train dont vous allez?   Un
million, et promptement; sans quoi, avec notre petite
30 tête, nous pourrions aller flâner[1] dans les filets de Saint-
Cloud, pour voir s'il y a un Être suprême.   Ce million,
je vais vous le donner.

Il fit une pause en regardant Eugène.

— Ah! ah! vous faites meilleure mine à votre petit papa Vautrin.   En entendant ce mot-là, vous êtes comme une jeune fille à qui l'on dit: «A ce soir,» et qui se toilette[1] en se pourléchant comme un chat qui boit du lait. A la bonne heure.   Allons donc! à nous deux! Voici votre compte, jeune homme.   Nous avons, là-bas, papa, maman, grand'-tante, deux sœurs (dix-huit et dix-sept ans), deux petits frères (quinze et dix ans), voilà le contrôle de l'équipage.   La tante élève vos sœurs.   Le curé vient apprendre le latin aux deux frères.   La famille mange plus de bouillie de marrons que de pain blanc, le papa ménage ses culottes, maman se donne à peine une robe d'hiver et une robe d'été, nos sœurs font comme elles peuvent.   Je sais tout, j'ai été dans le Midi.   Les choses sont comme cela chez vous, si l'on vous envoie douze cents francs par an, et que votre terrine[2] ne rapporte que trois mille francs.   Nous avons une cuisinière et un domestique, il faut garder le décorum, papa est baron.   Quant à nous, nous avons de l'ambition, nous avons les Beauséant pour alliés et nous allons à pied, nous voulons la fortune et nous n'avons pas le sou, nous mangeons les *ratatouilles* de maman Vauquer et nous aimons les beaux dîners du faubourg Saint-Germain, nous couchons sur un grabat et nous voulons un hôtel! Je ne blâme pas vos vouloirs.   Avoir de l'ambition, mon petit cœur, ce n'est pas donné à tout le monde.   Demandez aux femmes quels hommes elles recherchent, les ambitieux.   Les ambitieux ont les reins plus forts, le sang plus riche en fer, le cœur plus chaud que ceux des autres hommes.   Et la femme se trouve si heureuse et si belle aux heures où elle est forte, qu'elle préfère à tous

les hommes celui dont la force est énorme, fût-elle en
danger d'être brisée par lui.   Je fais l'inventaire de vos
désirs afin de vous poser la question.   Cette question, la
voici.   Nous avons une faim de loup, nos quenottes sont
5 incisives, comment nous y prendrons-nous pour approvisionner la marmite?   Nous avons d'abord le Code à
manger,[1] ce n'est pas amusant, et ça n'apprend rien;
mais il le faut.   Soit.   Nous nous faisons avocat pour
devenir président d'une cour d'assises, envoyer au bagne
10 les pauvres diables qui valent mieux que nous avec T. F.[2]
sur l'épaule, afin de prouver aux riches qu'ils peuvent
dormir tranquillement.   Ce n'est pas drôle, et puis c'est
long.   D'abord, deux années à droguer[3] dans Paris, à
regarder sans y toucher les *nanans* dont nous sommes
15 friand.   C'est fatigant de désirer toujours sans jamais se
satisfaire.   Si vous étiez pâle et de la nature des mol-
lusques, vous n'auriez rien à craindre; mais nous avons
le sang fiévreux des lions et un appétit à faire vingt
sottises par jour.   Vous succomberez donc à ce supplice,
20 le plus horrible que nous ayons aperçu dans l'enfer du
bon Dieu.   Admettons que vous soyez sage, que vous
buviez du lait et que vous fassiez des élégies; il faudra,
généreux comme vous l'êtes, commencer, après bien des
ennuis et des privations à rendre un chien enragé, par
25 devenir le substitut[4] de quelque drôle, dans un trou de
ville où le gouvernement vous jettera mille francs d'appointements, comme on jette une soupe à un dogue de
boucher.   Aboie après les voleurs, plaide pour le riche,
fais guillotiner des gens de cœur.   Bien obligé! Si vous
30 n'avez pas de protections, vous pourrirez dans votre tribunal de province.   Vers trente ans, vous serez juge à
douze cents francs par an, si vous n'avez pas encore jeté

la robe aux orties.[1] Quand vous aurez atteint la quaran-
taine, vous épouserez quelque fille de meunier, riche
d'environ six mille livres de rente. Merci. Ayez des
protections, vous serez procureur du roi[2] à trente ans,
avec mille écus d'appointements, et vous épouserez la 5
fille du maire. Si vous faites quelques-unes de ces petites
bassesses politiques, comme de lire, sur un bulletin:
Villèle,[3] au lieu de Manuel (ça rime, ça met la conscience
en repos), vous serez, à quarante ans, procureur général,
et pourrez devenir député. Remarquez, mon cher enfant, 10
que nous aurons fait des accrocs à notre petite conscience,
que nous aurons eu vingt ans d'ennuis, de misères secrètes, et que nos sœurs auront coiffé sainte Catherine.[4]
J'ai l'honneur de vous faire observer, de plus, qu'il n'y a
que vingt procureurs généraux en France, et que vous 15
êtes vingt mille aspirants au grade, parmi lesquels il se
rencontre des farceurs qui vendraient leur famille pour
monter d'un cran. Si le métier vous dégoûte, voyons
autre chose. Le baron de Rastignac veut-il être avocat?
Oh! joli. Il faut pâtir pendant dix ans, dépenser mille 20
francs par mois, avoir une bibliothèque, un cabinet, aller
dans le monde, baiser la robe d'un avoué pour avoir des
causes, balayer le Palais[5] avec sa langue. Si ce métier
vous menait à bien, je ne dirais pas non; mais trouvez-
moi dans Paris cinq avocats qui, à cinquante ans, 25
gagnent plus de cinquante mille francs par an? Bah!
plutôt que de m'amoindrir ainsi l'âme, j'aimerais mieux
me faire corsaire. D'ailleurs, où prendre des écus? Tout
ça n'est pas gai. Nous avons une ressource dans la dot
d'une femme. Voulez-vous vous marier? ce sera vous 30
mettre une pierre au cou; puis, si vous vous mariez pour
de l'argent, que deviennent nos sentiments d'honneur,

notre noblesse? Autant commencer aujourd'hui votre
révolte contre les conventions humaines. Ce ne serait
rien que[1] se coucher comme un serpent devant une femme,
lécher les pieds de la mère, faire des bassesses à dégoûter
5 une truie, pouah! si vous trouviez au moins le bonheur.
Mais vous serez malheureux comme les pierres d'égout[2]
avec une femme que vous aurez épousée ainsi. Vaut
encore mieux guerroyer avec les hommes que de lutter
avec sa femme. Voilà le carrefour de la vie, jeune homme,
10 choisissez. Vous avez déjà choisi: vous êtes allé chez
notre cousin de Beauséant, et vous y avez flairé le luxe.
Vous êtes allé chez madame de Restaud, la fille du père
Goriot, et vous y avez flairé la Parisienne. Ce jour-là,
vous êtes revenu avec un mot écrit sur votre front, et
15 que j'ai bien su lire: *Parvenir!* parvenir à tout prix.
« Bravo! ai-je dit, voilà un gaillard qui me va.» Il vous
a fallu de l'argent. Où en prendre? Vous avez saigné
vos sœurs. Tous les frères *flouent* plus ou moins leurs
sœurs. Vos quinze cents francs arrachés, Dieu sait
20 comme! dans un pays où l'on trouve plus de châtaignes
que de pièces de cent sous, vont filer comme des soldats
à la maraude. Après, que ferez-vous? vous travaillerez?
Le travail, compris comme vous le comprenez en ce
moment, donne, dans les vieux jours, un appartement
25 chez maman Vauquer, à des gars de la force de Poiret.
Une rapide fortune est le problème que se proposent de
résoudre en ce moment cinquante mille jeunes gens qui
se trouvent tous dans votre position. Vous êtes une unité
de ce nombre-là. Jugez des efforts que vous avez à faire
30 et de l'acharnement du combat. Il faut vous manger les
uns les autres comme des araignées dans un pot, attendu
qu'il n'y a pas cinquante mille bonnes places. Savez-

vous comment on fait son chemin ici? Par l'éclat du
génie ou par l'adresse de la corruption. Il faut entrer
dans cette masse d'hommes comme un boulet de canon,
ou s'y glisser comme une peste. L'honnêteté ne sert à
rien. On plie sous le pouvoir du génie, on le hait, on
tâche de le calomnier, parce qu'il prend sans partager;
mais on plie s'il persiste; en un mot, on l'adore à genoux
quand on n'a pas pu l'enterrer sous la boue. La corruption est en force, le talent est rare. Ainsi, la corruption
est l'arme de la médiocrité qui abonde, et vous en sen- 10
tirez partout la pointe. Vous verrez des femmes dont
les maris ont six mille francs d'appointements pour tout
potage, et qui dépensent plus de dix mille francs à leur
toilette. Vous verrez des employés à douze cents francs
acheter des terres. Vous verrez des femmes se prostituer 15
pour aller dans la voiture du fils d'un pair de France, qui
peut courir à Longchamp[1] sur la chaussée du milieu.
Vous avez vu le pauvre bêta de père Goriot obligé de
payer la lettre de change endossée par sa fille, dont le
mari a cinquante mille livres de rente. Je vous défie de 20
faire deux pas dans Paris sans rencontrer des mani-
gances infernales. Je parierais ma tête contre un pied
de cette salade[2] que vous donnerez dans un guêpier chez
la première femme qui vous plaira, fût-elle riche, belle et
jeune. Toutes sont bricolées par les lois,[3] en guerre 25
avec leurs maris à propos de tout. Je n'en finirais pas
s'il fallait vous expliquer les trafics qui se font pour des
amants, pour des chiffons, pour des enfants, pour le ménage ou pour la vanité, rarement par vertu, soyez-en sûr.
Aussi l'honnête homme est-il l'ennemi commun. Mais 30
que croyez-vous que soit l'honnête homme? A Paris,
l'honnête homme est celui qui se tait et refuse de parta-

ger.   Je ne vous parle pas de ces pauvres ilotes qui partout font la besogne sans être jamais récompensés de leurs travaux, et que je nomme la confrérie des savates[1] du bon Dieu.   Certes, là est la vertu dans toute la fleur de sa bêtise, mais là est la misère.   Je vois d'ici la grimace de ces braves gens si Dieu nous faisait la mauvaise plaisanterie de s'absenter au jugement dernier.   Si donc vous voulez promptement la fortune, il faut être déjà riche ou le paraître.   Pour s'enrichir, il s'agit ici de jouer de grands coups; autrement, on carotte,[2] et votre serviteur!   Si, dans les cent professions que vous pouvez embrasser, il se rencontre dix hommes qui réussissent vite, le public les appelle des voleurs.   Tirez vos conclusions.   Voilà la vie telle qu'elle est.   Ça n'est pas plus beau que la cuisine, ça pue tout autant, et il faut se salir les mains si l'on veut fricoter;[3] sachez seulement bien vous débarbouiller: là est toute la morale de notre époque.   Si je vous parle ainsi du monde, il m'en a donné le droit, je le connais.   Croyez-vous que je le blâme? Du tout.   Il a toujours été ainsi.   Les moralistes ne le changeront jamais.   L'homme est imparfait.   Il est parfois plus ou moins hypocrite, et les niais disent alors qu'il a ou n'a pas de mœurs.   Je n'accuse pas les riches en faveur du peuple: l'homme est le même en haut, en bas, au milieu.   Il se rencontre par chaque million de ce haut bétail dix lurons qui se mettent au-dessus de tout, même des lois; j'en suis.   Vous, si vous êtes un homme supérieur, allez en droite ligne et la tête haute.   Mais il faudra lutter contre l'envie, la calomnie, la médiocrité, contre tout le monde.   Napoléon a rencontré un ministre de la guerre qui s'appelait Aubry,[4] et qui a failli l'envoyer aux colonies.[5]   Tâtez-vous!   Voyez si vous pourrez vous

lever tous les matins avec plus de volonté que vous n'en
aviez la veille.   Dans ces conjonctures, je vais vous faire
une proposition que personne ne refuserait.   Écoutez
bien.   Moi, voyez-vous, j'ai une idée.   Mon idée est
d'aller vivre de la vie patriarcale au milieu d'un grand 5
domaine, cent mille arpents, par exemple, aux États-Unis,
dans le Sud.   Je veux m'y faire planteur, avoir des es-
claves, gagner quelques bons petits millions à vendre
mes bœufs, mon tabac, mes bois, en vivant comme un
souverain, en faisant mes volontés, en menant une vie 10
qu'on ne conçoit pas ici où l'on se tapit dans un terrier
de plâtre.   Je suis un grand poète.   Mes poésies, je ne
les écris pas: elles consistent en actions et en sentiments.
Je possède en ce moment cinquante mille francs qui me
donneraient à peine quarante nègres.   J'ai besoin de 15
deux cent mille francs, parce que je veux deux cents
nègres, afin de satisfaire mon goût pour la vie patriarcale.
Des nègres, voyez-vous, c'est des enfants tout venus[1] dont
on fait ce qu'on veut, sans qu'un curieux de procureur[2]
du roi arrive vous en demander compte.   Avec ce capital 20
noir, en dix ans, j'aurai trois ou quatre millions.   Si je
réussis, personne ne me demandera: «Qui es-tu?»   Je
serai M. Quatre-Millions, citoyen des États-Unis.   J'aurai
cinquante ans, je ne serai pas encore pourri, je m'amuse-
rai à ma façon.   En deux mots, si je vous procure une 25
dot d'un million, me donnerez-vous deux cent mille
francs?   Vingt pour cent de commission, hein! est-ce
trop cher?   Vous vous ferez aimer de votre petite femme.
Une fois marié, vous manifesterez des inquiétudes, des
remords, vous ferez le triste pendant quinze jours.   Une 30
nuit, après quelques singeries, vous déclarerez, entre
deux baisers, deux cent mille francs de dettes à votre

femme, en lui disant: «Mon amour!» Ce vaudeville est
joué tous les jours par les jeunes gens les plus distingués.
Une jeune femme ne refuse pas sa bourse à celui qui lui
prend le cœur. Croyez-vous que vous y perdrez? Non.
Vous trouverez le moyen de regagner vos deux cent mille
francs dans une affaire. Avec votre argent et votre
esprit, vous amasserez une fortune aussi considérable
que vous pourrez la souhaiter. *Ergo*, vous aurez fait, en
six mois de temps, votre bonheur, celui d'une femme
aimable et celui de votre papa Vautrin, sans compter
celui de votre famille qui souffle dans ses doigts, l'hiver,
faute de bois. Ne vous étonnez ni de ce que je vous
propose, ni de ce que je vous demande! Sur soixante
beaux mariages qui ont lieu dans Paris, il y en a quarante-
sept qui donnent lieu à des marchés semblables. La
Chambre des notaires a forcé monsieur. . .

— Que faut-il que je fasse? dit avidement Rastignac
en interrompant Vautrin.

— Presque rien, répondit cet homme en laissant échapper un mouvement de joie semblable à la sourde expression d'un pêcheur qui sent un poisson au bout de sa
ligne. Écoutez-moi bien! Le cœur d'une pauvre fille
malheureuse et misérable est l'éponge la plus avide à se
remplir d'amour, une éponge sèche qui se dilate aussitôt
qu'il y tombe une goutte de sentiment. Faire la cour à
une jeune personne qui se rencontre dans des conditions
de solitude, de désespoir et de pauvreté sans qu'elle se
doute de sa fortune à venir! dame! c'est quinte et
quatorze[1] en main, c'est connaître les numéros à la
loterie, c'est jouer sur les rentes en sachant les nouvelles.
Vous construisez sur pilotis un mariage indestructible.
Viennent des millions à cette jeune fille, elle vous les

jettera aux pieds, comme si c'était des cailloux. « Prends,
mon bien-aimé! Prends, Adolphe! Prends, Alfred! Prends,
Eugène!» dira-t-elle si Adolphe, Alfred ou Eugène a eu le
bon esprit de se sacrifier pour elle. Ce que j'entends
par des sacrifices, c'est vendre un vieil habit afin d'aller   5
au *Cadran bleu*[1] manger ensemble des croûtes[2] aux cham-
pignons; de là, le soir, à l'Ambigu-Comique;[3] c'est
mettre sa montre au mont-de-piété pour lui donner un
châle. Je ne vous parle pas du gribouillage[4] de l'amour
ni des fariboles auxquelles tiennent tant les femmes,   10
comme, par exemple, de répandre des gouttes d'eau sur
le papier à lettre en manière de larmes quand on est loin
d'elles: vous m'avez l'air de connaître parfaitement
l'argot du cœur. Paris, voyez-vous, est comme une forêt
du nouveau monde, où s'agitent vingt espèces de peu-   15
plades sauvages, les Illinois, les Hurons, qui vivent du
produit que donnent les différentes classes sociales;
vous êtes un chasseur de millions. Pour les prendre,
vous usez de pièges, de pipeaux, d'appeaux. Il y a
plusieurs manières de chasser. Les uns chassent à la   20
dot; les autres chassent à la liquidation; ceux-ci pêchent
des consciences, ceux-là vendent leurs abonnés pieds et
poings liés. Celui qui revient avec sa gibecière bien
garnie est salué, fêté, reçu dans la bonne société. Rendons
justice à ce sol hospitalier, vous avez affaire à la ville   25
la plus complaisante qui soit dans le monde. Si les
fières aristocraties de toutes les capitales de l'Europe refusent d'admettre dans leurs rangs un millionnaire infâme, Paris lui tend les bras, court à ses fêtes, mange
ses dîners et trinque avec son infamie.   30

— Mais où trouver une fille? dit Eugène.

— Elle est à vous, devant vous!

— Mademoiselle Victorine?

— Juste!

— Et comment?

— Elle vous aime déjà, votre petite baronne de Rastignac!

— Elle n'a pas un sou, reprit Eugène étonné.

— Ah! nous y voilà! Encore deux mots, dit Vautrin,
et tout s'éclaircira.   Le père Taillefer est un vieux coquin
qui passe pour avoir assassiné l'un de ses amis pendant
la Révolution.   C'est un de mes gaillards qui ont de
l'indépendance dans les opinions.   Il est banquier, principal associé de la maison Frédéric Taillefer et Compagnie.   Il a un fils unique, auquel il veut laisser son
bien, au détriment de Victorine.   Moi, je n'aime pas ces
injustices-là.   Je suis comme don Quichotte, j'aime à
prendre la défense du faible contre le fort.   Si la volonté
de Dieu était de lui retirer son fils, Taillefer reprendrait
sa fille; il voudrait un héritier quelconque, une bêtise
qui est dans la nature, et il ne peut plus avoir d'enfants,
je le sais.   Victorine est douce et gentille, elle aura
bientôt entortillé son père, et le fera tourner comme une
toupie d'Allemagne avec le fouet du sentiment! Elle sera
trop sensible à votre amour pour vous oublier, vous
l'épouserez.   Moi, je me charge du rôle de la Providence,
je ferai vouloir le bon Dieu.   J'ai un ami pour qui je me
suis dévoué, un colonel de l'armée de la Loire[1] qui vient
d'être employé dans la garde royale.   Il écoute mes avis,
et s'est fait ultra-royaliste: ce n'est pas un de ces imbéciles qui tiennent à leurs opinions.   Si j'ai encore un
conseil à vous donner, mon ange, c'est de ne pas plus
tenir à vos opinions qu'à vos paroles.   Quand on vous
les demandera, vendez-les.   Un homme qui se vante de

ne jamais changer d'opinion est un homme qui se charge
d'aller toujours en ligne droite, un niais qui croit à l'in-
faillibilité.   Il n'y a pas de principes, il n'y a que des
événements; il n'y a pas de lois, il n'y a que des circonstances: l'homme supérieur épouse les événements et les   5
circonstances pour les conduire.   S'il y avait des principes et des lois fixes, les peuples n'en changeraient pas
comme nous changeons de chemise.   L'homme n'est pas
tenu d'être plus sage que toute une nation.   L'homme
qui a rendu le moins de services à la France est un   10
fétiche vénéré pour avoir toujours vu en rouge,[1] il est
tout au plus bon à mettre au Conservatoire,[2] parmi les
machines, en l'étiquetant la Fayette; tandis que le prince
auquel chacun lance sa pierre, et qui méprise assez l'humanité pour lui cracher au visage autant de serments   15
qu'elle en demande, a empêché le partage de la France
au congrès de Vienne:[3] on lui doit des couronnes, on
lui jette de la boue.   Oh! je connais les affaires, moi!
j'ai les secrets de bien des hommes! Suffit.   J'aurai une
opinion inébranlable le jour où j'aurai rencontré trois   20
têtes d'accord sur l'emploi d'un principe, et j'attendrai
longtemps! L'on ne trouve pas dans les tribunaux trois
juges qui aient le même avis sur un article de loi.   Je
reviens à mon homme.   Il remettrait Jésus-Christ en
croix si je le lui disais.   Sur un seul mot de son papa   25
Vautrin, il cherchera querelle à ce drôle qui n'envoie pas
seulement cent sous à sa pauvre sœur, et . . .

Ici, Vautrin se leva, se mit en garde et fit le mouvement d'un maître d'armes qui se fend.

— Et à l'ombre![4] ajouta-t-il.   30

— Quelle horreur! dit Eugène.   Vous voulez plaisanter, monsieur Vautrin?

— Là là là, du calme, reprit cet homme. Ne faites
pas l'enfant; cependant, si cela peut vous amuser, cour-
roucez-vous, emportez-vous! Dites que je suis un infâme,
un scélérat, un coquin, un bandit, mais ne m'appelez ni
escroc ni espion! Allez, dites, lâchez votre bordée! Je
vous pardonne, c'est si naturel à votre âge! J'ai été
comme ça, moi! Seulement, réfléchissez. Vous ferez pis
quelque jour. Vous irez coqueter chez quelque jolie
femme et vous recevrez de l'argent. Vous y avez pensé!
dit Vautrin; car comment réussirez-vous, si vous n'es-
comptez pas votre amour? La vertu, mon cher étudiant,
ne se scinde pas: elle est ou n'est pas. On nous parle
de faire pénitence de nos fautes. Encore un joli système
que celui en vertu duquel on est quitte d'un crime avec
un acte de contrition! Séduire une femme pour arriver à
vous poser sur tel bâton de l'échelle sociale, jeter la
zizanie entre les enfants d'une famille, enfin toutes les
infamies qui se pratiquent sous le manteau d'une cheminée
ou autrement dans un but de plaisir ou d'intérêt personnel,
croyez-vous que ce soient des actes de foi, d'espérance
et de charité? Pourquoi deux mois de prison au dandy
qui, dans une nuit, ôte à un enfant la moitié de sa fortune, et pourquoi le bagne au pauvre diable qui vole un
billet de mille francs avec les circonstances aggravantes?
Voilà vos lois. Il n'y a pas un article qui n'arrive à
l'absurde. L'homme en gants et à paroles jaunes[1] a
commis des assassinats où l'on ne verse pas de sang,
mais où l'on en donne; l'assassin a ouvert une porte
avec un monseigneur; deux choses nocturnes! Entre ce
que je vous propose et ce que vous ferez un jour, il n'y
a que le sang de moins. Vous croyez à quelque chose
de fixe dans ce monde-là! Méprisez donc les hommes et

voyez les mailles par où l'on peut passer à travers le réseau du Code.   Le secret des grandes fortunes sans cause apparente est un crime oublié, parce qu'il a été proprement fait.

— Silence, monsieur! je ne veux pas en entendre 5 davantage, vous me feriez douter de moi-même.   En ce moment, le sentiment est toute ma science.

— A votre aise, bel enfant.   Je vous croyais plus fort, dit Vautrin, je ne vous dirai plus rien.   Un dernier mot, cependant.   10

Il regarda fixement l'étudiant:

— Vous avez mon secret, lui dit-il.

— Un jeune homme qui vous refuse saura bien l'oublier.

— Vous avez bien dit cela, ça me fait plaisir.   Un 15 autre, voyez-vous, sera moins scrupuleux.   Souvenez-vous de ce que je veux faire pour vous.   Je vous donne quinze jours.   C'est à prendre ou à laisser.

— Quelle tête de fer a donc cet homme! se dit Rastignac en voyant Vautrin s'en aller tranquillement, sa 20 canne sous le bras.   Il m'a dit crûment ce que madame de Beauséant me disait en y mettant des formes.   Il me déchirait le cœur avec des griffes d'acier.   Pourquoi veux-je aller chez madame de Nucingen?   Il a deviné mes motifs aussitôt que je les ai conçus.   En deux mots, 25 ce brigand m'a dit plus de choses sur la vertu que ne m'en ont dit les hommes et les livres.   Si la vertu ne souffre pas de capitulation, j'ai donc volé mes sœurs? dit-il en jetant les sacs sur la table.

Il s'assit, et resta là plongé dans une étourdissante 30 méditation.

— Être fidèle à la vertu, martyre sublime!   Bah! tout

le monde croit à la vertu; mais qui est vertueux? Les
peuples ont la liberté pour idole; mais où est sur la terre
un peuple libre? Ma jeunesse est encore bleue comme
un 'ciel sans nuages: vouloir être grand ou riche, n'est-ce
5 pas se résoudre à mentir, ployer, ramper, se redresser,
flatter, dissimuler? n'est-ce pas consentir à se faire le
valet de ceux qui ont menti, ployé, rampé? Avant
d'être leur complice, il faut les servir. Eh bien, non. Je
veux travailler noblement, saintement; je veux travailler
10 jour et nuit, ne devoir ma fortune qu'à mon labeur. Ce
sera la plus lente des fortunes, mais chaque jour ma tête
reposera sur mon oreiller sans une pensée mauvaise.
Qu'y a-t-il de plus beau que de contempler sa vie et de
la trouver pure comme un lis? Moi et la vie, nous
15 sommes comme un jeune homme et sa fiancée. Vautrin
m'a fait voir ce qui arrive après dix ans de mariage.
Diable! ma tête se perd. Je ne veux penser à rien, le
cœur est un bon guide.

Eugène fut tiré de sa rêverie par la voix de la grosse
20 Sylvie, qui lui annonça son tailleur, devant lequel il se
présenta tenant à la main ses deux sacs d'argent, et il ne
fut pas fâché de cette circonstance. Quand il eut essayé
ses habits du soir, il remit sa nouvelle toilette du matin,
qui le métamorphosait complètement.

25 — Je vaux bien M. de Trailles, se dit-il. Enfin j'ai
l'air d'un gentilhomme!

— Monsieur, dit le père Goriot en entrant chez Eugène, vous m'avez demandé si je connaissais les maisons
où va madame de Nucingen?

30 — Oui.

— Eh bien, elle va lundi prochain au bal du maréchal
Carigliano. Si vous pouvez y être, vous me direz si mes

deux filles se sont bien amusées, comment elles seront mises, enfin tout.

— Comment avez-vous su cela, mon bon père Goriot? dit Eugène en le faisant asseoir à son feu.

— Sa femme de chambre me l'a dit. Je sais tout ce qu'elles font par Thérèse et par Constance, reprit-il d'un air joyeux.

Le vieillard ressemblait à un amant encore assez jeune pour être heureux d'un stratagème qui le met en communication avec sa maîtresse sans qu'elle puisse s'en douter.

— Vous les verrez, vous! dit-il en exprimant avec naïveté une douloureuse envie.

— Je ne sais pas, répondit Eugène. Je vais aller chez madame de Beauséant lui demander si elle peut me présenter à la maréchale.

Eugène pensait avec une sorte de joie intérieure à se montrer chez la vicomtesse mis comme il le serait désormais. Ce que les moralistes nomment les abîmes du cœur humain, c'est uniquement les décevantes pensées, les involontaires mouvements de l'intérêt personnel. Ces péripéties, le sujet de tant de déclamations, ces retours soudains sont des calculs faits au profit de nos jouissances. En se voyant bien mis, bien ganté, bien botté, Rastignac oublia sa vertueuse résolution. La jeunesse n'ose pas se regarder au miroir de la conscience quand elle verse du côté de l'injustice, tandis que l'âge mûr s'y est vu: là gît toute la différence entre ces deux phases de la vie. Depuis quelques jours, les deux voisins, Eugène et le père Goriot, étaient devenus bons amis. Leur secrète amitié tenait aux raisons psychologiques qui avaient engendré des sentiments contraires

entre Vautrin et l'étudiant. Le hardi philosophe qui
voudra constater les effets de nos sentiments dans le
monde physique trouvera sans doute plus d'une preuve
de leur effective matérialité dans les rapports qu'ils créent
5 entre nous et les animaux. Quel physiognomoniste est
plus prompt à deviner un caractère qu'un chien l'est à
savoir si un inconnu l'aime ou ne l'aime pas? Les *atomes
crochus*,[1] expression proverbiale dont chacun se sert, sont
un de ces faits qui restent dans les langages pour démen-
10 tir les niaiseries philosophiques dont s'occupent ceux qui
aiment à vanner les épluchures des mots primitifs. On
se sent aimé. Le sentiment s'empreint en toutes choses
et traverse les espaces. Une lettre est une âme, elle est
un si fidèle écho de la voix qui parle, que les esprits
15 délicats la comptent parmi les plus riches trésors de
l'amour. Le père Goriot, que son sentiment irréfléchi
élevait jusqu'au sublime de la nature canine, avait flairé
la compassion, l'admirative bonté, les sympathies juvé-
niles qui s'étaient émues pour lui dans le cœur de
20 l'étudiant. Cependant, cette union naissante n'avait
encore amené aucune confidence. Si Eugène avait
manifesté le désir de voir madame de Nucingen, ce
n'était pas qu'il comptât sur le vieillard pour être introduit par lui chez elle; mais il espérait qu'une indis-
25 crétion pourrait le bien servir. Le père Goriot ne lui
avait parlé de ses filles qu'à propos de ce qu'il s'était
permis d'en dire publiquement le jour de ses deux
visites.

— Mon cher monsieur, lui avait-il dit le lendemain,
30 comment avez-vous pu croire que madame de Restaud
vous en ait voulu d'avoir prononcé mon nom? Mes deux
filles m'aiment bien. Je suis un heureux père. Seule-

ment, mes deux gendres se sont mal conduits envers
moi. Je n'ai pas voulu faire souffrir ces chères créatures
de mes dissensions avec leurs maris, et j'ai préféré les
voir en secret. Ce mystère me donne mille jouissances
que ne comprennent pas les autres pères qui peuvent 5
voir leurs filles quand ils veulent. Moi, je ne le peux
pas, comprenez-vous? Alors, je vais, quand il fait beau,
dans les Champs-Élysées, après avoir demandé aux
femmes de chambre si mes filles sortent. Je les attends
au passage, le cœur me bat quand les voitures arrivent, 10
je les admire dans leur toilette, elles me jettent en
passant un petit rire qui me dore la nature comme s'il y
tombait un rayon de quelque beau soleil. Et je reste,
elles doivent revenir. Je les vois encore! l'air leur a fait du
bien, elles sont roses. J'entends dire autour de moi: 15
«Voilà une belle femme!» Ça me réjouit le cœur.
N'est-ce pas mon sang! J'aime les chevaux qui les
traînent, et je voudrais être le petit chien qu'elles ont
sur leurs genoux. Je vis de leurs plaisirs. Chacun a sa
façon d'aimer, la mienne ne fait pourtant de mal à 20
personne, pourquoi le monde s'occupe-t-il de moi? Je
suis heureux à ma manière. Est-ce contre les lois que
j'aille voir mes filles, le soir, au moment où elles sortent
de leurs maisons pour se rendre au bal? Quel chagrin
pour moi si j'arrive trop tard, et qu'on me dise: «Ma- 25
dame est sortie!» Une fois, j'ai attendu jusqu'à trois
heures du matin pour voir Nasie, que je n'avais pas vue
depuis deux jours. J'ai manqué crever d'aise! Je vous
en prie, ne parlez de moi que pour dire combien mes filles
sont bonnes. Elles veulent me combler de toute sorte de 30
cadeaux; je les en empêche, je leur dis: «Gardez donc
votre argent! Que voulez-vous que j'en fasse? Il ne me

faut rien.» En effet, mon cher monsieur, que suis-je?
Un méchant cadavre dont l'âme est partout où sont mes
filles. Quand vous aurez vu madame de Nucingen, vous
me direz celle des deux que vous préférez, dit le bon-
5 homme après un moment de silence en voyant Eugène
qui se disposait à partir pour aller se promener aux
Tuileries en attendant l'heure de se présenter chez
madame de Beauséant.

Cette promenade fut fatale à l'étudiant. Quelques
10 femmes le remarquèrent. Il était si beau, si jeune, et
d'une élégance de si bon goût! En se voyant l'objet
d'une attention presque admirative, il ne pensa plus à
ses sœurs ni à sa tante dépouillées, ni à ses vertueuses
répugnances. Il avait vu passer au-dessus de sa tête ce
15 démon qu'il est si facile de prendre pour un ange, ce
Satan aux ailes diaprées, qui sème des rubis, qui jette
ses flèches d'or au front des palais, empourpre les
femmes, revêt d'un sot éclat les trônes, si simples dans
leur origine; il avait écouté le dieu de cette vanité
20 crépitante dont le clinquant nous semble être un symbole
de puissance. La parole de Vautrin, quelque cynique
qu'elle fût, s'était logée dans son cœur comme dans le
souvenir d'une vierge se grave le profil ignoble d'une
vieille marchande à la toilette, qui lui a dit: «Or et
25 amour à flots!» Après avoir indolemment flâné, vers
cinq heures Eugène se présenta chez madame de Beauséant, et il y reçut un de ces coups terribles contre
lesquels les cœurs jeunes sont sans armes. Il avait
jusqu'alors trouvé la vicomtesse pleine de cette aménité
30 polie, de cette grâce melliflue donnée par l'éducation
aristocratique, et qui n'est complète que si elle vient du
cœur.

Quand il entra, madame de Beauséant fit un geste sec et lui dit d'une voix brève:

— Monsieur de Rastignac, il m'est impossible de vous voir, en ce moment du moins! je suis en affaire...

Pour un observateur, et Rastignac l'était devenu promptement, cette phrase, le geste, le regard, l'inflexion de voix, étaient l'histoire du caractère et des habitudes de la caste. Il aperçut la main de fer sous le gant de velours; la personnalité, l'égoïsme, sous les manières; le bois, sous le vernis. Il entendit enfin le MOI LE ROI qui commence sous les panaches du trône et finit sous le cimier du dernier gentilhomme. Eugène s'était trop facilement abandonné sur la parole à croire aux noblesses de la femme. Comme tous les malheureux, il avait signé de bonne foi le pacte délicieux qui doit lier le bienfaiteur à l'obligé, et dont le premier article consacre entre les grands cœurs une complète égalité. La bienfaisance qui réunit deux êtres en un seul est une passion céleste aussi incomprise, aussi rare que l'est le véritable amour. L'un et l'autre est[1] la prodigalité des belles âmes. Rastignac voulait arriver au bal de la duchesse de Carigliano, il dévora cette bourrasque.

— Madame, dit-il d'une voix émue, s'il ne s'agissait pas d'une chose importante, je ne serais pas venu vous importuner; soyez assez gracieuse pour me permettre de vous voir plus tard, j'attendrai.

— Eh bien, venez dîner avec moi, dit-elle un peu confuse de la dureté qu'elle avait mise dans ses paroles; car cette femme était vraiment aussi bonne que grande.

Quoique touché de ce retour soudain, Eugène se dit en s'en allant:

— Rampe, supporte tout. Que doivent être les autres,

si, dans un moment, la meilleure des femmes efface les
promesses de son amitié, te laisse là comme un vieux
soulier? Chacun pour soi, donc? Il est vrai que sa
maison n'est pas une boutique, et que j'ai tort d'avoir
5 besoin d'elle.   Il faut, comme dit Vautrin, se faire
boulet de canon.

Les amères réflexions de l'étudiant furent bientôt dis-
sipées par le plaisir qu'il se promettait en dînant chez la
vicomtesse. Ainsi, par une sorte de fatalité, les moindres
10 événements de sa vie conspiraient à le pousser dans la
carrière où, suivant les observations du terrible sphinx
de la maison Vauquer, il devait, comme sur un champ
de bataille, tuer pour ne pas être tué, tromper pour ne
pas être trompé; où il devait déposer à la barrière sa
15 conscience, son cœur, mettre un masque, se jouer sans
pitié des hommes, et, comme à Lacédémone, saisir la
fortune sans être vu, pour mériter la couronne. Quand
il revint chez la vicomtesse, il la trouva pleine de cette
bonté gracieuse qu'elle lui avait toujours témoignée.
20 Tous deux allèrent dans une salle à manger où le vicomte
attendait sa femme, et où resplendissait ce luxe de table
qui sous la Restauration fut poussé, comme chacun le
sait, au plus haut degré. M. de Beauséant, semblable à
beaucoup de gens blasés, n'avait plus guère d'autres
25 plaisirs que ceux de la bonne chère; il était, en fait de
gourmandise, de l'école de Louis XVIII et du duc
d'Escars.[1] Sa table offrait donc un double luxe, celui
du contenant et celui du contenu. Jamais semblable
spectacle n'avait frappé les yeux d'Eugène, qui dînait
30 pour la première fois dans une de ces maisons où les
grandeurs sociales sont héréditaires. La mode venait
de supprimer les soupers qui terminaient autrefois les

bals de l'Empire, où les militaires avaient besoin de
prendre des forces pour se préparer à tous les combats
qui les attendaient au dedans comme au dehors. Eugène
n'avait encore assisté qu'à des bals. L'aplomb qui le
distingua plus tard si éminemment, et qu'il commençait 5
à prendre, l'empêcha de s'ébahir niaisement. Mais, en
voyant cette argenterie sculptée, et les mille recherches
d'une table somptueuse, en admirant pour la première
fois un service fait sans bruit, il était difficile à un
homme d'ardente imagination de ne pas préférer cette 10
vie constamment élégante à la vie de privations qu'il
voulait embrasser le matin. Sa pensée le rejeta pendant
un moment dans sa pension bourgeoise; il en eut une si
profonde horreur, qu'il se jura de la quitter au mois de
janvier, autant pour se mettre dans une maison propre 15
que pour fuir Vautrin, dont il sentait la large main sur
son épaule. Si l'on vient à songer aux mille formes que
prend à Paris la corruption, parlante ou muette, un
homme de bon sens se demande par quelle aberration
l'État y met des écoles, y assemble des jeunes gens, 20
comment les jolies femmes y sont respectées, comment
l'or étalé par les changeurs ne s'envole pas magiquement
de leurs sébiles. Mais, si l'on vient à songer qu'il est
peu d'exemples de crimes, voire[1] de délits commis par
les jeunes gens, de quel respect ne doit-on pas être pris 25
pour ces patients Tantales[2] qui se combattent eux-
mêmes, et sont presque toujours victorieux! S'il était
bien peint dans sa lutte avec Paris, le pauvre étudiant
fournirait un des sujets les plus dramatiques de notre
civilisation moderne. Madame de Beauséant regardait 30
vainement Eugène pour le convier à parler, il ne voulut
rien dire en présence du vicomte.

— Me menez-vous ce soir aux Italiens? demanda la vicomtesse à son mari.

— Vous ne pouvez douter du plaisir que j'aurais à vous obéir, répondit-il avec une galanterie moqueuse dont 5 l'étudiant fut la dupe; mais je dois aller rejoindre quel-qu'un aux Variétés.[1]

— Sa maîtresse, se dit-elle.

— Vous n'avez donc pas d'Ajuda ce soir? demanda le vicomte.

10 — Non, répondit-elle avec humeur.

— Eh bien, s'il vous faut absolument un bras, prenez celui de M. de Rastignac.

La vicomtesse regarda Eugène en souriant.

— Ce sera bien compromettant pour vous, dit-elle.

15 — *Le Français aime le péril, parce qu'il y trouve la gloire*, a dit M. de Chateaubriand, répondit Rastignac en s'inclinant.

Quelques moments après, il fut emporté près de ma-dame de Beauséant, dans un coupé rapide, au théâtre à 20 la mode, et crut à quelque féerie lorsqu'il entra dans une loge de face, et qu'il se vit le but de toutes les lorgnettes concurremment avec la vicomtesse, dont la toilette était délicieuse. Il marchait d'enchantements en enchante-ments.

25 — Vous avez à me parler, lui dit madame de Beau-séant. Ah! tenez, voici madame de Nucingen à trois loges de la nôtre. Sa sœur et M. de Trailles sont de l'autre côté.

En disant ces mots, la vicomtesse regardait la loge 30 où devait être mademoiselle de Rochefide, et, n'y voyant pas M. d'Ajuda, sa figure prit un éclat extraordinaire.

— Elle est charmante, dit Eugène après avoir regardé madame de Nucingen.

— Elle a les cils blancs.

— Oui, mais quelle jolie taille mince!

— Elle a de grosses mains.

— Les beaux yeux!

— Elle a le visage en long.   5

— Mais la forme longue a de la distinction.

— Cela est heureux pour elle qu'il y en ait là. Voyez comment elle prend et quitte son lorgnon! Le Goriot perce dans tous ses mouvements, dit la vicomtesse au grand étonnement d'Eugène.   10

En effet, madame de Beauséant lorgnait la salle et semblait ne pas faire attention à madame de Nucingen, dont elle ne perdait cependant pas un geste. L'assemblée était exquisement belle. Delphine de Nucingen n'était pas peu flattée d'occuper exclusivement le jeune, 15 le beau, l'élégant cousin de madame de Beauséant, il ne regardait qu'elle.

— Si vous continuez à la couvrir de vos regards, vous allez faire scandale, monsieur de Rastignac. Vous ne réussirez à rien, si vous vous jetez ainsi à la tête des 20 gens.

— Ma chère cousine, dit Eugène, vous m'avez déjà bien protégé; si vous voulez achever votre ouvrage, je ne vous demande plus que de me rendre un service qui vous donnera peu de peine et me fera grand bien. Me 25 voilà épris.

— Déjà?

— Oui.

— Et de cette femme?

— Mes prétentions seraient-elles donc écoutées ail- 30 leurs? dit-il en lançant un regard pénétrant à sa cousine. Madame la duchesse de Carigliano est attachée à ma-

dame la duchesse de Berri, reprit-il après une pause;
vous devez la voir, ayez la bonté de me présenter chez
elle et de m'amener au bal qu'elle donne lundi. J'y
rencontrerai madame de Nucingen, et je livrerai ma
5 première escarmouche.

— Volontiers, dit-elle. Si vous vous sentez déjà du
goût pour elle, vos affaires de cœur vont très bien.
Voici de Marsay dans la loge de la princesse Galathionne. Madame de Nucingen est au supplice, elle se
10 dépite. Il n'y a pas de meilleur moment pour aborder
une femme, surtout une femme de banquier. Ces
dames de la Chaussée-d'Antin[1] aiment toutes la vengeance.

— Que feriez-vous donc, vous, en pareil cas?

15 — Moi, je souffrirais en silence.

En ce moment, le marquis d'Ajuda se présenta dans
la loge de madame de Beauséant.

— J'ai mal fait mes affaires afin de venir vous retrouver, dit-il, et je vous en instruis pour que ce ne soit pas
20 un sacrifice.

Les rayonnements du visage de la vicomtesse apprirent à Eugène à reconnaître les expressions d'un
véritable amour, et à ne pas les confondre avec les
simagrées de la coquetterie parisienne. Il admira sa
25 cousine, devint muet et céda sa place à M. d'Ajuda en
soupirant.

— Quelle noble, quelle sublime créature est une femme
qui aime ainsi! se dit-il. Et cet homme la trahirait pour
une poupée! comment peut-on la trahir?

30 Il se sentit au cœur une rage d'enfant. Il aurait
voulu se rouler aux pieds de madame de Beauséant, il
souhaitait le pouvoir des démons afin de l'emporter dans

son cœur, comme un aigle enlève de la plaine dans son aire une jeune chèvre blanche qui tette encore. Il était humilié d'être dans ce grand Musée de la beauté sans son tableau, sans une maîtresse à lui.

— Avoir une maîtresse et une position quasi royale, se 5 disait-il, c'est le signe de la puissance!

Et il regarda madame de Nucingen comme un homme insulté regarde son adversaire. La vicomtesse se retourna vers lui pour lui adresser sur sa discrétion mille remercîments dans un clignement d'yeux. Le premier 10 acte était fini.

— Vous connaissez assez madame de Nucingen pour lui présenter M. de Rastignac? dit-elle au marquis d'Ajuda.

— Mais elle sera charmée de voir monsieur, dit le 15 marquis.

Le beau Portugais se leva, prit le bras de l'étudiant, qui en un clin d'œil se trouva auprès de madame de Nucingen.

— Madame la baronne, dit le marquis, j'ai l'honneur 20 de vous présenter le chevalier Eugène de Rastignac, un cousin de la vicomtesse de Beauséant. Vous faites une si vive impression sur lui, que j'ai voulu compléter son bonheur en le rapprochant de son idole.

Ces mots furent dits avec un certain accent de rail- 25 lerie qui en faisait passer la pensée un peu brutale, mais qui, bien sauvée, ne déplaît jamais à une femme. Madame de Nucingen sourit, et offrit à Eugène la place de son mari, qui venait de sortir.

— Je n'ose pas vous proposer de rester auprès de moi, 30 monsieur, lui dit-elle. Quand on a le bonheur d'être auprès de madame de Beauséant, on y reste.

— Mais, lui dit à voix basse Eugène, il me semble, madame, que, si je veux plaire à ma cousine, je demeurerai
près de vous. — Avant l'arrivée de M. le marquis, nous
parlions de vous et de la distinction de toute votre per-
5 sonne, dit-il à haute voix.

M. d'Ajuda se retira.

— Vraiment, monsieur, dit la baronne, vous allez me
rester? Nous ferons donc connaissance; madame de
Restaud m'avait déjà donné le plus vif désir de vous
10 voir.

— Elle est donc bien fausse, elle m'a fait consigner
à sa porte.

— Comment?

— Madame, j'aurai la conscience de vous en dire la
15 raison; mais je réclame toute votre indulgence en vous
confiant un pareil secret. Je suis le voisin de monsieur
votre père. J'ignorais que madame de Restaud fût sa
fille. J'ai eu l'imprudence d'en parler fort innocemment,
et j'ai fâché madame votre sœur et son mari. Vous ne
20 sauriez croire combien madame la duchesse de Langeais
et ma cousine ont trouvé cette apostasie filiale de mauvais goût. Je leur ai raconté la scène, elles en ont ri
comme des folles. Ce fut alors qu'en faisant un parallèle
entre vous et votre sœur, madame de Beauséant me parla
25 de vous en fort bons termes, et me dit combien vous
étiez excellente pour mon voisin, M. Goriot. Comment,
en effet, ne l'aimeriez-vous pas? Il vous adore si passion-
nément, que j'en suis déjà jaloux. Nous avons parlé de
vous ce matin pendant deux heures. Puis, tout plein de
30 ce que votre père m'a raconté, ce soir, en dînant avec
ma cousine, je lui disais que vous ne pouviez pas être
aussi belle que vous étiez aimante. Voulant sans doute

favoriser une si chaude admiration, madame de Beauséant m'a amené ici, en me disant avec sa grâce habituelle que je vous y verrais.

— Comment, monsieur, dit la femme du banquier, je
vous dois déjà de la reconnaissance? Encore un peu, 5
nous allons être de vieux amis.

— Quoique l'amitié doive être près de vous un sentiment peu vulgaire, dit Rastignac, je ne veux jamais être
votre ami.

Ces sottises stéréotypées à l'usage des débutants pa- 10
raissent toujours charmantes aux femmes, et ne sont
pauvres que lues à froid. Le geste, l'accent, le regard
d'un jeune homme, leur donnent d'incalculables valeurs.
Madame de Nucingen trouva Rastignac adorable. Puis,
comme toutes les femmes, ne pouvant rien dire à des 15
questions aussi drument[1] posées que l'étaient celles de
l'étudiant, elle répondit à autre chose.

— Oui, ma sœur se fait tort par la manière dont elle
se conduit avec ce pauvre père, qui vraiment a été pour
nous un dieu. Il a fallu que M. de Nucingen m'ordonnât 20
positivement de ne voir mon père que le matin, pour que
je cédasse sur ce point. Mais j'en ai longtemps été bien
malheureuse. Je pleurais. Ces violences, venues après
les brutalités du mariage, ont été l'une des raisons qui
troublèrent le plus mon ménage. Je suis certes la femme 25
de Paris la plus heureuse aux yeux du monde, la plus
malheureuse en réalité. Vous allez me trouver folle de
vous parler ainsi. Mais vous connaissez mon père, et,
à ce titre, vous ne pouvez pas m'être étranger.

— Vous n'aurez jamais rencontré personne, lui dit Eu- 30
gène, qui soit animé d'un plus vif désir de vous appartenir. Que cherchez-vous toutes? Le bonheur, reprit-il

d'une voix qui allait à l'âme. Eh bien, si, pour une
femme, le bonheur est d'être aimée, adorée, d'avoir un
ami à qui elle puisse confier ses désirs, ses fantaisies, ses
chagrins, ses joies; se montrer dans la nudité de son
5 âme, avec ses jolis défauts et ses belles qualités, sans
craindre d'être trahie; croyez-moi, ce cœur dévoué, toujours ardent, ne peut se rencontrer que chez un homme
jeune, plein d'illusions, qui peut mourir sur un seul de
vos signes, qui ne sait rien encore du monde et n'en veut
10 rien savoir parce que vous devenez le monde pour lui.
Moi, voyez-vous, vous allez rire de ma naïveté, j'arrive
du fond d'une province, entièrement neuf, n'ayant connu
que de belles âmes; et je comptais rester sans amour.
Il m'est arrivé de voir ma cousine, qui m'a mis trop près
15 de son cœur; elle m'a fait deviner les mille trésors de
la passion; je suis, comme Chérubin,[1] l'amant de toutes
les femmes, en attendant que je puisse me dévouer à
quelqu'une d'entre elles. En vous voyant, quand je suis
entré, je me suis senti porté vers vous comme par un
20 courant. J'avais déjà tant pensé à vous! Mais je ne
vous avais pas rêvée aussi belle que vous l'êtes en réalité.
Madame de Beauséant m'a ordonné de ne pas vous tant
regarder. Elle ne sait pas ce qu'il y a d'attrayant à
voir vos jolies lèvres rouges, votre teint blanc, vos yeux
25 si doux. . . Moi aussi, je vous dis des folies, mais laissez-
les-moi dire.

Rien ne plaît plus aux femmes que de s'entendre débi-
ter ces douces paroles. La plus sévère dévote les écoute,
même quand elle ne doit pas y répondre. Après avoir
30 ainsi commencé, Rastignac défila son chapelet d'une voix
coquettement sourde; et madame de Nucingen encoura-
geait Eugène par des sourires en regardant de temps en

temps de Marsay, qui ne quittait pas la loge de la princesse Galathionne. Rastignac resta près de madame de
Nucingen jusqu'au moment où son mari vint la chercher
pour l'emmener.

— Madame, lui dit Eugène, j'aurai le plaisir de vous 5
aller voir avant le bal de la duchesse de Carigliano.

— *Puisqui matame fous encache*,[1] dit le baron, épais
Alsacien dont la figure ronde annonçait une dangereuse
finesse, *fous êtes sir d'êdre pien ressi*.

— Mes affaires sont en bon train, car elle ne s'est pas 10
bien effarouchée en m'entendant lui dire : « M'aimerez-
vous bien ? » Le mors est mis à ma bête, sautons dessus
et gouvernons-la, se dit Eugène en allant saluer madame
de Beauséant qui se levait et se retirait avec d'Ajuda.

Le pauvre étudiant ne savait pas que la baronne était 15
distraite, et attendait de de Marsay une de ces lettres
décisives qui déchirent l'âme. Tout heureux de son
faux succès, Eugène accompagna la vicomtesse jusqu'au
péristyle, où chacun attend sa voiture.

— Votre cousin ne se ressemble plus à lui-même, dit 20
le Portugais en riant à la vicomtesse quand Eugène les
eut quittés. Il va faire sauter la banque.[2] Il est souple
comme une anguille, et je crois qu'il ira loin. Vous
seule avez pu lui trier sur le volet[3] une femme au moment
où il faut la consoler.
                                                              25
— Mais, dit madame de Beauséant, il faut savoir si
elle aime encore celui qui l'abandonne.

L'étudiant revint à pied du Théâtre-Italien à la rue
Neuve-Sainte-Geneviève, en faisant les plus doux projets.
Il avait bien remarqué l'attention avec laquelle madame 30
de Restaud l'avait examiné, soit dans la loge de la vicomtesse, soit dans celle de madame de Nucingen, et il pré-

suma que la porte de la comtesse ne lui serait plus fermée. Ainsi déjà quatre relations majeures, car il comptait bien plaire à la maréchale, allaient lui être acquises au cœur de la haute société parisienne. Sans trop s'expliquer les moyens, il devinait par avance que, dans le jeu compliqué des intérêts de ce monde, il devait s'accrocher à un rouage pour se trouver en haut de la machine, et il se sentait la force d'en enrayer la roue.

— Si madame de Nucingen s'intéresse à moi, je lui apprendrai à gouverner son mari. Ce mari fait des affaires d'or, il pourra m'aider à ramasser tout d'un coup une fortune.

Il ne se disait pas cela crûment, il n'était pas encore assez politique pour chiffrer une situation, l'apprécier et la calculer; ces idées flottaient à l'horizon sous la forme de légers nuages, et, quoiqu'elles n'eussent pas l'âpreté de celles de Vautrin, si elles avaient été soumises au creuset de la conscience, elles n'auraient rien donné de bien pur. Les hommes arrivent, par une suite de transactions de ce genre, à cette morale relâchée que professe l'époque actuelle, où se rencontrent plus rarement que dans aucun temps ces hommes rectangulaires, ces belles volontés qui ne se plient jamais au mal, à qui la moindre déviation de la ligne droite semble être un crime: magnifiques images de la probité qui nous ont valu deux chefs-d'œuvre: Alceste[1] de Molière, puis récemment Jenny Deans[2] et son père, dans l'œuvre de Walter Scott. Peut-être l'œuvre opposée, la peinture des sinuosités dans lesquelles un homme du monde, un ambitieux fait rouler sa conscience, en essayant de côtoyer le mal, afin d'arriver à son but en gardant les apparences, ne serait-elle ni moins belle, ni moins dramatique. En atteignant

au seuil de sa pension, Rastignac s'était épris de madame
de Nucingen, elle lui avait paru svelte, fine comme une
hirondelle.   L'enivrante douceur de ses yeux, le tissu
délicat et soyeux de sa peau sous laquelle il avait cru voir
couler le sang, le son enchanteur de sa voix, ses blonds   5
cheveux, il se rappelait tout; et peut-être la marche, en
mettant son sang en mouvement, aidait-elle à cette fasci-
nation.   L'étudiant frappa rudement à la porte du père
Goriot.

— Mon voisin, dit-il, j'ai vu madame Delphine.   10

— Où ?

— Aux Italiens.·

— S'amusait-elle bien? . . . Entrez donc.

Et le bonhomme, qui s'était levé en chemise, ouvrit sa
porte et se recoucha promptement.   15

— Parlez-moi donc d'elle, demanda-t-il.

Eugène, qui se trouvait pour la première fois chez le
père Goriot, ne fut pas maître d'un mouvement de stupé-
faction en voyant le bouge où vivait le père, après avoir
admiré la toilette de la fille.   La fenêtre était sans   20
rideaux; le papier de tenture collé sur les murailles s'en
détachait en plusieurs endroits par l'effet de l'humidité,
et se recroquevillait en laissant apercevoir le plâtre jauni
par la fumée.   Le bonhomme gisait sur un mauvais lit,
n'avait qu'une maigre couverture et un couvre-pied   25
ouaté fait avec les bons morceaux des vieilles robes de
madame Vauquer.   Le carreau était humide et plein de
poussière.   En face de la croisée se voyait une de ces
vieilles commodes en bois de rose à ventre renflé, qui
ont des mains en cuivre tordu en façon de sarments dé-   30
corés de feuilles ou de fleurs; un vieux meuble à tablette
de bois sur lequel étaient un pot à eau dans sa cuvette et

tous les ustensiles nécessaires pour se faire la barbe.
Dans un coin, les souliers; à la tête du lit, une table de
nuit sans porte ni marbre; au coin de la cheminée, où il
n'y avait pas trace de feu, se trouvait la table carrée, en
5 bois de noyer, dont la barre avait servi au père Goriot à
dénaturer sa soupière en vermeil.   Un méchant secrétaire sur lequel était le chapeau du bonhomme, un
fauteuil foncé de paille et deux chaises complétaient ce
mobilier misérable.   La flèche[1] du lit, attachée au
10 plancher[2] par une loque, soutenait une mauvaise bande
d'étoffe à carreaux rouges et blancs.   Le plus pauvre
commissionnaire était certes moins mal meublé dans son
grenier que ne l'était le père Goriot chez madame
Vauquer.   L'aspect de cette chambre donnait froid et
15 serrait le cœur, elle ressemblait au plus triste logement
d'une prison.   Heureusement, Goriot ne vit pas l'expression qui se peignit sur la physionomie d'Eugène quand
celui-ci posa sa chandelle sur la table de nuit.   Le bonhomme se tourna de son côté en restant couvert jusqu'au
20 menton.

    — Eh bien, qui aimez-vous mieux de madame de Res-
taud ou de madame de Nucingen?

    — Je préfère madame Delphine, répondit l'étudiant,
parce qu'elle vous aime mieux.

25   A cette parole chaudement dite, le bonhomme sortit
son bras du lit et serra la main d'Eugène.

    — Merci, merci, répondit le vieillard ému.   Que vous
a-t-elle donc dit de moi?

    L'étudiant répéta les paroles de la baronne en les em-
30 bellissant, et le vieillard l'écouta comme s'il eût entendu
la parole de Dieu.

    — Chère enfant! oui, oui, elle m'aime bien.   Mais ne la

croyez pas dans ce qu'elle vous a dit d'Anastasie. Les deux sœurs se jalousent, voyez-vous! c'est encore une preuve de leur tendresse. Madame de Restaud m'aime bien aussi. Je le sais. Un père est avec ses enfants comme Dieu est avec nous, il va jusqu'au fond des cœurs, et juge les intentions. Elles sont toutes deux aussi aimantes. Oh! si j'avais eu de bons gendres, j'aurais été trop heureux. Il n'est sans doute pas de bonheur complet ici-bas. Si j'avais vécu chez elles, mais rien que d'entendre leurs voix, de les savoir là, de les voir aller, sortir, comme quand je les avais chez moi, ça m'eût fait cabrioler le cœur. . . Étaient-elles bien mises?

— Oui, dit Eugène. Mais, monsieur Goriot, comment, en ayant des filles aussi richement établies que sont les vôtres, pouvez-vous demeurer dans un taudis pareil?

— Ma foi, dit-il d'un air en apparence insouciant, à quoi cela me servirait-il d'être mieux? Je ne puis guère vous expliquer ces choses-là; je ne sais pas dire deux pa-roles de suite comme il faut. Tout est là, ajouta-t-il en se frappant le cœur. Ma vie, à moi, est dans mes deux filles. Si elles s'amusent, si elles sont heureuses, brave-ment[1] mises, si elles marchent sur des tapis, qu'importe de quel drap je sois vêtu, et comment est l'endroit où je me couche? Je n'ai point froid si elles ont chaud, je ne m'ennuie jamais si elles rient. Je n'ai de chagrins que les leurs. Quand vous serez père, quand vous vous direz en oyant[2] gazouiller vos enfants: «C'est sorti de moi!» que vous sentirez ces petites créatures tenir à chaque goutte de votre sang, dont elles ont été la fine fleur, car c'est ça! vous vous croirez attaché à leur peau, vous croirez être agité vous-même par leur marche. Leur

voix me répond partout.   Un regard d'elles, quand il
est triste, me fige le sang.   Un jour, vous saurez que
l'on est bien plus heureux de leur bonheur que du sien
propre.   Je ne peux pas vous expliquer ça: c'est des
5 mouvements[1] intérieurs qui répandent l'aise partout.
Enfin, je vis trois fois.   Voulez-vous que je vous dise
une drôle de chose?[2]   Eh bien, quand j'ai été père, j'ai
compris Dieu.   Il est tout entier partout, puisque la
création est sortie de lui.   Monsieur, je suis ainsi avec
10 mes filles.   Seulement, j'aime mieux mes filles que Dieu
n'aime le monde, parce que le monde n'est pas aussi
beau que Dieu, et que mes filles sont plus belles que
moi.   Elles me tiennent si bien à l'âme, que j'avais idée
que vous les verriez ce soir.   Mon Dieu! un homme qui
15 rendrait ma petite Delphine aussi heureuse qu'une
femme l'est quand elle est bien aimée, mais je lui cirerais
ses bottes, je lui ferais ses commissions.   J'ai su par sa
femme de chambre que ce petit M. de Marsay est un
mauvais chien.   Il m'a pris des envies de lui tordre le
20 cou.   Ne pas aimer un bijou de femme, une voix de
rossignol, et faite comme un modèle!   Où a-t-elle eu les
yeux d'épouser cette grosse souche d'Alsacien?   Il leur
fallait à toutes deux de jolis jeunes gens bien aimables.
Enfin, elles ont fait à leur fantaisie.

25   Le père Goriot était sublime.   Jamais Eugène ne
l'avait pu voir illuminé par les feux de sa passion
paternelle.   Une chose digne de remarque est la
puissance d'infusion que possèdent les sentiments.
Quelque grossière que soit une créature, dès qu'elle
30 exprime une affection forte et vraie, elle exhale un fluide
particulier qui modifie la physionomie, anime le geste,
colore la voix.   Souvent l'être le plus stupide arrive,

sous l'effort de la passion, à la plus haute éloquence
dans l'idée, si ce n'est dans le langage, et semble se
mouvoir dans une sphère lumineuse. Il y avait en ce
moment dans la voix, dans le geste de ce bonhomme la
puissance communicative qui signale le grand acteur. 5
Mais nos beaux sentiments ne sont-ils pas les poésies de
la volonté?

— Eh bien, vous ne serez peut-être pas fâché d'apprendre, lui dit Eugène, qu'elle va rompre sans doute
avec ce de Marsay. Ce beau fils[1] l'a quittée pour s'at- 10
tacher à la princesse Galathionne. Quant à moi, ce
soir, je suis tombé amoureux de madame Delphine.

— Bah! fit le père Goriot.

— Oui. Je ne lui ai pas déplu. Nous avons parlé
amour pendant une heure, et je dois aller la voir après- 15
demain samedi.

— Oh! que je vous aimerais, mon cher monsieur, si
vous lui plaisiez. Vous êtes bon, vous ne la tourmente-
riez point. Si vous la trahissiez, je vous couperais le
cou, d'abord. Une femme n'a pas deux amours, voyez- 20
vous! Mon Dieu! mais je dis des bêtises, monsieur
Eugène. Il fait froid ici pour vous. Mon Dieu! vous
l'avez donc entendue? que vous a-t-elle dit pour moi?

— Rien, se dit en lui-même Eugène. — Elle m'a dit,
répondit-il à haute voix, qu'elle vous envoyait un bon 25
baiser de fille.

— Adieu, mon voisin! dormez bien, faites de beaux
rêves; les miens sont tout faits avec ce mot-là. Que
Dieu vous protège dans tous vos désirs! Vous avez été
pour moi ce soir comme un bon ange, vous me rappor- 30
tez l'air de ma fille.

— Le pauvre homme! se dit Eugène en se couchant;

il y a de quoi toucher des cœurs de marbre.   Sa fille n'a
pas plus pensé à lui qu'au Grand Turc.

Depuis cette conversation, le père Goriot vit dans son
voisin un confident inespéré, un ami.   Il s'était établi
5 entre eux les seuls rapports par lesquels ce vieillard pou-
·rait s'attacher à un autre homme.   Les passions ne font
,amais de faux calculs.   Le père Goriot se voyait un peu
plus près de sa fille Delphine, il s'en voyait mieux reçu,
si Eugène devenait cher à la baronne.   D'ailleurs, il lui
10 avait confié l'une de ses douleurs.   Madame de Nucingen, à laquelle mille fois par jour il souhaitait le bonheur, n'avait pas connu les douceurs de l'amour.   Certes,
Eugène était, pour se servir de son expression, un des
jeunes gens les plus gentils qu'il eût jamais vus, et il
15 semblait pressentir qu'il lui donnerait tous les plaisirs
dont elle avait été privée.   Le bonhomme se prit donc
pour son voisin d'une amitié qui alla croissant, et sans
laquelle il eût été sans doute impossible de connaître le
dénoûment de cette histoire.

20 Le lendemain matin, au déjeuner, l'affectation avec
laquelle le père Goriot regardait Eugène, près duquel il
se plaça, les quelques paroles qu'il lui dit, et le changement de sa physionomie, ordinairement semblable à un
masque de plâtre, surprirent les pensionnaires.   Vautrin,
25 qui revoyait l'étudiant pour la première fois depuis leur
conférence, semblait vouloir lire dans son âme.   En se
souvenant du projet de cet homme, Eugène, qui, avant
de s'endormir, avait, pendant la nuit, mesuré le vaste
champ qui s'ouvrait à ses regards, pensa nécessairement
30 à la dot de mademoiselle Taillefer, et ne put s'empêcher
de regarder Victorine comme le plus vertueux jeune
homme regarde une riche héritière.   Par hasard, leurs

yeux se rencontrèrent. La pauvre fille ne manqua pas
de trouver Eugène charmant dans sa nouvelle tenue. Le
coup d'œil qu'ils échangèrent fut assez significatif pour
que Rastignac ne doutât pas d'être pour elle l'objet de
ces confus désirs qui atteignent toutes les jeunes filles et
qu'elles rattachent au premier être séduisant. Une voix
lui criait: «Huit cent mille francs!» Mais tout à coup
il se rejeta dans ses souvenirs de la veille, et pensa que
sa passion de commande pour madame de Nucingen
était l'antidote de ses mauvaises pensées involontaires.

— On donnait hier aux Italiens *le Barbier de Séville*,
de Rossini. Je n'avais jamais entendu de si délicieuse
musique, dit-il. Mon Dieu, est-on heureux d'avoir une
loge aux Italiens!

Le père Goriot saisit cette parole au vol comme un
chien saisit un mouvement de son maître.

— Vous êtes comme des coqs en pâte,[1] dit madame
Vauquer, vous autres hommes, vous faites tout ce qui
vous plaît.

— Comment êtes-vous revenu? demanda Vautrin.

— A pied, répondit Eugène.

— Moi, reprit le tentateur, je n'aimerais pas de demi-
plaisirs; je voudrais aller là dans ma voiture, dans ma
loge, et revenir bien commodément. Tout ou rien!
voilà ma devise.

— Et qui est bonne, reprit madame Vauquer.

— Vous irez peut-être voir madame de Nucingen, dit
Eugène à voix basse à Goriot. Elle vous recevra, certes,
à bras ouverts; elle voudra savoir de vous mille petits
détails sur moi. J'ai appris qu'elle ferait tout au monde
pour être reçue chez ma cousine, madame la vicomtesse
de Beauséant. N'oubliez pas de lui dire que je l'aime

trop pour ne pas penser à lui procurer cette satisfaction

Rastignac s'en alla promptement à l'École de droit, il voulait rester le moins de temps possible dans cette odieuse maison. Il flâna pendant presque toute la journée, en proie à cette fièvre de tête qu'ont connue les jeunes gens affectés de trop vives espérances. Les raisonnements de Vautrin le faisaient réfléchir à la vie sociale, au moment où il rencontra son ami Bianchon dans le jardin du Luxembourg.

— D'où te vient cet air grave? lui dit l'étudiant en médecine en lui prenant le bras pour se promener devant le palais.

— Je suis tourmenté par de mauvaises idées.

— En quel genre? Ça se guérit, les idées.

— Comment?

— En y succombant.

— Tu ris sans savoir ce dont il s'agit. As-tu lu Rousseau?[1]

— Oui.

— Te souviens-tu de ce passage où il demande à son lecteur ce qu'il ferait au cas où il pourrait s'enrichir en tuant à la Chine par sa seule volonté un vieux mandarin, sans bouger de Paris?

— Oui.

— Eh bien?

— Bah! j'en suis à mon trente-troisième mandarin.

— Ne plaisante pas. Allons, s'il t'était prouvé que la chose est possible et qu'il te suffît d'un signe de tête, le ferais-tu?

— Est-il bien vieux, le mandarin? Mais, bah! jeune ou vieux, paralytique ou bien portant, ma foi. . . Diantre! Eh bien, non.

— Tu es un brave garçon, Bianchon. Mais, si tu aimais une femme à te mettre pour elle l'âme à l'envers, et qu'il lui fallût de l'argent, beaucoup d'argent pour sa toilette, pour sa voiture, pour toutes ses fantaisies enfin ?

— Mais tu m'ôtes la raison et tu veux que je raisonne ! 5

— Eh bien, Bianchon, je suis fou, guéris-moi. J'ai deux sœurs qui sont des anges de beauté, de candeur, et je veux qu'elles soient heureuses. Où prendre deux cent mille francs pour leur dot, d'ici à cinq ans ? Il est, vois-tu, des circonstances dans la vie où il faut jouer 10 gros jeu et ne pas user son bonheur à gagner des sous.

— Mais tu poses la question qui se trouve à l'entrée de la vie pour tout le monde, et tu veux couper le nœud gordien avec l'épée. Pour agir ainsi, mon cher, il faut être Alexandre; sinon, l'on va au bagne. Moi, je suis 15 heureux de la petite existence que je me créerai en province, où je succéderai tout bêtement à mon père. Les affections de l'homme se satisfont dans le plus petit cercle aussi pleinement que dans une immense circonférence. Napoléon ne dînait pas deux fois, et ne pouvait 20 pas avoir plus de maîtresses qu'en prend un étudiant en médecine quand il est interne aux Capucins.[1] Notre bonheur, mon cher, tiendra toujours entre la plante de nos pieds et notre occiput; et qu'il coûte un million par an ou cent louis, la perception intrinsèque en est la 25 même au dedans de nous. Je conclus à la vie du Chinois.[2]

— Merci, tu m'as fait du bien, Bianchon ! Nous serons toujours amis.

— Dis donc, reprit l'étudiant en médecine, en sortant 30 du cours de Cuvier[3] au Jardin des plantes, je viens d'apercevoir la Michonneau et le Poiret causant sur un banc

avec un monsieur que j'ai vu dans les troubles[1] de l'année
dernière, aux environs de la Chambre des députés, et qui
m'a fait l'effet d'être un homme de la police déguisé en
honnête bourgeois vivant de ses rentes.   Étudions ce
couple-là: je te dirai pourquoi.   Adieu, je vais répondre
à mon appel de quatre heures.

Quand Eugène revint à la pension, il trouva le père
Goriot qui l'attendait.

— Tenez, dit le bonhomme, voilà une lettre d'elle.
Hein, la jolie écriture!

Eugène décacheta la lettre et lut:

«Monsieur, mon père m'a dit que vous aimiez la musique italienne.   Je serais heureuse si vous vouliez me
faire le plaisir d'accepter une place dans ma loge.   Nous
aurons samedi la Fodor[2] et Pellegrini; je suis sûre alors
que vous ne me refuserez pas.   M. de Nucingen se joint
à moi pour vous prier de venir dîner avec nous sans
cérémonie.   Si vous acceptez, vous le rendrez bien content de n'avoir pas à s'acquitter de sa corvée conjugale
en m'accompagnant.   Ne me répondez pas, venez, et
agréez mes compliments.

«D. DE N.»

— Montrez-la-moi, dit le bonhomme à Eugène, quand
il eut lu la lettre.   Vous irez, n'est-ce pas? ajouta-t-il
après avoir flairé le papier.   Cela sent-il bon! Ses doigts
ont touché ça, pourtant!

— Une femme ne se jette pas ainsi à la tête d'un
homme, se disait l'étudiant.   Elle veut se servir de moi
pour ramener de Marsay.   Il n'y a que le dépit qui fasse
faire de ces choses-là.

— Eh bien, dit le père Goriot, à quoi pensez-vous donc?
Eugène ne connaissait pas le délire de vanité dont cer-

taines femmes étaient saisies en ce moment, et ne savait
pas que, pour s'ouvrir une porte dans le faubourg Saint-
Germain, la femme d'un banquier était capable de tous
les sacrifices. A cette époque, la mode commençait à
mettre au-dessus de toutes les femmes celles qui étaient 5
admises dans la société du faubourg Saint-Germain, dites
les dames du Petit-Château, parmi lesquelles madame de
Beauséant, son amie la duchesse de Langeais et la duchesse de Maufrigneuse tenaient le premier rang. Rastignac seul ignorait la fureur dont étaient saisies les femmes 10
de la Chaussée-d'Antin pour entrer dans le cercle supérieur où brillaient les constellations de leur sexe. Mais
sa défiance le servit bien, elle lui donna de la froideur,
et le triste pouvoir de poser des conditions au lieu d'en
recevoir.
                 15
 — Oui, j'irai, répondit-il.
 Ainsi la curiosité le menait chez madame de Nucingen,
tandis que, si cette femme l'eût dédaigné, peut-être y
aurait-il été conduit par la passion. Néanmoins, il n'attendit pas le lendemain et l'heure de partir sans une 20
sorte d'impatience. Pour un jeune homme, il existe dans
sa première intrigue autant de charme peut-être qu'il s'en
rencontre dans un premier amour. La certitude de réussir
engendre mille félicités que les hommes n'avouent pas,
et qui font tout le charme de certaines femmes. Le désir 25
ne naît pas moins de la difficulté que de la facilité des
triomphes. Toutes les passions des hommes sont bien
certainement excitées ou entretenues par l'une ou l'autre
de ces deux causes, qui divisent l'empire amoureux.
Peut-être cette division est-elle une conséquence de la 30
grande question des tempéraments, qui domine, quoi
qu'on en dise, la société. Si les mélancoliques ont besoin

du tonique des coquetteries, peut-être les gens nerveux
ou sanguins décampent-ils si la résistance dure trop. En
d'autres termes, l'élégie est aussi essentiellement lympha-
tique que le dithyrambe est bilieux. En faisant sa toilette,
5 Eugène savoura tous ces petits bonheurs dont n'osent
parler les jeunes gens, de peur de se faire moquer d'eux,
mais qui chatouillent l'amour-propre. Il arrangeait ses
cheveux en pensant que le regard d'une jolie femme se
coulerait sous leurs boucles noires. Il se permit des
10 singeries enfantines autant qu'en aurait fait une jeune
fille en s'habillant pour le bal. Il regarda complaisamment sa taille mince, en déplissant son habit.

— Il est certain, se dit-il, qu'on en peut trouver de
plus mal tournés!

15 Puis il descendit au moment où tous les habitués de la
pension étaient à table, et reçut gaiement le hourra de
sottises que sa tenue élégante excita. Un trait des mœurs
particulières aux pensions bourgeoises est l'ébahissement
qu'y cause une toilette soignée. Personne n'y met un
20 habit neuf sans que chacun dise son mot.

— Kt kt kt kt! fit Bianchon en faisant claquer sa langue
contre son palais, comme pour exciter un cheval.

— Tournure de duc et pair! dit madame Vauquer.

— Monsieur va en conquête? fit observer mademoiselle
25 Michonneau.

— Coquerico! cria le peintre.

— Mes compliments à madame votre épouse, dit l'employé au Muséum.

— Monsieur a une épouse? demanda Poiret.

30 — Une épouse à compartiments, qui va sur l'eau, ga-
rantie bon teint, dans les prix de vingt-cinq à quarante,
dessins à carreaux du dernier goût, susceptible de se

laver, d'un joli porter,[1] moitié fil, moitié coton, moitié
laine, guérissant le mal de dents, et autres maladies ap-
prouvées par l'Académie royale de médecine! excellente
d'ailleurs pour les enfants! meilleure encore contre les
maux de tête, les plénitudes et autres maladies de l'œso- 5
phage, des yeux et des oreilles! cria Vautrin avec la volu-
bilité comique et l'accentuation d'un opérateur.[2] «Mais
combien cette merveille? me direz-vous, messieurs; deux
sous?» Non. Rien du tout. C'est un reste des fournitures
faites au Grand Mogol, et que tous les souverains de 10
l'Europe, y compris le grrrrrrand-duc de Bade, ont voulu
voir! Entrez droit devant vous! et passez au petit
bureau. Allez, la musique! Brooum, la la, trinn! la la,
boum, boum! — Monsieur de la clarinette, tu joues faux,
reprit-il d'une voix enrouée, je te donnerai sur les doigts. 15

— Mon Dieu! que cet homme-là est agréable! dit madame Vauquer à madame Couture; je ne m'ennuierais
jamais avec lui.

Au milieu des rires et des plaisanteries dont ce discours
comiquement débité fut le signal, Eugène put saisir le re- 20
gard furtif de mademoiselle Taillefer, qui se pencha sur
madame Couture, à l'oreille de laquelle elle dit quelques
mots.

— Voilà le cabriolet, dit Sylvie.

— Où dîne-t-il donc? demanda Bianchon.   25

— Chez madame la baronne de Nucingen.

— La fille de M. Goriot, répondit l'étudiant.

A ce nom, les regards se portèrent sur l'ancien vermicellier, qui contemplait Eugène avec une sorte d'envie.

Rastignac arriva rue Saint-Lazare, dans une de ces 30
maisons légères, à colonnes minces, à portiques mesquins, qui constituent le *joli* à Paris, une véritable maison

de banquier, pleine de recherches coûteuses, des stucs, des paliers d'escalier en mosaïque de marbre.   Il trouva madame de Nucingen dans un petit salon à peintures italiennes, dont le décor ressemblait à celui des cafés.

5 La baronne était triste.   Les efforts qu'elle fit pour cacher son chagrin intéressèrent d'autant plus vivement Eugène qu'il n'y avait rien de joué.   Il croyait rendre une femme joyeuse par sa présence, et la trouvait au désespoir.   Ce désappointement piqua son amour-propre.

10   — J'ai bien peu de droits à votre confiance, madame, dit-il après l'avoir lutinée sur sa préoccupation; mais, si je vous gênais, je compte sur votre bonne foi, vous me le diriez franchement.

    — Restez, dit-elle, je serais seule si vous vous en 15 alliez.   Nucingen dîne en ville, et je ne voudrais pas être seule, j'ai besoin de distraction.

    — Mais qu'avez-vous?

    — Vous seriez la dernière personne à qui je le dirais, s'écria-t-elle.

20   — Je veux le savoir.   Je dois alors être pour quelque chose dans ce secret.

    — Peut-être! Mais non, reprit-elle, c'est des querelles de ménage qui doivent être ensevelies au fond du cœur. Ne vous le disais-je pas avant-hier? je ne suis point heu-25 reuse.   Les chaînes d'or sont les plus pesantes.

Quand une femme dit à un jeune homme qu'elle est malheureuse, si ce jeune homme est spirituel, bien mis, s'il a quinze cents francs d'oisiveté dans sa poche, il doit penser ce que se disait Eugène, et devient fat.

30   — Que pouvez-vous désirer? répondit-il.   Vous êtes belle, jeune, aimée, riche.

    — Ne parlons pas de moi, dit-elle en faisant un sinistre

mouvement de tête. Nous dînerons ensemble, tête à
tête, nous irons entendre la plus délicieuse musique.
Suis-je à votre goût ? reprit-elle en se levant et montrant
sa robe en cachemire blanc à dessins perses de la plus
riche élégance.

— Je voudrais que vous fussiez tout à moi, dit Eugène.
Vous êtes charmante.

— Vous auriez une triste propriété, dit-elle en souriant
avec amertume. Rien ici ne vous annonce le malheur,
et cependant, malgré ces apparences, je suis au désespoir.
Mes chagrins m'ôtent le sommeil, je deviendrai laide.

— Oh ! cela est impossible, dit l'étudiant. Mais je
suis curieux de connaître ces peines qu'un amour dévoué
n'effacerait pas.

— Ah ! si je vous les confiais, vous me fuiriez, dit-elle.
Vous ne m'aimez encore que par une galanterie qui est
de coutume chez les hommes ; mais, si vous m'aimiez
bien, vous tomberiez dans un désespoir affreux. Vous
voyez que je dois me taire. De grâce, reprit-elle, parlons
d'autre chose. Venez voir mes appartements.

— Non, restons ici, répondit Eugène en s'asseyant sur
une causeuse devant le feu près de madame de Nucingen,
dont il prit la main avec assurance.

Elle la laissa prendre et l'appuya même sur celle du
jeune homme par un de ces mouvements de force concentrée qui trahissent de fortes émotions.

— Écoutez, lui dit Rastignac, si vous avez des chagrins, vous devez me les confier. Je veux vous prouver
que je vous aime pour vous. Ou vous me parlerez et me
direz vos peines afin que je puisse les dissiper, fallût-il
tuer six hommes, ou je sortirai pour ne plus revenir.

— Eh bien, s'écria-t-elle saisie par une pensée de dé-

sespoir qui la fit se frapper le front, je vais vous mettre à
l'instant même à l'épreuve.   Oui, se dit-elle, il n'est plus
que ce moyen.

Elle sonna.

5   — La voiture de monsieur est-elle attelée? dit-elle à
son valet de chambre.

— Oui, madame.

— Je la prends.   Vous lui donnerez la mienne et mes
chevaux.   Vous ne servirez le dîner qu'à sept heures.

10   — Allons, venez, dit-elle à Eugène, qui crut rêver en
se trouvant dans le coupé de M. de Nucingen, à côté de
cette femme.

— Au Palais-Royal, dit-elle au cocher, près du Théâtre-
Français.

15   En route, elle parut agitée, et refusa de répondre aux
mille interrogations d'Eugène, qui ne savait que penser
de cette résistance muette, compacte, obtuse.

— En un moment elle m'échappe, se disait-il.

Quand la voiture s'arrêta, la baronne regarda l'étudiant
20 d'un air qui imposa silence à ses folles paroles; car il
s'était emporté.

— Vous m'aimez bien? dit-elle.

— Oui, répondit-il en cachant l'inquiétude qui le sai-
sissait.

25   — Vous ne penserez rien de mal sur moi, quoi que je
puisse vous demander?

— Non.

— Êtes-vous disposé à m'obéir?

— Aveuglément.

30   — Êtes-vous allé quelquefois au jeu? dit-elle d'une
voix tremblante.

— Jamais.

—Ah! je respire. Vous aurez du bonheur. Voici
ma bourse, dit-elle. Prenez donc! il y a cent francs,
c'est tout ce que possède cette femme si heureuse. Montez dans une maison de jeu, je ne sais où elles sont, mais
je sais qu'il y en a au Palais-Royal. Risquez les cent 5
francs à un jeu qu'on nomme la roulette, et perdez tout,
ou rapportez-moi six mille francs. Je vous dirai mes
chagrins à votre retour.

—Je veux bien que le diable m'emporte si je com-
prends quelque chose à ce que je vais faire, mais je vais 10
vous obéir, dit-il avec une joie causée par cette pensée:
«Elle se compromet avec moi, elle n'aura rien à me refuser.»

Eugène prend la jolie bourse, court au numéro 9, après
s'être fait indiquer par un marchand d'habits[1] la plus pro- 15
chaine maison de jeu. Il y monte, se laisse prendre son
chapeau; puis il entre et demande où est la roulette. A
l'étonnement des habitués, le garçon de salle le mène devant une longue table. Eugène, suivi de tous les specta-
teurs, demande sans vergogne où il faut mettre l'enjeu. 20

—Si vous placez un louis sur un seul de ces trente-six
numéros, et qu'il sorte, vous aurez trente-six louis, lui
dit un vieillard respectable à cheveux blancs.

Eugène jette les cent francs sur le chiffre de son âge,
vingt et un. Un cri d'étonnement part sans qu'il ait eu 25
le temps de se reconnaître. Il avait gagné sans le savoir.

—Retirez donc votre argent, lui dit le vieux monsieur,
l'on ne gagne pas deux fois dans ce système-là.

Eugène prend un râteau que lui tend le vieux monsieur,
il tire à lui les trois mille six cents francs, et, toujours 30
sans rien savoir du jeu, les place sur la rouge. La galerie
le regarde avec envie, en voyant qu'il continue à jouer.

La roue tourne, il gagne encore, et le banquier lui jette encore trois mille six cents francs.

— Vous avez sept mille deux cents francs à vous, lui dit à l'oreille le vieux monsieur. Si vous m'en croyez, vous vous en irez, la rouge a passé huit fois. Si vous êtes charitable, vous reconnaîtrez ce bon avis en soulageant la misère d'un ancien préfet de Napoléon qui se trouve dans le dernier besoin.

Rastignac, étourdi, se laisse prendre dix louis par l'homme à cheveux blancs, et descend avec les sept mille francs, ne comprenant encore rien au jeu, mais stupéfié de son bonheur.

—Ah çà! où me mènerez-vous maintenant? dit-il en montrant les sept mille francs à madame de Nucingen, quand la portière fut refermée.

Delphine le serra par une étreinte folle et l'embrassa vivement, mais sans passion.

— Vous m'avez sauvée!

Des larmes de joie coulèrent en abondance sur ses joues.

— Je vais tout vous dire, mon ami. Vous serez mon ami, n'est-ce pas? Vous me voyez riche, opulente, rien ne me manque ou je parais ne manquer de rien! Eh bien, sachez que M. de Nucingen ne me laisse pas disposer d'un sou: il paye toute la maison, mes voitures, mes loges; il m'alloue pour ma toilette une somme insuffisante, il me réduit à une misère secrète par calcul. Je suis trop fière pour l'implorer. Ne serais-je pas la dernière des créatures si j'achetais son argent au prix où il veut me le vendre! Comment, moi riche de sept cent mille francs, me suis-je laissé dépouiller? Par fierté, par indignation. Nous sommes si jeunes, si naïves,

quand nous commençons la vie conjugale! La parole
par laquelle il fallait demander de l'argent à mon mari
me déchirait la bouche; je n'osais jamais, je mangeais
l'argent de mes économies et celui que me donnait mon
pauvre père; puis je me suis endettée. Le mariage pour 5
moi est la plus horrible des déceptions, je ne puis vous
en parler: qu'il vous suffise de savoir que je me jetterais
par la fenêtre s'il fallait vivre avec Nucingen autrement
qu'en ayant chacun notre appartement séparé. Quand
il a fallu lui déclarer mes dettes de jeune femme, des 10
bijoux, des fantaisies (mon pauvre père nous avait
accoutumées à ne nous rien refuser), j'ai souffert le
martyre; mais enfin j'ai trouvé le courage de les dire.
N'avais-je pas une fortune à moi? Nucingen s'est emporté, il m'a dit que je le ruinerais, des horreurs! J'au- 15
rais voulu être à cent pieds sous terre. Comme il avait
pris ma dot, il a payé, mais en stipulant désormais pour
mes dépenses personnelles une pension à laquelle je me
suis résignée, afin d'avoir la paix. Depuis, j'ai voulu
répondre à l'amour-propre de quelqu'un que vous con- 20
naissez, dit-elle. Si j'ai été trompée par lui, je serais
mal venue à ne pas rendre justice à la noblesse de son
caractère. Mais enfin il m'a quittée indignement! *On*
ne devrait jamais abandonner une femme à laquelle *on*
a jeté, dans un jour de détresse, un tas d'or! *On* doit 25
l'aimer toujours! Vous, belle âme de vingt et un ans,
vous, jeune et pur, vous me demanderez comment une
femme peut accepter de l'or d'un homme? Mon Dieu!
n'est-il pas naturel de tout partager avec l'être auquel
nous devons notre bonheur? Quand on s'est tout donné, 30
qui pourrait s'inquiéter d'une parcelle de ce tout? L'argent ne devient quelque chose qu'au moment où le senti-

ment n'est plus. N'est-on pas lié pour la vie? Qui de
nous prévoit une séparation en se croyant bien aimée?
Vous nous jurez un amour éternel, comment avoir alors
des intérêts distincts? Vous ne savez pas ce que j'ai
souffert aujourd'hui, lorsque Nucingen m'a positivement
refusé de me donner six mille francs, lui qui les donne
tous les mois à sa maîtresse, une fille de l'Opéra! Je
voulais me tuer. Les idées les plus folles me passaient
par la tête. Il y a eu des moments où j'enviais le sort
d'une servante, de ma femme de chambre. Aller trouver
mon père, folie! Anastasie et moi, nous l'avons égorgé:
mon pauvre père se serait vendu s'il pouvait valoir six
mille francs. J'aurais été le désespérer en vain. Vous
m'avez sauvée de la honte et de la mort, j'étais ivre de
douleur. Ah! monsieur, je vous devais cette explication: j'ai été bien déraisonnablement folle avec vous.
Quand vous m'avez quittée, et que je vous ai eu perdu
de vue, je voulais m'enfuir à pied . . . où? je ne sais.
Voilà la vie de la moitié des femmes de Paris: un luxe
extérieur, des soucis cruels dans l'âme. Je connais de
pauvres créatures encore plus malheureuses que je ne le
suis. Il y a pourtant des femmes obligées de faire faire
de faux mémoires par leurs fournisseurs. D'autres sont
forcées de voler leur mari: les uns croient que des
cachemires de cent louis se donnent pour cinq cents
francs, les autres qu'un cachemire de cinq cents francs
vaut cent louis. Il se rencontre de pauvres femmes qui
font jeûner leurs enfants, et grappillent pour avoir une
robe. Moi, je suis pure de ces odieuses tromperies.
Voici ma dernière angoisse. Si quelques femmes se
vendent à leur mari pour les gouverner, moi, au moins
je suis libre! Je pourrais me faire couvrir d'or par Nucin-

gen, et je préfère pleurer la tête appuyée sur le cœur
d'un homme que je puisse estimer. Ah! ce soir, M. de
Marsay n'aura pas le droit de me regarder comme une
femme qu'il a payée.

Elle se mit le visage dans ses mains, pour ne pas mon- 5
trer ses pleurs à Eugène, qui lui dégagea la figure pour
la contempler: elle était sublime ainsi.

— Mêler l'argent aux sentiments, n'est-ce pas horrible? Vous ne pourrez pas m'aimer, dit-elle.

Ce mélange de bons sentiments, qui rendent les 10
femmes si grandes, et des fautes que la constitution actuelle de la société les force à commettre, bouleversait
Eugène, qui disait des paroles douces et consolantes en
admirant cette belle femme, si naïvement imprudente
dans son cri de douleur. 15

— Vous ne vous armerez pas de ceci contre moi, dit-
elle, promettez-le-moi.

— Ah! madame, j'en suis incapable, dit-il.

Elle lui prit la main et la mit sur son cœur par un
mouvement plein de reconnaissance et de gentillesse. 20

— Grâce à vous, me voilà redevenue libre et joyeuse.
Je vivais pressée par une main de fer. Je veux maintenant vivre simplement, ne rien dépenser. Vous me
trouverez bien comme je serai, mon ami, n'est-ce pas?
Gardez ceci, dit-elle en ne prenant que six billets de 25
banque. En conscience, je vous dois mille écus, car je
me suis considérée comme étant de moitié avec vous.

Eugène se défendit comme une vierge. Mais, la
baronne lui ayant dit: «Je vous regarde comme mon
ennemi si vous n'êtes pas mon complice,» il prit l'argent. 30

— Ce sera une mise de fonds en cas de malheur, dit-il.

— Voilà le mot que je redoutais, s'écria-t-elle en pâlis·

sant. Si vous voulez que je sois quelque chose pour vous,
jurez-moi, dit-elle, de ne jamais retourner au jeu. Mon
Dieu! moi, vous corrompre! j'en mourrais de douleur.

Ils étaient arrivés. Le contraste de cette misère et
5 de cette opulence étourdissait l'étudiant, dans les oreilles
duquel les sinistres paroles de Vautrin vinrent retentir.

— Mettez-vous là, dit la baronne en entrant dans sa
chambre et montrant une causeuse auprès du feu, je vais
écrire une lettre bien difficile! Conseillez-moi.

10 — N'écrivez pas, lui dit Eugène, enveloppez les billets,
mettez l'adresse, et envoyez-les par votre femme de
chambre.

— Mais vous êtes un amour d'homme, dit-elle. Ah!
voilà, monsieur, ce que c'est que d'avoir été bien élevé!
15 Ceci est du Beauséant tout pur, dit-elle en souriant.

— Elle est charmante, se dit Eugène, qui s'éprenait
de plus en plus.

Il regarda cette chambre, où respirait la voluptueuse
élégance d'une riche courtisane.

20 — Cela vous plaît-il? dit-elle en sonnant sa femme de
chambre.

— Thérèse, portez cela vous-même à M. de Marsay,
et remettez-le à lui-même. Si vous ne le trouvez pas,
vous me rapporterez la lettre.

25 Thérèse ne sortit pas sans avoir jeté un malicieux
coup d'œil sur Eugène. Le dîner était servi. Rastignac
donna le bras à madame de Nucingen, qui le mena dans
une salle à manger délicieuse, où il retrouva le luxe de
table qu'il avait admiré chez sa cousine.

30 — Les jours d'Italiens,[1] dit-elle, vous viendrez dîner
avec moi, et vous m'accompagnerez.

— Je m'accoutumerais à cette douce vie, si elle devait

durer; mais je suis un pauvre étudiant qui a sa fortune à faire.

— Elle se fera, dit-elle en riant. Vous voyez, tout s'arrange: je ne m'attendais pas à être si heureuse.

Il est dans la nature des femmes de prouver l'impos- 5
sible par le possible et de détruire les faits par des pressentiments. Quand madame de Nucingen et Rastignac
entrèrent dans leur loge aux Bouffons, elle eut un air
de contentement qui la rendait si belle, que chacun se
permit de ces petites calomnies contre lesquelles les 10
femmes sont sans défense, et qui font souvent croire à
des désordres inventés à plaisir. Quand on connaît Paris,
on ne croit à rien de ce qui s'y dit, et l'on ne dit rien de
ce qui s'y fait. Eugène prit la main de la baronne, et tous
deux se parlèrent par des pressions plus ou moins vives, 15
en se communiquant les sensations que leur donnait la
musique. Pour eux, cette soirée fut enivrante. Ils sortirent ensemble, et madame de Nucingen voulut reconduire
Eugène jusqu'au pont Neuf, en lui disputant, pendant
toute la route, un des baisers qu'elle lui avait si chaleu- 20
reusement prodigués au Palais-Royal. Eugène lui re-
procha cette inconséquence.

— Tantôt, répondit-elle, c'était de la reconnaissance
pour un dévouement inespéré; maintenant, ce serait une
promesse. 25

— Et vous ne voulez m'en faire aucune, ingrate.

Il se fâcha. En faisant un de ces gestes d'impatience qui ravissent un amant, elle lui donna sa main
à baiser qu'il prit avec une mauvaise grâce dont elle fut
enchantée. 30

— A lundi, au bal, dit-elle.

En s'en allant à pied, par un beau clair de lune, Eu-

gène tomba dans de sérieuses réflexions. Il était à la fois
heureux et mécontent: heureux d'une aventure dont le
dénoûment probable lui donnait une des plus jolies et
des plus élégantes femmes de Paris, objet de ses désirs;
5 mécontent de voir ses projets de fortune renversés, et ce
fut alors qu'il éprouva la réalité des pensées indécises
auxquelles il s'était livré l'avant-veille. L'insuccès nous
accuse toujours la puissance de nos prétentions. Plus Eugène jouissait de la vie parisienne, moins il voulait de-
10 meurer obscur et pauvre. Il chiffonnait son billet de
mille francs dans sa poche, en se faisant mille raisonnements captieux pour se l'approprier. Enfin il arriva rue
Neuve-Sainte-Geneviève, et, quand il fut en haut de
l'escalier, il y vit de la lumière. Le père Goriot avait
15 laissé sa porte ouverte et sa chandelle allumée, afin que
l'étudiant n'oubliât pas de *lui raconter sa fille*, suivant
son expression. Eugène ne lui cacha rien.

— Mais, s'écria le père Goriot dans un violent désespoir de jalousie, elles me croient ruiné: j'ai encore treize
20 cents livres de rente! Mon Dieu! la pauvre petite, que
ne venait-elle ici? j'aurais vendu mes rentes, nous aurions pris sur le capital, et avec le reste je me serais fait
du viager. Pourquoi n'êtes-vous pas venu me confier son
embarras, mon pauvre voisin? Comment avez-vous eu le
25 cœur d'aller risquer au jeu ses pauvres petits cent francs?
c'est à fendre l'âme. Voilà ce que c'est que des gendres!
Oh! si je les tenais, je leur serrerais le cou. Mon Dieu!
pleurer, elle a pleuré?

— La tête sur mon gilet, dit Eugène.

30 — Oh! donnez-le-moi, dit le père Goriot. Comment!
il y a eu là des larmes de ma fille, de ma chère Delphine, qui ne pleurait jamais étant petite! Oh! je vous

en achèterai un autre, ne le portez plus, laissez-le-moi.
Elle doit, d'après son contrat, jouir de ses biens. Ah!
je vais aller trouver Derville, un avoué, dès demain.
Je vais faire exiger le placement de sa fortune. Je
connais les lois, je suis un vieux loup, je vais retrouver 5
mes dents.

— Tenez, père, voici mille francs qu'elle a voulu me
donner sur notre gain. Gardez-les-lui, dans le gilet.

Goriot regarda Eugène, lui tendit la main pour prendre
la sienne, sur laquelle il laissa tomber une larme.   10

— Vous réussirez dans la vie, lui dit le vieillard. Dieu
est juste, voyez-vous. Je me connais en probité, moi, et
je puis vous assurer qu'il y a bien peu d'hommes qui vous
ressemblent. Vous voulez donc être aussi mon cher enfant? Allez, dormez. Vous pouvez dormir, vous n'êtes 15
pas encore père. Elle a pleuré, j'apprends ça, moi qui
étais là tranquillement à manger comme un imbécile
pendant qu'elle souffrait; moi, moi qui vendrais le Père,
le Fils et le Saint-Esprit pour leur épargner une larme à
toutes deux!   20

— Par ma foi, se dit Eugène en se couchant, je crois
que je serai honnête homme toute ma vie. Il y a du
plaisir à suivre les inspirations de sa conscience.

Il n'y a peut-être que ceux qui croient en Dieu qui font
le bien en secret, et Eugène croyait en Dieu. Le lende- 25
main, à l'heure du bal, Rastignac alla chez madame de
Beauséant, qui l'emmena pour le présenter à la duchesse
de Carigliano. Il reçut le plus gracieux accueil de la maréchale, chez laquelle il retrouva madame de Nucingen.
Delphine s'était parée avec l'intention de plaire à tous 30
pour mieux plaire à Eugène, de qui elle attendait impatiemment un coup d'œil, en croyant cacher son impa-

tience. Pour qui sait deviner les émotions d'une femme,
ce moment est plein de délices. Qui ne s'est souvent
plu à faire attendre son opinion, à déguiser coquettement son plaisir, à chercher des aveux dans l'inquiétude
5 que l'on cause, à jouir des craintes qu'on dissipera par
un sourire? Pendant cette fête, l'étudiant mesura tout
à coup la portée de sa position, et comprit qu'il avait un
état dans le monde en étant cousin avoué de madame de
Beauséant. La conquête de madame la baronne de
10 Nucingen, qu'on lui donnait déjà, le mettait si bien en
relief, que tous les jeunes gens lui jetaient des regards
d'envie; en en surprenant quelques-uns, il goûta les
premiers plaisirs de la fatuité. En passant d'un salon
dans un autre, en traversant les groupes, il entendit
15 vanter son bonheur. Les femmes lui prédisaient toutes
des succès. Delphine, craignant de le perdre, lui promit
de ne pas lui refuser le soir le baiser qu'elle s'était tant
défendue d'accorder l'avant-veille. A ce bal, Rastignac
reçut plusieurs engagements. Il fut présenté par sa
20 cousine à quelques femmes qui toutes avaient des prétentions à l'élégance, et dont les maisons passaient pour
être agréables; il se vit lancé dans le plus grand et le
plus beau monde de Paris. Cette soirée eut donc pour
lui les charmes d'un brillant début, et il devait s'en
25 souvenir jusque dans ses vieux jours, comme une jeune
fille se souvient du bal où elle a eu des triomphes. Le
lendemain, quand, en déjeunant, il raconta ses succès au
père Goriot devant les pensionnaires, Vautrin se prit à
sourire d'une façon diabolique.

30   — Et vous croyez, s'écria ce féroce logicien, qu'un
jeune homme à la mode peut demeurer rue Neuve-Sainte-
Geneviève, dans la maison Vauquer, pension infiniment

respectable sous tous les rapports certainement, mais
qui n'est rien moins que fashionable? Elle est cossue,
elle est belle de son abondance, elle est fière d'être le
manoir momentané d'un Rastignac; mais, enfin, elle
est rue Neuve-Sainte-Geneviève, et ignore le luxe, parce 5
qu'elle est purement *patriarcalorama*.[1] Mon jeune ami,
reprit Vautrin d'un air paternellement railleur, si vous
voulez faire figure à Paris, il vous faut trois chevaux et
un tilbury pour le matin, un coupé pour le soir, en tout
neuf mille francs pour le véhicule. Vous seriez indigne 10
de votre destinée si vous ne dépensiez que trois mille
francs chez votre tailleur, six cents francs chez le par-
fumeur, cent écus chez le bottier, cent écus chez le
chapelier. Quant à votre blanchisseuse, elle vous coûtera mille francs. Les jeunes gens à la mode ne peuvent 15
se dispenser d'être très forts sur l'article du linge: n'est-
ce pas ce qu'on examine le plus souvent en eux? L'amour
et l'église veulent de belles nappes sur leurs autels.
Nous sommes à quatorze mille. Je ne vous parle pas de
ce que vous perdrez au jeu, en paris, en présents; il est 20
impossible de ne pas compter pour deux mille francs
l'argent de poche. J'ai mené cette vie-là, j'en connais
les débours. . . Ajoutez à ces nécessités premières, trois
cents louis pour la pâtée, mille francs pour la niche.[2]
Allez, mon enfant, nous en avons pour nos petits vingt- 25
cinq mille par an dans les flancs,[3] ou nous tombons dans
la crotte,[4] nous nous faisons moquer de nous, et nous
sommes destitué de notre avenir, de nos succès, de nos
maîtresses! J'oublie le valet de chambre et le groom!
Est-ce Christophe qui portera vos billets doux? Les 30
écrirez-vous sur le papier dont vous vous servez? Ce
serait vous suicider. Croyez-en un vieillard plein d'expé-

rience! reprit-il en faisant un *rinforzando* dans sa voix
de basse. Ou déportez-vous dans une vertueuse man-
sarde, et mariez-vous-y avec le travail, ou prenez une
autre voie.

5   Et Vautrin cligna de l'œil en guignant mademoiselle
Taillefer de manière à rappeler et à résumer dans ce regard les raisonnements séducteurs qu'il avait semés au
cœur de l'étudiant pour le corrompre. Plusieurs jours se
passèrent pendant lesquels Rastignac mena la vie la plus
10 dissipée. Il dînait presque tous les jours avec madame
de Nucingen, qu'il accompagnait dans le monde. Il
rentrait à trois ou quatre heures du matin, se levait
à midi pour faire sa toilette, allait se promener au Bois
avec Delphine, quand il faisait beau, prodiguant ainsi
15 son temps sans en savoir le prix, et aspirant tous les
enseignements, toutes les séductions du luxe avec l'ardeur dont est saisi l'impatient calice d'un dattier femelle
pour les fécondantes poussières de son hyménée. Il
jouait gros jeu, perdait ou gagnait beaucoup, et finit par
20 s'habituer à la vie exorbitante des jeunes gens de Paris.
Sur ses premiers gains, il avait renvoyé quinze cents
francs à sa mère et à ses sœurs, en accompagnant sa
restitution de jolis présents. Quoiqu'il eût annoncé
vouloir quitter la maison Vauquer, il y était encore dans
25 les derniers jours du mois de janvier, et ne savait comment en sortir. Les jeunes gens sont soumis presque
tous à une loi en apparence inexplicable, mais dont
la raison vient de leur jeunesse même, et de l'espèce de
furie avec laquelle ils se ruent au plaisir. Riches ou
30 pauvres, ils n'ont jamais d'argent pour les nécessités de
la vie, tandis qu'ils en trouvent toujours pour leurs
caprices. Prodigues de tout ce qui s'obtient à crédit, ils

sont avares de tout ce qui se paye à l'instant même, et
semblent se venger de ce qu'ils n'ont pas en dissipant
tout ce qu'ils peuvent avoir. Ainsi, pour nettement
poser la question, un étudiant prend bien plus de soin
de son chapeau que de son habit. L'énormité du gain 5
rend le tailleur essentiellement créditeur, tandis que la
modicité de la somme fait du chapelier un des êtres les
plus intraitables parmi ceux avec lesquels il est forcé de
parlementer. Si le jeune homme assis au balcon d'un
théâtre offre à la lorgnette des jolies femmes d'étour- 10
dissants gilets, il est douteux qu'il ait des chaussettes: le
bonnetier est encore un des charançons de la bourse.
Rastignac en était là. Toujours vide pour madame
Vauquer, toujours pleine pour les exigences de la vanité,
sa bourse avait des revers et des succès lunatiques[1] 15
en désaccord avec les payements les plus naturels. Afin
de quitter la pension puante, ignoble où s'humiliaient
périodiquement ses prétentions, ne fallait-il pas payer un
mois à son hôtesse, et acheter des meubles pour son
appartement de dandy? C'était toujours la chose im- 20
possible. Si, pour se procurer l'argent nécessaire à son
jeu, Rastignac savait acheter chez son bijoutier des
montres et des chaînes d'or chèrement payées sur ses
gains, et qu'il portait au mont-de-piété, ce sombre et
discret ami de la jeunesse, il se trouvait sans invention 25
comme sans audace quand il s'agissait de payer sa nourriture, son logement, ou d'acheter les outils indispensables à l'exploitation de la vie élégante. Une nécessité
vulgaire, des dettes contractées pour des besoins satis-
faits, ne l'inspiraient plus. Comme la plupart de ceux 30
qui ont connu cette vie de hasard, il attendait au dernier
moment pour solder des créances sacrées aux yeux des

bourgeois, comme faisait Mirabeau[1] qui ne payait son
pain que quand il se présentait sous la forme dragonnante[2] d'une lettre de change.   Vers cette époque, Rastignac avait perdu son argent et s'était endetté.   L'étudiant commençait à comprendre qu'il lui serait impossible
de continuer cette existence sans avoir des ressources
fixes.   Mais, tout en gémissant sous les piquantes at-
teintes de sa situation précaire, il se sentait incapable de
renoncer aux jouissances excessives de cette vie et
voulait la continuer à tout prix.   Les hasards sur lesquels il avait compté pour sa fortune devenaient chimé-
riques et les obstacles réels grandissaient.   En s'initiant
aux secrets domestiques de M. et madame de Nucingen,
il s'était aperçu que, pour convertir l'amour en instrument de fortune, il fallait avoir bu toute honte, et
renoncer aux nobles idées qui sont l'absolution des
fautes de la jeunesse.   Cette vie extérieurement splen-
dide, mais rongée par tous les ténias[3] du remords, et
dont les fugitifs plaisirs étaient chèrement expiés par de
persistantes angoisses, il l'avait épousée, il s'y roulait en
se faisant, comme le Distrait[4] de la Bruyère, un lit dans
la fange du fossé; mais, comme le Distrait, il ne souillait
encore que son vêtement.

— Nous avons donc tué le mandarin?[5] lui dit un jour
Bianchon en sortant de table.

— Pas encore, répondit-il, mais il râle.

L'étudiant en médecine prit ce mot pour une plaisanterie, et ce n'en était pas une.   Eugène, qui, pour la première fois depuis longtemps, avait dîné à la pension,
s'était montré pensif pendant le repas.   Au lieu de sortir
au dessert, il resta dans la salle à manger assis auprès de
mademoiselle Taillefer, à laquelle il jeta de temps en

temps des regards expressifs. Quelques pensionnaires
étaient encore attablés et mangeaient des noix, d'autres
se promenaient en continuant des discussions commencées. Comme presque tous les soirs, chacun s'en allait
à sa fantaisie, suivant le degré d'intérêt qu'il prenait à la 5
conversation, ou selon le plus ou moins de pesanteur que
lui causait sa digestion. En hiver, il était rare que la
salle à manger fût entièrement évacuée avant huit heures,
moment où les quatre femmes demeuraient seules et se
vengeaient du silence que leur sexe leur imposait au 10
milieu de cette réunion masculine. Frappé de la préoccupation à laquelle Eugène était en proie, Vautrin resta
dans la salle à manger, quoiqu'il eût paru d'abord em-
pressé de sortir, et se tint constamment de manière à
n'être pas vu d'Eugène, qui dut le croire parti. Puis, au 15
lieu d'accompagner ceux des pensionnaires qui s'en allèrent les derniers, il stationna sournoisement dans le
salon. Il avait lu dans l'âme de l'étudiant et pressentait un symptôme décisif. Rastignac se trouvait, en
effet, dans une situation perplexe que beaucoup de jeunes 20
gens ont dû connaître. Aimante ou coquette, madame
de Nucingen avait fait passer Rastignac par toutes les
angoisses d'une passion véritable, en déployant pour lui
les ressources de la diplomatie féminine en usage à
Paris. Après s'être compromise aux yeux du public 25
pour fixer près d'elle le cousin de madame de Beauséant,
elle hésitait à lui donner réellement les droits dont il
paraissait jouir. Depuis un mois, elle irritait si bien les
sens d'Eugène, qu'elle avait fini par attaquer le cœur.
Si, dans les premiers moments de sa liaison, l'étudiant 30
s'était cru le maître, madame de Nucingen était devenue
la plus forte, à l'aide de ce manège qui mettait en mouve-

ment chez Eugène tous les sentiments, bons ou mauvais,
des deux ou trois hommes qui sont dans un jeune homme
de Paris.   Était-ce en elle un calcul?   Non; les femmes
sont toujours vraies, même au milieu de leurs plus
5 grandes faussetés, parce qu'elles cèdent à quelque sentiment naturel.   Peut-être Delphine, après avoir laissé
prendre tout à coup tant d'empire sur elle par ce jeune
homme et lui avoir montré trop d'affection, obéissait-elle
à un sentiment de dignité, qui la faisait ou revenir sur
10 ses concessions, ou se plaire à les suspendre.   Il est si
naturel à une Parisienne, au moment même où la passion
l'entraîne, d'hésiter dans sa chute, d'éprouver le cœur de
celui auquel elle va livrer son avenir!   Toutes les espérances de madame de Nucingen avaient été trahies une
15 première fois, et sa fidélité pour un jeune égoïste venait
d'être méconnue.   Elle pouvait être défiante à bon droit.
Peut-être avait-elle aperçu dans les manières d'Eugène,
que son rapide succès avait rendu fat, une sorte de mé-
sestime causée par les bizarreries de leur situation.   Elle
20 désirait sans doute paraître imposante à un homme de
cet âge, et se trouver grande devant lui après avoir été
si longtemps petite devant celui par qui elle était abandonnée.   Elle ne voulait pas qu'Eugène la crût une facile
conquête, précisément parce qu'il savait qu'elle avait
25 appartenu à de Marsay.   Enfin, après avoir subi le dé-
gradant plaisir d'un véritable monstre, un libertin jeune,
elle éprouvait tant de douceur à se promener dans les
régions fleuries de l'amour, que c'était sans doute un
charme pour elle d'en admirer tous les aspects, d'en
30 écouter longtemps les frémissements, et de se laisser
longtemps caresser par de chastes brises.   Le véritable
amour payait pour le mauvais.   Ce contre-sens sera mal-

heureusement fréquent, tant que les hommes ne sauront
pas combien de fleurs fauchent dans l'âme d'une jeune
femme les premiers coups de la tromperie. Quelles que
fussent ses raisons, Delphine se jouait de Rastignac et
se plaisait à se jouer de lui, sans doute parce qu'elle se
savait aimée et sûre de faire cesser les chagrins de son
amant, suivant son royal bon plaisir de femme. Par respect de lui-même, Eugène ne voulait pas que son premier
combat se terminât par une défaite, et persistait dans sa
poursuite, comme un chasseur qui veut absolument tuer
une perdrix à sa première fête de Saint-Hubert.[1] Ses
anxiétés, son amour-propre offensé, ses désespoirs, faux
ou véritables, l'attachaient de plus en plus à cette
femme. Tout Paris lui donnait madame de Nucingen,
auprès de laquelle il n'était pas plus avancé que le premier jour où il l'avait vue. Ignorant encore que la
coquetterie d'une femme offre quelquefois plus de bénéfices que son amour ne donne de plaisir, il tombait dans
de sottes rages. Si la saison pendant laquelle une
femme se dispute à l'amour offrait à Rastignac le butin
de ses primeurs, elles lui devenaient aussi coûteuses
qu'elles étaient vertes, aigrelettes et délicieuses à savourer. Parfois, en se voyant sans un sou, sans avenir,
il pensait, malgré la voix de sa conscience, aux chances
de fortune dont Vautrin lui avait démontré la possibilité
dans un mariage avec mademoiselle Taillefer. Or, il se
trouvait alors dans un moment où sa misère parlait si
haut, qu'il céda presque involontairement aux artifices
du terrible sphinx par les regards duquel il était souvent
fasciné. Au moment où Poiret et mademoiselle Michonneau remontèrent chez eux, Rastignac, se croyant seul
entre madame Vauquer et madame Couture, qui se trico-

tait des manches de laine en sommeillant auprès du
poêle, regarda mademoiselle Taillefer d'une manière
assez tendre pour lui faire baisser les yeux.

— Auriez-vous des chagrins, monsieur Eugène? lui dit
5 Victorine après un moment de silence.

— Quel homme n'a pas ses chagrins? répondit Rastignac. Si nous étions sûrs, nous autres jeunes gens,
d'être bien aimés, avec un dévouement qui nous récom-
pensât des sacrifices que nous sommes toujours disposés
10 à faire, nous n'aurions peut-être jamais de chagrins.

Mademoiselle Taillefer lui jeta, pour toute réponse, un
regard qui n'était pas équivoque.

— Vous, mademoiselle, vous vous croyez sûre de votre
cœur aujourd'hui; mais répondriez-vous de ne jamais
15 changer?

Un sourire vint errer sur les lèvres de la pauvre fille
comme un rayon jaillit de son âme, et fit si bien reluire
sa figure, qu'Eugène fut effrayé d'avoir provoqué une
aussi vive explosion de sentiment.

20 — Quoi! si demain vous étiez riche et heureuse, si une
immense fortune vous tombait des nues, vous aimeriez
encore le jeune homme pauvre qui vous aurait plu durant
vos jours de détresse?

Elle fit un joli signe de tête.

25 — Un jeune homme bien malheureux?

Nouveau signe.

— Quelles bêtises dites-vous donc là? s'écria madame
Vauquer.

— Laissez-nous, répondit Eugène, nous nous enten-
30 dons.

— Il y aurait donc alors promesse de mariage entre
M. le chevalier Eugène de Rastignac et mademoiselle

Victorine Taillefer? dit Vautrin de sa grosse voix en se
montrant tout à coup à la porte de la salle à manger.

— Ah! vous m'avez fait peur, dirent à la fois madame
Couture et madame Vauquer.

— Je pourrais plus mal choisir, répondit en riant Eu- 5
gène, à qui la voix de Vautrin causa la plus cruelle émotion qu'il eût jamais ressentie.

— Pas de mauvaises plaisanteries, messieurs! dit madame Couture.   Ma fille, remontons chez nous.

Madame Vauquer suivit ses deux pensionnaires, afin 10
d'économiser sa chandelle et son feu en passant la soirée
chez elles.   Eugène se trouva seul et face à face avec
Vautrin.

— Je savais bien que vous y arriveriez, lui dit cet
homme en gardant un imperturbable sang-froid.   Mais 15
écoutez! j'ai de la délicatesse tout comme un autre, moi.
Ne vous décidez pas dans ce moment, vous n'êtes pas
dans votre assiette ordinaire.   Vous avez des dettes.   Je ne
veux pas que ce soit la passion, le désespoir, mais la raison
qui vous détermine à venir à moi.   Peut-être vous faut-il 20
un millier d'écus.   Tenez, le voulez-vous?

Ce démon prit dans sa poche un portefeuille et en tira
trois billets de banque qu'il fit papilloter aux yeux de
l'étudiant.   Eugène était dans la plus cruelle des situations.   Il devait au marquis d'Ajuda et au comte de 25
Trailles cent louis perdus sur parole.   Il ne les avait pas,
et n'osait aller passer la soirée chez madame de Restaud,
où il était attendu.   C'était une de ces soirées sans cérémonie où l'on mange des petits gâteaux,[1] où l'on boit du
thé, mais où l'on peut perdre six mille francs au whist. 30

— Monsieur, lui dit Eugène en cachant avec peine un
tremblement convulsif, après ce que vous m'avez confié,

vous devez comprendre qu'il m'est impossible de vous
avoir des obligations.

— Eh bien, vous m'auriez fait de la peine de parler
autrement, reprit le tentateur. Vous êtes un beau jeune
homme, délicat, fier comme un lion et doux comme une
jeune fille. Vous seriez une belle proie pour le diable.
J'aime cette qualité de jeunes gens. Encore deux ou trois
réflexions de haute politique, et vous verrez le monde
comme il est. En y jouant quelques petites scènes de
vertu, l'homme supérieur y satisfait toutes ses fantaisies
aux grands applaudissements des niais du parterre. Avant
peu de jours, vous serez à nous. Ah! si vous vouliez devenir mon élève, je vous ferais arriver à tout. Vous ne
formeriez pas un désir qu'il ne fût à l'instant comblé,
quoi que vous puissiez souhaiter: honneurs, fortune,
femmes. On vous réduirait toute la civilisation en am-
broisie. Vous seriez notre enfant gâté, notre Benjamin,[1]
nous nous exterminerions tous pour vous avec plaisir.
Tout ce qui vous ferait obstacle serait aplati. Si vous con-
servez des scrupules, vous me prenez donc pour un scélérat? Eh bien, un homme qui avait autant de probité que
vous croyez en avoir encore, M. de Turenne,[2] faisait, sans
se croire compromis, de petites affaires avec des brigands.
Vous ne voulez pas être mon obligé, hein? Qu'à cela ne
tienne, reprit Vautrin en laissant échapper un sourire.
Prenez ces chiffons, et mettez-moi là-dessus, dit-il en
tirant un timbre, là, en travers: *Accepté pour la somme
de trois mille cinq cents francs payable en un an.* Et datez!
L'intérêt est assez fort pour vous ôter tout scrupule; vous
pouvez m'appeler juif, et vous regarder comme quitte de
toute reconnaissance. Je vous permets de me mépriser
encore aujourd'hui, sûr que plus tard vous m'aimerez.

Vous trouverez en moi de ces immenses abîmes, de ces
vastes sentiments concentrés que les niais appellent des
vices; mais vous ne me trouverez jamais ni lâche ni
ingrat. Enfin, je ne suis ni un *pion*[1] ni un *fou*, mais une
tour, mon petit.

— Quel homme êtes-vous donc? s'écria Eugène. Vous
avez été créé pour me tourmenter.

— Mais non, je suis un bon homme qui veut se crotter
pour que vous soyez à l'abri de la boue pour le reste de
vos jours. Vous vous demandez pourquoi ce dévouement?
Eh bien, je vous le dirai tout doucement quelque jour,
dans le tuyau de l'oreille. Je vous ai d'abord surpris en
vous montrant le carillon de l'ordre social et le jeu de la
machine; mais votre premier effroi se passera comme celui
du conscrit sur le champ de bataille, et vous vous accou-
tumerez à l'idée de considérer les hommes comme des
soldats décidés à périr pour le service de ceux qui se
sacrent rois eux-mêmes. Les temps sont bien changés.
Autrefois, on disait à un brave:[2] «Voilà cent écus, tue-
moi M. un tel;» et l'on soupait tranquillement après avoir
mis un homme à l'ombre[3] pour un oui, pour un non. Aujourd'hui, je vous propose de vous donner une belle fortune contre un signe de tête qui ne vous compromet en
rien, et vous hésitez. Le siècle est mou.

Eugène signa la traite, et l'échangea contre les billets
de banque.

— Eh bien, voyons, parlons raison, reprit Vautrin. Je
veux partir d'ici à quelques mois pour l'Amérique, aller
planter mon tabac. Je vous enverrai les cigares de l'amitié. Si je deviens riche, je vous aiderai. Si je n'ai pas
d'enfants (cas probable, je ne suis pas curieux de me re-
planter ici par bouture), eh bien, je vous léguerai ma

fortune. Est-ce être l'ami d'un homme? Mais je vous
aime, moi. J'ai la passion de me dévouer pour un autre.
Je l'ai déjà fait. Voyez-vous, mon petit, je vis dans une
sphère plus élevée que celle des autres hommes. Je con-
5 sidère les actions comme des moyens, et ne vois que
le but. Qu'est-ce qu'un homme pour moi? Ça!¹ fit-il en
faisant claquer l'ongle de son pouce sous une de ses dents.
Un homme est tout ou rien. Il est moins que rien quand
il se nomme Poiret: on peut l'écraser comme une punaise,
10 il est plat et il pue. Mais un homme est un dieu quand
il vous ressemble: ce n'est plus une machine couverte en
peau, c'est un théâtre où s'émeuvent les plus beaux sentiments, et je ne vis que par les sentiments. Un sentiment,
n'est-ce pas le monde dans une pensée? Voyez le père
15 Goriot: ses deux filles sont pour lui tout l'univers, elles
sont le fil avec lequel il se dirige dans la création. Eh
bien, pour moi qui ai bien creusé la vie, il n'existe qu'un
seul sentiment réel, une amitié d'homme à homme. Pierre
et Jaffier,² voilà ma passion. Je sais *Venise sauvée* par
20 cœur. Avez-vous vu beaucoup de gens assez poilus³
pour, quand un camarade dit: «Allons enterrer un corps!»⁴
y aller sans souffler mot ni l'embêter de morale? J'ai
fait ça, moi. Je ne parlerais pas ainsi à tout le monde.
Mais vous, vous êtes un homme supérieur, on peut tout
25 vous dire, vous savez tout comprendre. Vous ne pa-
trouillerez pas longtemps dans les marécages où vivent
les crapoussins qui nous entourent ici. Eh bien, voilà
qui est dit. Vous épouserez. Poussons chacun nos
pointes! La mienne est en fer et ne mollit jamais, hé!
30 hé!

Vautrin sortit sans vouloir entendre la réponse néga-
tive de l'étudiant, afin de le mettre à son aise. Il

semblait connaître le secret de ces petites résistances, de ces combats dont les hommes se parent devant eux-mêmes, et qui leur servent à se justifier leurs actions blâmables.

— Qu'il fasse comme il voudra, je n'épouserai certes 5 pas mademoiselle Taillefer! se dit Eugène.

Après avoir subi le malaise d'une fièvre intérieure que lui causa l'idée d'un pacte fait avec cet homme dont il avait horreur, mais qui grandissait à ses yeux par le cynisme même de ses idées et par l'audace avec laquelle 10 il étreignait la société, Rastignac s'habilla, demanda une voiture, et vint chez madame de Restaud. Depuis quelques jours, cette femme avait redoublé de soins pour un jeune homme dont chaque pas était un progrès au cœur du grand monde, et dont l'influence paraissait devoir 15 être un jour redoutable. Il paya MM. de Trailles et d'Ajuda, joua au whist une partie de la nuit, et regagna ce qu'il avait perdu. Superstitieux comme la plupart des hommes dont le chemin est à faire et qui sont plus ou moins fatalistes, il voulut voir dans son bonheur une 20 récompense du Ciel pour sa persévérance à rester dans le bon chemin. Le lendemain matin, il s'empressa de demander à Vautrin s'il avait encore sa lettre de change. Sur une réponse affirmative, il lui rendit les trois mille francs en manifestant un plaisir assez naturel. 25

— Tout va bien, lui dit Vautrin.

— Mais je ne suis pas votre complice, dit Eugène.

— Je sais, je sais, répondit Vautrin en l'interrompant. Vous faites encore des enfantillages. Vous vous arrêtez aux bagatelles de la porte.[1] 30

Deux jours après, Poiret et mademoiselle Michonneau se trouvaient assis sur un banc, au soleil, dans une allée

solitaire du Jardin des Plantes, et causaient avec le monsieur qui paraissait à bon droit suspect à l'étudiant en
médecine.

— Mademoiselle, disait M. Gondureau, je ne vois pas
5 d'où naissent vos scrupules. Son Excellence monseigneur
le ministre de la police générale du royaume. . .

— Ah ! Son Excellence monseigneur le ministre de la
police générale du royaume. . .! répéta Poiret.

— Oui, Son Excellence s'occupe de cette affaire, dit
10 Gondureau.

A qui ne paraîtra-t-il pas invraisemblable que Poiret,
ancien employé, sans doute homme de vertus bourgeoises,
quoique dénué d'idées, continuât d'écouter le prétendu
rentier de la rue de Buffon, au moment où il prononçait
15 le mot de police en laissant ainsi voir la physionomie
d'un agent de la rue de Jérusalem[1] à travers son masque
d'honnête homme? Cependant, rien n'était plus naturel.
Chacun comprendra mieux l'espèce particulière à laquelle
appartenait Poiret, dans la grande famille des niais, après
20 une remarque déjà faite par certains observateurs, mais
qui jusqu'à présent n'a pas été publiée.   Il est une nation plumigère,[2] serrée au budget entre le premier degré
de latitude qui comporte les traitements de douze cents
francs, espèce de Groënland administratif, et le troisième
25 degré, où commencent les traitements un peu plus chauds
de trois à six mille francs, région tempérée, où s'acclimate
la gratification,[3] où elle fleurit malgré les difficultés de la
culture. Un des traits caractéristiques qui trahit le mieux
l'infirme étroitesse de cette gent subalterne est une sorte
30 de respect involontaire, machinal, instinctif, pour ce
grand lama[4] de tout ministère, connu de l'employé par
une signature illisible et sous le nom de Son Excellence

MONSIEGNEUR LE MINISTRE, cinq mots qui équivalent à l'*il
Bondo Cani* du *Calife de Bagdad*,[1] et qui, aux yeux de ce
peuple aplati, représente un pouvoir sacré, sans appel.
Comme le pape pour les chrétiens, monseigneur est admi-
nistrativement infaillible aux yeux de l'employé; l'éclat   5
qu'il jette se communique à ses actes, à ses paroles, à
celles dites en son nom; il couvre tout de sa broderie, et
légalise les actions qu'il ordonne; son nom d'Excellence,
qui atteste la pureté de ses intentions et la sainteté de
ses vouloirs, sert de passe-port aux idées les moins admis- 10
sibles.   Ce que ces pauvres gens ne feraient pas dans
leur intérêt, ils s'empressent de l'accomplir dès que le
mot «Son Excellence» est prononcé.   Les bureaux ont
leur obéissance passive, comme l'armée a la sienne;
système qui étouffe la conscience, annihile un homme et 15
finit, avec le temps, par l'adapter comme une vis ou un
écrou à la machine gouvernementale.   Aussi M. Gondureau, qui paraissait se connaître en hommes, distingua-
t-il promptement en Poiret un de ces niais bureaucratiques
et fit-il sortir le *Deus ex machina*,[2] le mot talismanique 20
de «Son Excellence,» au moment où il fallait, en démas-
quant ses batteries, éblouir le Poiret, qui lui semblait le
mâle de la Michonneau, comme la Michonneau lui
semblait la femelle du Poiret.

— Du moment que Son Excellence elle-même, Son 25
Excellence monseigneur le . . . Ah! c'est très différent,
dit Poiret.

— Vous entendez monsieur, dans le jugement duquel
vous paraissez avoir confiance, reprit le faux rentier en
s'adressant à mademoiselle Michonneau.   Eh bien, Son 30
Excellence a maintenant la certitude la plus complète
que le prétendu Vautrin, logé dans la maison Vauquer,

est un forçat évadé du bagne de Toulon, où il est connu
sous le nom de *Trompe-la-Mort.*

— Ah! Trompe-la-Mort! dit Poiret, il est bien heureux,
s'il a mérité ce nom-là.

5   — Mais oui, reprit l'agent.   Ce sobriquet est dû au
bonheur qu'il a eu de ne jamais perdre la vie dans les
entreprises extrêmement audacieuses qu'il a exécutées.
Cet homme est dangereux, voyez-vous! Il a des qualités
qui le rendent extraordinaire.   Sa condamnation est
10 même une chose qui lui a fait dans sa partie un honneur
infini. . .

— C'est donc un homme d'honneur? demanda Poiret.

— A sa manière.   Il a consenti à prendre sur son
compte le crime d'un autre, un faux commis par un très
15 beau jeune homme qu'il aimait beaucoup, un jeune Italien assez joueur, entré depuis au service militaire, où
il s'est d'ailleurs parfaitement comporté.

— Mais, si Son Excellence le ministre de la police est
sûr que M. Vautrin soit Trompe-la-Mort, pourquoi donc
20 aurait-il besoin de moi? dit mademoiselle Michonneau.

— Ah! oui, dit Poiret, si en effet le ministre, comme
vous nous avez fait l'honneur de nous le dire, a une certitude quelconque. . .

— Certitude n'est pas le mot; seulement, on se doute.
25 Vous allez comprendre la question.   Jacques Collin, surnommé Trompe-la-Mort, a toute la confiance des trois
bagnes qui l'ont choisi pour être leur agent et leur banquier.   Il gagne beaucoup à s'occuper de ce genre d'affaires, qui nécessairement veut un homme de marque.

30   — Ah! ah! comprenez-vous le calembour, mademoiselle? dit Poiret.   Monsieur l'appelle un homme de
marque, parce qu'il a été marqué.[1]

— Le faux Vautrin, dit l'agent en continuant, reçoit les capitaux de MM. les forçats, les place, les leur conserve, et les tient à la disposition de ceux qui s'évadent, ou de leurs familles, quand ils en disposent par testament, ou de leurs maîtresses, quand ils tirent sur lui pour elles.

— De leurs maîtresses! Vous voulez dire de leurs femmes? fit observer Poiret.

— Non, monsieur. Le forçat n'a généralement que des épouses illégitimes, que nous nommons des concubines.

— Ils vivent donc tous en état de concubinage?

— Conséquemment.[1]

— Eh bien, dit Poiret, voilà des horreurs que monseigneur ne devrait pas tolérer. Puisque vous avez l'honneur de voir Son Excellence, c'est à vous, qui me paraissez avoir des idées philanthropiques, de l'éclairer sur la conduite immorale de ces gens, qui donnent un très mauvais exemple au reste de la société.

— Mais, monsieur, le gouvernement ne les met pas là pour offrir le modèle de toutes les vertus.

— C'est juste. Cependant, monsieur, permettez. . .

— Mais, laissez donc dire monsieur, mon cher mignon, dit mademoiselle Michonneau.

— Vous comprenez, mademoiselle, reprit Gondureau. Le gouvernement peut avoir un grand intérêt à mettre la main sur une caisse illicite, que l'on dit monter à un total assez majeur: Trompe-la-Mort encaisse des valeurs considérables en recélant non seulement les sommes possédées par quelques-uns de ses camarades, mais encore celles qui proviennent de la Société des dix mille. . .

— Dix mille voleurs! s'écria Poiret effrayé.

— Non, la Société des dix mille est une association de

hauts voleurs, de gens qui travaillent en grand, et ne se mêlent pas d'une affaire où il n'y a pas dix mille francs à gagner. Cette Société se compose de tout ce qu'il y a de plus distingué parmi ceux de nos hommes qui vont
5 droit en cour d'assises. Ils connaissent le Code, et ne risquent jamais de se faire appliquer la peine de mort quand ils sont pincés. Collin est leur homme de confiance, leur conseil. A l'aide de ses immenses ressources, cet homme a su se créer une police à lui, des relations
10 fort étendues qu'il enveloppe d'un mystère impénétrable. Quoique, depuis un an, nous l'ayons entouré d'espions, nous n'avons pas encore pu voir dans son jeu. Sa caisse et ses talents servent donc constamment à solder le vice, à faire les fonds au crime, et entretiennent sur pied une
15 armée de mauvais sujets qui sont dans un perpétuel état de guerre avec la société. Saisir Trompe-la-Mort et s'emparer de sa banque, ce sera couper le mal dans sa racine. Aussi cette expédition est-elle devenue une affaire d'État et de haute politique, susceptible d'honorer
20 ceux qui coopéreront à sa réussite. Vous-même, monsieur, pourriez être de nouveau employé dans l'administration, devenir secrétaire d'un commissaire de police, fonctions qui ne vous empêcheraient point de toucher votre pension de retraite.

25 — Mais pourquoi, dit mademoiselle Michonneau, Trompe-la-Mort ne s'en va-t-il pas avec la caisse?

—Oh! fit l'agent, partout où il irait, il serait suivi d'un homme chargé de le tuer, s'il volait le bagne. Puis une caisse ne s'enlève pas aussi facilement qu'on enlève
30 une demoiselle de bonne maison. D'ailleurs, Collin est un gaillard incapable de faire un trait semblable, il se croirait déshonoré.

— Monsieur, dit Poiret, vous avez raison, il serait tout à fait déshonoré.

— Tout cela ne nous dit pas pourquoi vous ne venez pas tout bonnement vous emparer de lui, observa mademoiselle Michonneau.

— Eh bien, mademoiselle, je réponds... Mais, lui dit-il à l'oreille, empêchez votre monsieur de m'interrompre, ou nous n'en aurons jamais fini. Il doit avoir beaucoup de fortune pour se faire écouter, ce vieux-là. Trompe-la-Mort, en venant ici, a chaussé la peau[1] d'un honnête homme, il s'est fait bon bourgeois de Paris, il s'est logé dans une pension sans apparence; il est fin, allez! on ne le prendra jamais sans vert.[2] Donc, M. Vautrin est un homme considéré, qui fait des affaires considérables.

— Naturellement, se dit Poiret à lui-même.

— Le ministre, si l'on se trompait en arrêtant un vrai Vautrin, ne veut pas se mettre à dos[3] le commerce de Paris, ni l'opinion publique. M. le préfet de police branle dans le manche,[4] il a des ennemis. S'il y avait erreur, ceux qui veulent sa place profiteraient des clabaudages et des criailleries libérales[5] pour le faire sauter. Il s'agit ici de procéder comme dans l'affaire de Cogniard,[6] le faux comte de Sainte-Hélène; si ç'avait été un vrai comte de Sainte-Hélène, nous n'étions pas propres.[7] Aussi faut-il vérifier!

— Oui, mais vous avez besoin d'une jolie femme, dit vivement mademoiselle Michonneau.

— Trompe-la-Mort ne se laisserait pas aborder par une femme, dit l'agent. Apprenez un secret: il n'aime pas les femmes.

— Mais je ne vois pas alors à quoi je suis bonne pour

une semblable vérification, une supposition que[1] je consentirais à la faire pour deux mille francs.

— Rien de plus facile, dit l'inconnu.   Je vous remettrai un flacon contenant une dose de liqueur préparée pour donner un coup de sang qui n'a pas le moindre danger et simule une apoplexie.   Cette drogue peut se mêler également au vin et au café.   Sur-le-champ, vous transportez votre homme sur un lit et vous le déshabillez afin de savoir s'il ne se meurt pas.   Au moment où vous serez seule, vous lui donnerez une claque sur l'épaule, paf! et vous verrez reparaître les lettres.

— Mais c'est rien du tout, ça, dit Poiret.

— Eh bien, consentez-vous? dit Gondureau à la vieille fille.

— Mais, mon cher monsieur, dit mademoiselle Michonneau, au cas où il n'y aurait point de lettres, aurais-je les deux mille francs?

— Non.

— Quelle sera donc l'indemnité?

— Cinq cents francs.

— Faire une chose pareille pour si peu!   Le mal est le même dans la conscience, et j'ai ma conscience à calmer, monsieur.

— Je vous affirme, dit Poiret, que mademoiselle a beaucoup de conscience, outre que c'est une très aimable personne et bien entendue.

— Eh bien, reprit mademoiselle Michonneau, donnez-moi trois mille francs si c'est Trompe-la-Mort, et rien si c'est un bourgeois.

— Ça va! dit Gondureau, mais à condition que l'affaire sera faite demain.

— Pas encore, mon cher monsieur, j'ai besoin de consulter mon confesseur.

— Finaude! dit l'agent en se levant. A demain, alors.
Et, si vous étiez pressée de me parler, venez petite rue
Sainte-Anne, au bout de la cour de la Sainte-Chapelle.
Il n'y a qu'une porte sous la voûte. Demandez M. Gon-
dureau.   5

Bianchon, qui revenait du cours de Cuvier, eut l'oreille
frappée du nom assez original de Trompe-la-Mort, et entendit le *Ca va!* du célèbre chef de la police de sûreté.

— Pourquoi n'en finissez-vous pas? Ce serait trois
cents francs de rente viagère, dit Poiret à mademoiselle 10
Michonneau.

— Pourquoi? dit-elle. Mais il faut y réfléchir. Si M.
Vautrin était ce Trompe-la-Mort, peut-être y aurait-il
plus d'avantage à s'arranger avec lui. Cependant, lui
demander de l'argent, ce serait le prévenir, et il serait 15
homme à décamper *gratis*. Ce serait un *puff*[1] abominable.

— Quand il serait prévenu, reprit Poiret, ce monsieur
ne nous a-t-il pas dit qu'il était surveillé? Mais vous,
vous perdriez tout.

— D'ailleurs, pensa mademoiselle Michonneau, je ne 20
l'aime point, cet homme! Il ne sait me dire que des
choses désagréables.

— Mais, reprit Poiret, vous feriez mieux. Ainsi que
l'a dit ce monsieur, qui me paraît fort bien, outre qu'il
est très proprement couvert,[2] c'est un acte d'obéissance 25
aux lois que de débarrasser la société d'un criminel, quelque vertueux qu'il puisse être. Qui a bu boira.[3] S'il lui
prenait fantaisie de nous assassiner tous? Mais, que
diable! nous serions coupables de ces assassinats, sans
compter que nous en serions les premières victimes.   30

La préoccupation de mademoiselle Michonneau ne lui
permettait pas d'écouter les phrases tombant une à une

de la bouche de Poiret, comme les gouttes d'eau qui suintent à travers le robinet d'une fontaine mal fermée. Quand une fois ce vieillard avait commencé la série de ses phrases, et que mademoiselle Michonneau ne l'arrêtait
5 pas, il parlait toujours, à l'instar d'une mécanique montée. Après avoir entamé un premier sujet, il était conduit par ses parenthèses à en traiter de tout opposés, sans avoir rien conclu. En arrivant à la maison Vauquer, il s'était faufilé dans une suite de passages et de citations
10 transitoires qui l'avaient amené à raconter sa déposition dans l'affaire du sieur Ragoulleau et de la dame Morin, où il avait comparu en qualité de témoin à décharge. En entrant, sa compagne ne manqua pas d'apercevoir Eugène de Rastignac engagé avec mademoiselle Taillefer
15 dans une intime causerie dont l'intérêt était si palpitant, que le couple ne fit aucune attention au passage des deux vieux pensionnaires quand ils traversèrent la salle à manger.

— Ça devait finir par là, dit mademoiselle Michon-
20 neau à Poiret. Ils se faisaient des yeux à s'arracher l'âme depuis huit jours.

— Oui, répondit-il. Aussi fut-elle condamnée.

— Qui ?

— Madame Morin.

25 — Je vous parle de mademoiselle Victorine, dit la Michonneau en entrant, sans y faire attention, dans la chambre de Poiret, et vous me répondez par madame Morin. Qu'est-ce que c'est que cette femme-là ?

— De quoi serait donc coupable mademoiselle Victo-
30 rine ? demanda Poiret.

— Elle est coupable d'aimer M. Eugène de Rastignac, et va de l'avant sans savoir où ça la mènera, pauvre innocente !

Eugène avait été, pendant la matinée, réduit au désespoir par madame de Nucingen.   Dans son for intérieur,
il s'était abandonné complètement à Vautrin, sans vouloir
sonder ni les motifs de l'amitié que lui portait cet homme
extraordinaire, ni l'avenir d'une semblable union.   Il   5
fallait un miracle pour le tirer de l'abîme où il avait déjà
mis le pied depuis une heure, en échangeant avec mademoiselle Taillefer les plus douces promesses.   Victorine
croyait entendre la voix d'un ange, les cieux s'ouvraient
pour elle, la maison Vauquer se parait des teintes fantas- 10
tiques que les décorateurs donnent aux palais de théâtre:
elle aimait, elle était aimée, elle le croyait du moins! Et
quelle femme ne l'aurait cru comme elle en voyant Rastignac, en l'écoutant durant cette heure dérobée à tous
les Argus[1] de la maison?   En se débattant contre sa 15
conscience, en sachant qu'il faisait mal et voulant faire
mal, en se disant qu'il rachèterait ce péché véniel par le
bonheur d'une femme, il s'était embelli de son désespoir,
et resplendissait de tous les feux de l'enfer qu'il avait au
cœur.   Heureusement pour lui, le miracle eut lieu: Vau- 20
trin entra joyeusement, et lut dans l'âme des deux jeunes
gens qu'il avait mariés par les combinaisons de son
infernal génie, mais dont il troubla soudain la joie en
chantant de sa grosse voix railleuse:

> Ma Fanchette est charmante
> Dans sa simplicité...   25

Victorine se sauva en emportant autant de bonheur
qu'elle avait eu jusqu'alors de malheur dans sa vie.
Pauvre fille! un serrement de main, sa joue effleurée par
les cheveux de Rastignac, une parole dite si près de son 30
oreille qu'elle avait senti la chaleur des lèvres de l'étudiant, la pression de sa taille par un bras tremblant, un

baiser pris sur son cou, furent les accordailles de sa passion, que le voisinage de la grosse Sylvie, menaçant d'entrer dans cette radieuse salle à manger, rendit plus ardentes, plus vives, plus engageantes que les plus beaux
5 témoignages de dévouement racontés dans les plus
célèbres histoires d'amour. Ces *menus suffrages*, suivant
une jolie expression de nos ancêtres, paraissaient être
des crimes à une pieuse jeune fille confessée tous les
quinze jours! En cette heure, elle avait prodigué plus
10 de trésors d'âme que plus tard, riche et heureuse, elle
n'en aurait donné en se livrant tout entière.

— L'affaire est faite, dit Vautrin à Eugène. Nos deux
dandys se sont piochés.[1] Tout s'est passé convenablement. Affaire d'opinion. Notre pigeon a insulté mon
15 faucon. A demain, dans la redoute de Clignancourt.
A huit heures et demie, mademoiselle Taillefer héritera
de l'amour et de la fortune de son père, pendant qu'elle
sera là tranquillement à tremper ses mouillettes de pain
beurré dans son café. N'est-ce pas drôle à dire? Ce
20 petit Taillefer est très fort à l'épée, il est confiant comme
un brelan carré;[2] mais il sera saigné par un coup que
j'ai inventé, une manière de relever l'épée et de vous
piquer le front. Je vous montrerai cette botte-là, car
elle est furieusement utile.

25 Rastignac écoutait d'un air stupide et ne pouvait rien
répondre. En ce moment, le père Goriot, Bianchon et
quelques autres pensionnaires arrivèrent.

— Voilà comme je vous voulais, lui dit Vautrin. Vous
savez ce que vous faites. Bien, mon petit aiglon! vous
30 gouvernerez les hommes; vous êtes fort, carré, poilu;[2]
vous avez mon estime.

Il voulut lui prendre la main. Rastignac retira vivement la sienne, et tomba sur une chaise en pâlissant; il croyait voir une mare de sang devant lui.

— Ah! nous avons encore quelques petits langes tachés de vertu, dit Vautrin à voix basse. Papa Doliban[1] a trois millions, je sais sa fortune. La dot vous rendra blanc comme une robe de mariée, et à vos propres yeux.

Rastignac n'hésita plus. Il résolut d'aller prévenir pendant la soirée MM. Taillefer père et fils. En ce moment, Vautrin l'ayant quitté, le père Goriot lui dit à l'oreille:

— Vous êtes triste, mon enfant! je vais vous égayer, moi. Venez!

Et le vieux vermicellier allumait son rat de cave à une des lampes. Eugène le suivit, tout ému de curiosité.

— Entrons chez vous, dit le bonhomme, qui avait demandé la clef de l'étudiant à Sylvie. Vous avez cru ce matin qu'elle ne vous aimait pas, hein? reprit-il. Elle vous a renvoyé de force, et vous vous en êtes allé fâché, désespéré. Nigaudinos![2] Elle m'attendait. Comprenez-vous? Nous devions aller achever d'arranger un bijou d'appartement dans lequel vous irez demeurer d'ici à trois jours. Ne me vendez pas. Elle veut vous faire une surprise; mais je ne tiens pas à vous cacher plus longtemps le secret. Vous serez rue d'Artois, à deux pas de la rue Saint-Lazare. Vous y serez comme un prince. Nous vous avons eu des meubles comme pour une épousée. Nous avons fait bien des choses depuis un mois, en ne vous en disant rien. Mon avoué s'est mis en campagne, ma fille aura ses trente-six mille francs par an, l'intérêt de sa dot, et je vais faire exiger le placement de ses huit cent mille francs en bons biens au soleil.[3]

Eugène était muet et se promenait, les bras croisés, de long en long, dans sa pauvre chambre en désordre.   Le père Goriot saisit un moment où l'étudiant lui tournait le dos, et mit sur la cheminée une boîte en maroquin
5 rouge sur laquelle étaient imprimées en or les armes de Rastignac.

— Mon cher enfant, disait le pauvre bonhomme, je me suis mis dans tout cela jusqu'au cou.   Mais, voyez-vous, il y avait à moi bien de l'égoïsme, je suis intéressé dans
10 votre changement de quartier.   Vous ne me refuserez pas, hein! si je vous demande quelque chose?

— Que voulez-vous?

— Au-dessus de votre appartement, au cinquième, il y a une chambre qui en dépend, j'y demeurerai, pas vrai?
15 Je me fais vieux, je suis trop loin de mes filles.   Je ne vous gênerai pas.   Seulement, je serai là.   Vous me parlerez d'elle tous les soirs.   Ça ne vous contrariera pas, dites? Quand vous rentrerez, que je serai dans mon lit, je vous entendrai, je me dirai: «Il vient de voir ma
20 petite Delphine.   Il l'a menée au bal, elle est heureuse par lui.»   Si j'étais malade, ça me mettrait du baume dans le cœur de vous écouter revenir, vous remuer, aller. Il y aura tant de ma fille en vous!   Je n'aurai qu'un pas à faire pour être aux Champs-Élysées, où elles passent
25 tous les jours, je les verrai toujours, tandis que quelquefois j'arrive trop tard.   Et puis elle viendra chez vous peut-être! je l'entendrai, je la verrai dans sa douillette du matin, trottant, allant gentiment comme une petite chatte.   Elle est redevenue, depuis un mois, ce qu'elle
30 était, jeune fille, gaie, pimpante.   Son âme est en convalescence, elle vous doit le bonheur.   Oh! je ferais pour vous l'impossible.   Elle me disait tout à l'heure en

revenant: «Papa, je suis bien heureuse!» Quand elles
me disent cérémonieusement: *Mon père*, elles me glacent;
mais, quand elles m'appellent *papa*, il me semble
encore les voir petites, elles me rendent tous mes souvenirs. Je suis mieux leur père. Je crois qu'elles ne 5
sont encore à personne!

Le bonhomme s'essuya les yeux, il pleurait.

— Il y a longtemps que je n'avais entendu cette
phrase, longtemps qu'elle ne m'avait donné le bras. Oh!
oui, voilà bien dix ans que je n'ai marché côte à côte 10
avec une de mes filles. Est-ce bon de se frotter à sa
robe, de se mettre à son pas, de partager sa chaleur!
Enfin, j'ai mené Delphine, ce matin, partout. J'entrais
avec elle dans les boutiques. Et je l'ai reconduite chez
elle. Oh! gardez-moi près de vous. Quelquefois, vous 15
aurez besoin de quelqu'un pour vous rendre service, je
serai là. Oh! si cette grosse souche d'Alsacien mourait,
si sa goutte avait l'esprit de remonter dans l'estomac,
ma pauvre fille serait-elle heureuse! Vous seriez mon
gendre, vous seriez ostensiblement son mari. Bah! elle 20
est si malheureuse de ne rien connaître aux plaisirs de ce
monde, que je l'absous de tout. Le bon Dieu doit être
du côté des pères qui aiment bien. Elle vous aime trop!
dit-il en hochant la tête après une pause. En allant, elle
causait de vous avec moi: «N'est-ce pas, mon père, il est 25
bien! il a bon cœur! Parle-t-il de moi?» Bah! elle
m'en a dit, depuis la rue d'Artois jusqu'au passage des
Panoramas, des volumes! Elle a enfin versé son cœur
dans le mien. Pendant toute cette bonne matinée, je
n'étais plus vieux, je ne pesais pas une once. Je lui ai 30
dit que vous m'aviez remis le billet de mille francs. Oh!
la chérie, elle en a été émue aux larmes. Qu'avez-vous

donc là sur votre cheminée? dit enfin le père Goriot qui
se mourait d'impatience en voyant Rastignac immobile.

Eugène, tout abasourdi, regardait son voisin d'un air
hébété.   Ce duel, annoncé par Vautrin pour le lende-
5 main, contrastait si violemment avec la réalisation de
ses plus chères espérances, qu'il éprouvait toutes les
sensations du cauchemar. Il se tourna vers la cheminée,
y aperçut la petite boîte carrée, l'ouvrit, et trouva dedans
un papier qui couvrait une montre de Bréguet.[1] Sur ce
10 papier étaient écrits ces mots:

«Je veux que vous pensiez à moi à toute heure, *parce
que* . . .

«DELPHINE.»

Ce dernier mot faisait sans doute allusion à quelque
15 scène qui avait eu lieu entre eux.   Eugène en fut atten-
dri. Ses armes étaient intérieurement émaillées dans l'or
de la boîte.   Ce bijou si longtemps envié, la chaîne, la
clef, la façon, les dessins répondaient à tous ses vœux.
Le père Goriot était radieux. Il avait sans doute promis
20 à sa fille de lui rapporter les moindres effets de la surprise
que causerait son présent à Eugène, car il était en tiers[2]
dans ces jeunes émotions et ne paraissait pas le moins
heureux.   Il aimait déjà Rastignac, et pour sa fille et pour
lui-même.

25 — Vous irez la voir ce soir, elle vous attend. La grosse
souche d'Alsacien soupe chez sa danseuse. Ah! ah! il a
été bien sot quand mon avoué lui a dit son fait.   Ne pré-
tend-il pas aimer ma fille à l'adoration? Qu'il y touche et
je le tue. L'idée de savoir ma Delphine à . . . (Il soupira)
30 me ferait commettre un crime; mais ce ne serait pas un
homicide, c'est une tête de veau sur un corps de porc.
Vous me prendrez avec vous, n'est-ce pas?

— Oui, mon bon père Goriot, vous savez bien que je vous aime...

— Je le vois bien, vous n'avez pas honte de moi, vous! Laissez-moi vous embrasser.

Et il serra l'étudiant dans ses bras.

— Vous la rendrez bien heureuse, promettez-le-moi! Vous irez ce soir, n'est-ce-pas?

— Oh! oui.   Je dois sortir pour des affaires qu'il est impossible de remettre.

— Puis-je vous être bon à quelque chose?

— Ma foi, oui! Pendant que j'irai chez madame de Nucingen, allez chez M. Taillefer le père, lui dire de me donner une heure dans la soirée pour lui parler d'une affaire de la dernière importance.

— Serait-ce donc vrai, jeune homme, s'écria le père Goriot en changeant de visage, feriez-vous la cour à sa fille, comme le disent ces imbéciles d'en bas?... Tonnerre de Dieu! vous ne savez pas ce que c'est qu'une tape à la Goriot.   Et, si vous nous trompiez, ce serait l'affaire d'un coup de poing... Oh! ce n'est pas possible.

— Je vous jure que je n'aime qu'une femme au monde, dit l'étudiant, je ne le sais que depuis un moment.

— Ah! quel bonheur! fit le père Goriot.

— Mais, reprit l'étudiant, le fils de Taillefer se bat demain, et j'ai entendu dire qu'il serait tué.

— Qu'est-ce que cela vous fait? dit Goriot.

— Mais il faut lui dire d'empêcher son fils de se rendre[1]..., s'écria Eugène.

En ce moment, il fut interrompu par la voix de Vautrin, qui se fit entendre sur le pas de sa porte, où il chantait:

> O Richard, ô mon roi![2]
> L'univers t'abandonne...
> Broum! broum! broum! broum! broum!

J'ai longtemps parcouru le monde,
Et l'on m'a vu. . . . tra la la la la. . .

— Messieurs, cria Christophe, la soupe vous attend, et
tout le monde est à table.

5   — Tiens, dit Vautrin, viens prendre une bouteille de
mon vin de Bordeaux.

— La trouvez-vous jolie, la montre? dit le père Goriot.
Elle a bon goût, hein!

Vautrin, le père Goriot et Rastignac descendirent en-
10 semble et se trouvèrent, par suite de leur retard, placés à
côté les uns des autres à table.

Eugène marqua la plus grande froideur à Vautrin pendant le dîner, quoique jamais cet homme, si aimable aux
yeux de madame Vauquer, n'eût déployé autant d'esprit.
15 Il fut pétillant de saillies, et sut mettre en train tous les
convives.   Cette assurance, ce sang-froid, consternaient
Eugène.

— Sur quelle herbe avez-vous donc marché[1] aujour-
d'hui? lui dit madame Vauquer. Vous êtes gai comme un
20 pinson.

— Je suis toujours gai quand j'ai fait de bonnes affaires.

— Des affaires? dit Eugène.

— Eh bien, oui. J'ai livré une partie de marchandises
qui me vaudra de bons droits de commission. — Made-
25 moiselle Michonneau, dit-il en s'apercevant que la vieille
fille l'examinait, ai-je dans la figure un trait qui vous dé-
plaise, que vous me faites l'*œil américain?*[2] Faut le dire!
je le changerai pour vous être agréable. . . — Poiret, nous
ne nous fâcherons pas pour ça, hein? dit-il en guignant
30 le vieil employé.

— Sac à papier![3] vous devriez poser pour un Hercule
Farceur, dit le jeune peintre à Vautrin.

— Ma foi, ça va! si mademoiselle Michonneau veut
poser en Vénus du Père-Lachaise,[1] répondit Vautrin.

— Et Poiret? dit Bianchon.

— Oh! Poiret posera en Poiret. Ce sera le dieu des
jardins! s'écria Vautrin. Il dérive de poire[2] . . .   5

— Molle! reprit Bianchon. Vous seriez alors entre la
poire et le fromage.[3]

— Tout ça, c'est des bêtises, dit madame Vauquer, et
vous feriez mieux de nous donner de votre vin de Bordeaux dont j'aperçois une bouteille qui montre son nez! 10
Ça nous entretiendra en joie, outre que c'est bon à l'*estomaque*.[4]

— Messieurs, dit Vautrin, madame la présidente nous
rappelle à l'ordre. Madame Couture et mademoiselle Victorine ne se formaliseront pas de vos discours badins; 15
mais respectez l'innocence du père Goriot. Je vous propose une petite *bouteillorama* de vin de Bordeaux, que le
nom de Laffitte[5] rend doublement illustre, soit dit sans
allusion politique. — Allons, chinois! dit-il en regardant
Christophe qui ne bougea pas. Ici, Christophe! Com- 20
ment, tu n'entends pas ton nom? Chinois, amène les
liquides!

— Voilà, monsieur, dit Christophe en lui présentant la
bouteille.

Après avoir rempli le verre d'Eugène et celui du père 25
Goriot, il s'en versa lentement quelques gouttes qu'il dé-
gusta, pendant que ses deux voisins buvaient, et tout à
coup il fit une grimace.

— Diable! diable! il sent le bouchon.[6] Prends cela
pour toi, Christophe, et va nous en chercher d'autre; à 30
droite, tu sais? Nous sommes seize, descends[7] huit
bouteilles.

— Puisque vous vous fendez,[1] dit le peintre, je paye un cent de marrons.

— Oh! oh!

— Booououh!

5   — Prrrr!

Chacun poussa des exclamations qui partirent comme les fusées d'une girandole.[2]

— Allons, maman Vauquer, deux de champagne,[3] lui cria Vautrin.

10   — *Quien*,[4] c'est cela! Pourquoi pas demander la maison? Deux de champagne! mais ça coûte douze francs! Je ne les gagne pas, non! Mais, si M. Eugène veut les payer, j'offre du cassis.

— V'là son cassis qui purge comme de la manne, dit 15 l'étudiant en médecine à voix basse.

— Veux-tu te taire, Bianchon, s'écria Rastignac; je ne peux pas entendre parler de manne sans que le cœur[5]... Oui, va pour le vin de Champagne, je le paye, ajouta l'étudiant.

20   — Sylvie, dit madame Vauquer, donnez les biscuits et les petits gâteaux.

— Vos petits gâteaux sont trop grands, dit Vautrin, ils ont de la barbe.[6] Mais, quant aux biscuits, aboulez.[7]

En un moment, le vin de Bordeaux circula, les con- 25 vives s'animèrent, la gaieté redoubla. Ce fut des rires féroces, au milieu desquels éclatèrent quelques imitations de diverses voix d'animaux. L'employé au Muséum s'étant avisé de reproduire un cri de Paris qui avait de l'analogie avec le miaulement du chat amoureux, aus- 30 sitôt huit voix beuglèrent simultanément les phrases suivantes:

— A repasser les couteaux![8]

— Mo-ron[1] pour les p'tits oiseaux !

— Voilà le plaisir,[2] mesdames ! voilà le plaisir !

— A raccommoder la faïence ![3]

— A la barque ![4] à la barque !

— Battez vos femmes, vos habits ![5]

— Vieux habits, vieux galons,[6] vieux chapeaux à vendre !

— A la cerise, à la douce ![7]

La palme fut à Bianchon pour l'accent nasillard avec lequel il cria :

— Marchand de parapluies !

En quelques instants, ce fut un tapage à casser la tête, une conversation pleine de coq-à-l'âne,[8] un véritable opéra que Vautrin conduisait comme un chef d'orchestre, en surveillant Eugène et le père Goriot, qui semblaient ivres déjà. Le dos appuyé sur leur chaise, tous deux contemplaient ce désordre inaccoutumé d'un air grave, en buvant peu ; tous deux étaient préoccupés de ce qu'ils avaient à faire pendant la soirée, et néanmoins ils se sentaient incapables de se lever. Vautrin, qui suivait les changements de leur physionomie en leur lançant des regards de côté, saisit le moment où leurs yeux vacillèrent et parurent vouloir se fermer, pour se pencher à l'oreille de Rastignac et lui dire :

— Mon petit gars, nous ne sommes pas assez rusé pour lutter avec notre papa Vautrin, et il vous aime trop pour vous laisser faire des sottises. Quand j'ai résolu quelque chose, le bon Dieu seul est assez fort pour me barrer le passage. Ah ! nous voulions aller prévenir le père Taillefer, commettre des fautes d'écolier ! Le four est chaud, la farine est pétrie, le pain est sur la pelle ;[9] demain, nous en ferons sauter les miettes par-dessus notre tête en

y mordant; et nous empêcherions d'enfourner?... Non,
non, tout cuira! Si nous avons quelques petits remords,
la digestion les emportera. Pendant que nous dormirons
notre petit somme, le colonel comte Franchessini vous
ouvrira la succession de Michel Taillefer avec la pointe
de son épée. En héritant de son frère, Victorine aura
quinze petits mille francs de rente. J'ai déjà pris des
renseignements, et je sais que la succession de la mère
monte à plus de trois cent mille...

Eugène entendait ces paroles sans pouvoir y répondre:
il sentait sa langue collée à son palais, et se trouvait en
proie à une somnolence invincible; il ne voyait déjà
plus la table et les figures des convives qu'à travers un
brouillard lumineux. Bientôt le bruit s'apaisa, les pensionnaires s'en allèrent un à un. Puis, quand il ne resta
plus que madame Vauquer, madame Couture, mademoiselle Victorine, Vautrin et le père Goriot, Rastignac
aperçut, comme s'il eût rêvé, madame Vauquer occupée
à prendre les bouteilles pour en vider les restes de
manière à en faire des bouteilles pleines.

— Ah! sont-ils fous, sont-ils jeunes! disait la veuve.

Ce fut la dernière phrase que put comprendre Eugène.

— Il n'y a que M. Vautrin pour faire de ces farces-là,
dit Sylvie. Allons, voilà Christophe qui ronfle comme
une toupie.

— Adieu, maman, dit Vautrin. Je vais au boulevard
admirer M. Marty[1] dans *le Mont Sauvage*, une grande
pièce tirée du *Solitaire*[2]... Si vous voulez, je vous y
mène, ainsi que ces dames?

— Je vous remercie, dit madame Couture.

— Comment, ma voisine! s'écria madame Vauquer,
vous refusez de voir une pièce prise dans *le Solitaire*, un

ouvrage fait par Atala[1] de Chateaubriand, et que nous
aimions tant à lire, qui est si joli que nous pleurions
comme des Madeleines d'Élodie[2] sous les *tieuilles* cet été
dernier, enfin un ouvrage moral qui peut être susceptible
d'instruire votre demoiselle?   5

— Il nous est défendu d'aller à la comédie, répondit
Victorine.

— Allons, les voilà partis,[3] ceux-là, dit Vautrin en remuant d'une manière comique la tête du père Goriot et
celle d'Eugène.   10

En plaçant la tête de l'étudiant sur la chaise, pour
qu'il pût dormir commodément, il le baisa chaleureuse-
ment au front, en chantant:

> Dormez, mes chères amours!
> Pour vous je veillerai toujours.   15

— J'ai peur qu'il ne soit malade, dit Victorine.

— Restez à le soigner alors, reprit Vautrin. C'est, lui
souffla-t-il à l'oreille, votre devoir de femme soumise. Il
vous adore, ce jeune homme, et vous serez sa petite
femme, je vous le prédis. Enfin, dit-il à haute voix, *ils*   20
furent considérés dans tout le pays, vécurent heureux, et
eurent beaucoup d'enfants. Voilà comment finissent tous
les romans d'amour. — Allons, maman, dit-il en se tournant vers madame Vauquer, qu'il étreignit, mettez le
chapeau, la belle robe à fleurs, l'écharpe de la comtesse.   25
Je vais vous aller chercher un fiacre . . . soi-même.

Et il partit en chantant:

> Soleil, soleil, divin soleil,
> Toi qui fais mûrir les citrouilles. . .

— Mon Dieu! dites donc, madame Couture, cet   30
homme-là me ferait vivre heureuse sur les toits. — Allons,
dit-elle en se tournant vers le vermicellier, voilà le père
Goriot parti. Ce vieux cancre-là n'a jamais eu l'idée de

me mener *nune*[1] part, lui. Mais il va tomber par terre, mon Dieu! C'est-y indécent à un homme d'âge de perdre la raison! Vous me direz qu'on ne perd point ce qu'on n'a pas. . . — Sylvie, montez-le donc chez lui.

5 Sylvie prit le bonhomme par-dessous le bras, le fit marcher et le jeta tout habillé, comme un paquet, en travers de son lit.

— Pauvre jeune homme, disait madame Couture en écartant les cheveux d'Eugène qui lui tombaient sur les 10 yeux, il est comme une jeune fille, il ne sait pas ce que c'est qu'un excès.

— Ah! je peux bien dire que, depuis trente et un ans que je tiens ma pension, dit madame Vauquer, il m'est passé bien des jeunes gens par les mains, comme on dit; 15 mais je n'en ai jamais vu d'aussi gentil, d'aussi distingué que M. Eugène. Est-il beau quand il dort! Prenez-lui donc la tête sur votre épaule, madame Couture. Bah! il tombe sur celle de mademoiselle Victorine: il y a un dieu pour les enfants. Encore un peu, il se fendait la 20 tête sur la pomme[2] de la chaise. A eux deux, ils feraient un bien joli couple.

— Ma voisine, taisez-vous donc! s'écria madame Couture, vous dites des choses. . .

— Bah! fit madame Vauquer, il n'entend pas. — 25 Allons, Sylvie, viens m'habiller. Je vais mettre mon grand corset.

— Ah bien! votre grand corset, après avoir dîné, madame? dit Sylvie. Non, cherchez quelqu'un pour vous serrer, ce ne sera pas moi qui serai votre assassin. 30 Vous commettriez là une imprudence à vous coûter la vie.

— Ça m'est égal, il faut faire honneur à M. Vautrin.

— Vous aimez donc bien vos héritiers?

— Allons, Sylvie, pas de raisons, dit la veuve en s'en allant.

— A son âge! dit la cuisinière en montrant sa maîtresse à Victorine.

Madame Couture et sa pupille, sur l'épaule de laquelle dormait Eugène, restèrent seules dans la salle à manger. Les ronflements de Christophe retentissaient dans la maison silencieuse et faisaient ressortir le paisible sommeil d'Eugène, qui dormait aussi gracieusement qu'un enfant. Heureuse de pouvoir se permettre un de ces actes de charité par lesquels s'épanchent tous les sentiments de la femme, et qui lui faisait sans crime sentir le cœur du jeune homme battant sur le sein, Victorine avait dans la physionomie quelque chose de maternellement protecteur qui la rendait fière. A travers les mille pensées qui s'élevaient dans son cœur perçait un tumultueux mouvement de volupté qu'excitait l'échange d'une jeune et pure chaleur.

— Pauvre chère fille! dit madame Couture en lui pressant la main.

La vieille dame admirait cette candide et souffrante figure, sur laquelle était descendue l'auréole du bonheur. Victorine ressemblait à l'une de ces naïves peintures du moyen âge dans lesquelles tous les accessoires sont négligés par l'artiste, qui a réservé la magie d'un pinceau calme et fier pour la figure jaune de ton, mais où le ciel semble se refléter avec ses teintes d'or.

— Il n'a pourtant pas bu plus de deux verres, maman, dit Victorine en passant ses doigts dans la chevelure d'Eugène.

— Mais, si c'était un débauché, ma fille, il aurait

porté le vin comme tous les autres. Son ivresse fait son
éloge.

Le bruit d'une voiture retentit dans la rue.

— Maman, dit la jeune fille, voici M. Vautrin. Prenez
5 donc M. Eugène. Je ne voudrais pas être vue ainsi par
cet homme; il a des expressions qui salissent l'âme, et
des regards qui gênent une femme comme si on lui enle-
vait sa robe.

— Non, dit madame Couture, tu te trompes! M.
10 Vautrin est un brave homme, un peu dans le genre de
défunt M. Couture, brusque mais bon, un bourru bien-
faisant.

En ce moment, Vautrin entra tout doucement, et regarda le tableau formé par ces deux enfants que la lueur
15 de la lampe semblait caresser.

— Eh bien, dit-il en se croisant les bras, voilà de ces
scènes qui auraient inspiré de belles pages à ce bon Bernardin de Saint-Pierre, l'auteur de *Paul et Virginie*.[1] La
jeunesse est bien belle, madame Couture!— Pauvre en-
20 fant, dors, dit-il en contemplant Eugène, le bien vient
quelquefois en dormant. — Madame, reprit-il en s'adressant à la veuve, ce qui m'attache à ce jeune homme, ce
qui m'émeut, c'est de savoir la beauté de son âme en
harmonie avec celle de sa figure. Voyez, n'est-ce pas un
25 chérubin posé sur l'épaule d'un ange? Il est digne d'être
aimé, celui-là! Si j'étais femme, je voudrais mourir (non,
pas si bête!), vivre pour lui. En les admirant ainsi, madame, dit-il à voix basse et se penchant à l'oreille de la
veuve, je ne puis m'empêcher de penser que Dieu les a
30 créés pour être l'un à l'autre. La Providence a des voies
bien cachées, elle sonde les reins et les cœurs, s'écria-t-il
à haute voix. En vous voyant unis, mes enfants, unis

par une même pureté, par tous les sentiments humains,
je me dis qu'il est impossible que vous soyez jamais sé-
parés dans l'avenir. Dieu est juste. — Mais, dit-il à la
jeune fille, il me semble avoir vu chez vous des lignes de
prospérité. Donnez-moi votre main, mademoiselle Victo- 5
rine; je me connais en chiromancie, j'ai dit souvent la
bonne aventure. Allons, n'ayez pas peur. Oh! qu'aper-
çois-je? Foi d'honnête homme, vous serez avant peu l'une
des plus riches héritières de Paris. Vous comblerez de
bonheur celui qui vous aime. Votre père vous appelle 10
auprès de lui. Vous vous mariez avec un homme titré,
jeune, beau, qui vous adore.

En ce moment, les pas lourds de la coquette veuve
qui descendait interrompirent les prophéties de Vautrin.

— Voilà mamman Vauquerre[1] belle comme un astrrre, 15
ficelée comme une carotte.[2] — N'étouffons-nous pas un
petit brin? lui dit-il en mettant sa main sur le haut du
busc; les avant-cœurs[3] sont bien pressés, mamman! Si
nous pleurons, il y aura explosion; mais je ramasserai
les débris avec un soin d'antiquaire.   20

— Il connaît le langage de la galanterie française,
celui-là! dit la veuve en se penchant à l'oreille de madame Couture.

— Adieu, enfants! reprit Vautrin en se tournant vers
Eugène et Victorine. Je vous bénis, leur dit-il en leur 25
imposant ses mains au-dessus de la tête. — Croyez-moi,
mademoiselle, c'est quelque chose que les vœux d'un
honnête homme, ils doivent porter bonheur. Dieu les
écoute.

— Adieu, ma chère amie, dit madame Vauquer à sa pen- 30
sionnaire. Croyez-vous, ajouta-t-elle à voix basse, que M.
Vautrin ait des intentions relatives à ma personne?

— Heu! heu!

— Ah! ma chère mère, dit Victorine en soupirant et
en regardant ses mains, quand les deux femmes furent
seules, si ce bon M. Vautrin disait vrai!

5 — Mais il ne faut qu'une chose pour cela, répondit la
vieille dame, seulement que ton monstre de frère tombe
de cheval. . .

— Ah! maman.

— Mon Dieu, peut-être est-ce un péché que de sou-
10 haiter du mal à son ennemi, reprit la veuve. Eh bien,
j'en ferai pénitence. En vérité, je porterai de bon cœur
des fleurs sur sa tombe. Mauvais cœur! il n'a pas le
courage de parler pour sa mère, dont il garde à ton
détriment l'héritage par des micmacs. Ma cousine
15 avait une belle fortune. Pour ton malheur, il n'a jamais
été question de son apport dans le contrat.

— Mon bonheur me serait souvent pénible à porter s'il
coûtait la vie à quelqu'un, dit Victorine. Et s'il fallait,
pour être heureuse, que mon frère disparût, j'aimerais
20 mieux toujours être ici.

— Mon Dieu, comme dit ce bon M. Vautrin, qui, tu le
vois, est plein de religion, reprit madame Couture, j'ai
eu du plaisir à savoir qu'il n'est pas incrédule comme les
autres, qui parlent de Dieu avec moins de respect que
25 n'en a le diable. Eh bien, qui peut savoir par quelles
voies il plaît à la Providence de nous conduire?

Aidées par Sylvie, les deux femmes finirent par transporter Eugène dans sa chambre, le couchèrent sur son
lit, et la cuisinière lui défit ses habits pour le mettre à
30 l'aise. Avant de partir, quand sa protectrice eut le dos
tourné, Victorine mit un baiser sur le front d'Eugène
avec tout le bonheur que devait lui causer ce criminel

larcin. Elle regarda sa chambre, ramassa pour ainsi
dire dans une seule pensée les mille félicités de cette
journée, en fit un tableau qu'elle contempla longtemps, et
s'endormit la plus heureuse créature de Paris. Le fes-
toiement à la faveur duquel Vautrin avait fait boire à 5
Eugène et au père Goriot du vin narcotisé décida la
perte de cet homme. Bianchon, à moitié gris, oublia
de questionner mademoiselle Michonneau sur Trompe-la-
Mort. S'il avait prononcé ce nom, il aurait certes
éveillé la prudence de Vautrin, ou, pour lui rendre son 10
vrai nom, de Jacques Collin, l'une des célébrités du
bagne. Puis le sobriquet de Vénus du Père-Lachaise
décida mademoiselle Michonneau à livrer le forçat au
moment où, confiante en la générosité de Collin, elle
calculait s'il ne valait pas mieux le prévenir et le faire 15
évader pendant la nuit. Elle venait de sortir, accom-
pagnée de Poiret, pour aller trouver le fameux chef de
la police de sûreté,[1] petite rue Sainte-Anne, croyant
encore avoir affaire à un employé supérieur nommé Gondureau. Le directeur de la police judiciaire[2] la reçut 20
avec grâce. Puis, après une conversation où tout fut
précisé, mademoiselle Michonneau demanda la potion à
l'aide de laquelle elle devait opérer la vérification de la
marque. Au geste de contentement que fit le grand
homme de la petite rue Sainte-Anne, en cherchant une 25
fiole dans un tiroir de son bureau, mademoiselle Michonneau devina qu'il y avait dans cette capture quelque
chose de plus important que l'arrestation d'un simple
forçat. A force de se creuser la cervelle, elle soupçonna
que la police espérait, d'après quelques révélations faites 30
par les traîtres du bagne, arriver à temps pour mettre la
main sur des valeurs considérables. Quand elle eut

exprimé ses conjectures à ce renard, il se mit à sourire, et voulut détourner les soupçons de la vieille fille.

— Vous vous trompez, répondit-il. Collin est la *sorbonne*[1] la plus dangereuse qui jamais se soit trouvée du côté des voleurs. Voilà tout. Les coquins le savent bien; il est leur drapeau, leur soutien, leur Bonaparte enfin; ils l'aiment tous. Ce drôle ne nous laissera jamais sa *tronche* en place de Grève.[2]

Mademoiselle Michonneau ne comprenant pas, Gondureau lui expliqua les deux mots d'argot dont il s'était servi. *Sorbonne* et *tronche* sont deux énergiques expressions du langage des voleurs, qui, les premiers, ont senti la nécessité de considérer la tête humaine sous deux aspects. La *sorbonne* est la tête de l'homme vivant, son conseil, sa pensée. La *tronche* est un mot de mépris destiné à exprimer combien la tête devient peu de chose quand elle est coupée.

— Collin nous joue, reprit-il. Quand nous rencontrons de ces hommes en façon de barres d'acier trempées à l'anglaise,[3] nous avons la ressource de les tuer si, pendant leur arrestation, il s'avisent de faire la moindre résistance. Nous comptons sur quelques voies de fait pour tuer Collin demain matin. On évite ainsi le procès, les frais de garde, la nourriture, et ça débarrasse la société. Les procédures, les assignations aux témoins, leurs indemnités, l'exécution, tout ce qui doit légalement nous défaire de ces garnements-là coûte au delà des mille écus que vous aurez. Il y a économie de temps. En donnant un bon coup de baïonnette dans la panse de Trompe-la-Mort, nous empêcherons une centaine de crimes, et nous éviterons la corruption de cinquante mauvais sujets qui se tiendront bien sagement aux

environs de la correctionnelle.¹   Voilà de la police bien
faite.   Selon les vrais philanthropes, se conduire ainsi,
c'est prévenir les crimes.

— Et c'est servir son pays, dit Poiret.

— Eh bien, répliqua le chef, vous dites des choses sen-   5
sées ce soir, vous.   Oui certes, nous servons le pays.
Aussi le monde est-il bien injuste à notre égard.   Nous
rendons à la société de bien grands services ignorés.
Enfin, il est d'un homme supérieur de se mettre au-dessus
des préjugés, et d'un chrétien d'adopter les malheurs que   10
le bien entraîne après soi quand il n'est pas fait selon
les idées reçues.   Paris est Paris, voyez-vous! Ce mot
explique ma vie. — J'ai l'honneur de vous saluer, mademoiselle.   Je serai avec mes gens au Jardin du Roi²
demain.   Envoyez Christophe rue Buffon, chez M. Gon-   15
dureau, dans la maison où j'étais. — Monsieur, je suis
votre serviteur.   S'il vous était jamais volé quelque chose,
usez de moi pour vous le faire retrouver, je suis à votre
service.

— Eh bien, dit Poiret à mademoiselle Michonneau, il   20
se rencontre des imbéciles que ce mot de police met sens
dessus dessous.   Ce monsieur est très aimable, et ce qu'il
vous demande est simple comme bonjour.

Le lendemain devait prendre place parmi les jours les
plus extraordinaires de l'histoire de la maison Vauquer.   25
Jusqu'alors, l'événement le plus saillant de cette vie paisible avait été l'apparition météorique de la fausse comtesse de l'Ambermesnil.   Mais tout allait pâlir devant
les péripéties de cette grande journée, de laquelle il serait
éternellement question dans les conversations de madame   30
Vauquer.   D'abord Goriot et Eugène de Rastignac dormirent jusqu'à onze heures.   Madame Vauquer, rentrée

à minuit de la Gaîté,[1] resta jusqu'à dix heures et demie
au lit.   Le long sommeil de Christophe, qui avait achevé
le vin offert par Vautrin, causa des retards dans le service
de la maison.   Poiret et mademoiselle Michonneau ne se
plaignirent pas de ce que le déjeuner se reculait.   Quant
à Victorine et à madame Couture, elles dormirent la
grasse matinée.   Vautrin sortit avant huit heures, et
revint au moment même où le déjeuner fut servi.   Personne ne réclama donc lorsque, vers onze heures un
quart, Sylvie et Christophe allèrent frapper à toutes les
portes, en disant que le déjeuner attendait.   Pendant
que Sylvie et le domestique s'absentèrent, mademoiselle
Michonneau, descendant la première, versa la liqueur
dans le gobelet d'argent appartenant à Vautrin, et dans
lequel la crème pour son café chauffait au bain-marie,[2]
parmi tous les autres.   La vieille fille avait compté sur
cette particularité de la pension pour faire son coup.   Ce
ne fut pas sans quelques difficultés que les sept pensionnaires se trouvèrent réunis.   Au moment où Eugène, qui
se détirait les bras, descendait le dernier de tous, un
commissionnaire lui remit une lettre de madame de
Nucingen.   Cette lettre était ainsi conçue :

« Je n'ai ni fausse vanité ni colère avec vous, mon ami.
Je vous ai attendu jusqu'à deux heures après minuit.
Attendre un être que l'on aime !   Qui a connu ce supplice ne l'impose à personne.   Je vois bien que vous
aimez pour la première fois.   Qu'est-il donc arrivé ?
L'inquiétude m'a prise.   Si je n'avais craint de livrer les
secrets de mon cœur, je serais allée savoir ce qui vous
advenait d'heureux ou de malheureux.   Mais sortir à
cette heure, soit à pied, soit en voiture, n'était-ce pas se
perdre ?   J'ai senti le malheur d'être femme.   Rassurez-

moi, expliquez-moi pourquoi vous n'êtes pas venu, après
ce que vous a dit mon père. Je me fâcherai, mais je vous
pardonnerai. Êtes-vous malade? pourquoi se loger si
loin? Un mot, de grâce. A bientôt, n'est-ce pas? Un
mot me suffira si vous êtes occupé. Dites: « J'accours, » 5
ou: « Je souffre. » Mais, si vous étiez mal portant, mon
père serait venu me le dire! Qu'est-il donc arrivé?...»

— Oui, qu'est-il arrivé? s'écria Eugène, qui se précipita
dans la salle à manger en froissant la lettre sans l'achever. Quelle heure est-il?   10

— Onze heures et demie, dit Vautrin en sucrant son
café.

Le forçat évadé jeta sur Eugène le regard froidement
fascinateur que certains hommes éminemment magné-
tiques ont le don de lancer, et qui, dit-on, calme les fous 15
furieux dans les maisons d'aliénés. Eugène trembla
de tous ses membres. Le bruit d'un fiacre se fit entendre dans la rue, et un domestique à la livrée de M.
Taillefer, et que reconnut sur-le-champ madame Couture,
entra précipitamment d'un air effaré.   20

— Mademoiselle, s'écria-t-il, monsieur votre père vous
demande. . . Un grand malheur est arrivé. M. Frédéric
s'est battu en duel, il a reçu un coup d'épée dans le
front, les médecins désespèrent de le sauver; vous aurez
à peine le temps de lui dire adieu, il n'a plus sa connais- 25
sance.

— Pauvre jeune homme! s'écria Vautrin. Comment
se querelle-t-on quand on a trente bonnes mille livres de
rente? Décidément, la jeunesse ne sait pas se conduire.

— Monsieur! lui cria Eugène.   30

— Eh bien, quoi, grand enfant? dit Vautrin en ache-
vant de boire son café tranquillement, opération que

mademoiselle Michonneau suivait de l'œil avec trop
d'attention pour s'émouvoir de l'événement extraordinaire qui stupéfiait toute le monde. N'y a-t-il pas des
duels tous les matins à Paris?

5   — Je vais avec vous, Victorine, disait madame Couture.

Et ces deux femmes s'envolèrent sans châle ni chapeau.
Avant de s'en aller, Victorine, les yeux en pleurs, jeta
sur Eugène un regard qui lui disait: «Je ne croyais pas
10 que notre bonheur dût me causer des larmes!»

— Bah! vous êtes donc prophète, monsieur Vautrin?
dit madame Vauquer.

— Je suis tout, dit Jacques Collin.

— C'est-y[1] singulier! reprit madame Vauquer en en-
15 filant une suite de phrases insignifiantes sur cet événement. La mort nous prend sans nous consulter. Les
jeunes gens s'en vont souvent avant les vieux. Nous
sommes heureuses, nous autres femmes, de n'être pas
sujettes au duel; mais nous avons d'autres maladies que
20 n'ont pas les hommes. Nous faisons les enfants, et le
mal de mère[2] dure longtemps! Quel quine[3] pour Victorine! Son père est forcé de l'adopter.

— Voilà! dit Vautrin en regardant Eugène, hier, elle
était sans un sou; ce matin, elle est riche de plusieurs
25 millions.

— Dites donc, monsieur Eugène, s'écria madame Vauquer, vous avez mis la main au bon endroit.

A cette interpellation, le père Goriot regarda l'étudiant
et lui vit à la main la lettre chiffonnée.

30   — Vous ne l'avez pas achevée! qu'est-ce que cela veut
dire? Seriez-vous comme les autres? lui demanda-t-il.

— Madame, je n'épouserai jamais mademoiselle Victorine, dit Eugène en s'adressant à madame Vauquer avec un sentiment d'horreur et de dégoût qui surprit les assistants.

Le père Goriot saisit la main de l'étudiant et la lui serra.   Il aurait voulu la baiser.

— Oh! oh! fit Vautrin.   Les Italiens ont un bon mot: *col tempo!*[1]

— J'attends la réponse, dit à Rastignac le commissionnaire de madame de Nucingen.

— Dites que j'irai.

L'homme s'en alla.   Eugène était dans un violent état d'irritation qui ne lui permettait pas d'être prudent.

— Que faire? disait-il à haute voix en se parlant à lui-même.   Point de preuves!

Vautrin se mit à sourire.   En ce moment, la potion absorbée par l'estomac commençait à opérer.   Néanmoins, le forçat était si robuste, qu'il se leva, regarda Rastignac, lui dit d'une voix creuse:

— Jeune homme, le bien nous vient en dormant.

Et il tomba roide, comme frappé à mort.

— Il y a donc une justice divine! dit Eugène.

— Eh bien, qu'est-ce qui lui prend donc, à ce pauvre cher M. Vautrin?

— Une apoplexie! cria mademoiselle Michonneau.

— Sylvie, allons, ma fille, va chercher le médecin, dit la veuve. — Ah! monsieur Rastignac, courez donc vite chez M. Bianchon; Sylvie peut ne pas rencontrer notre médecin, M. Grimprel.

Rastignac, heureux d'avoir un prétexte de quitter cette épouvantable caverne, s'enfuit en courant.

— Christophe, allons, trotte chez l'apothicaire demander quelque chose contre l'apoplexie.

Christophe sortit.

— Mais, père Goriot, aidez-nous donc à le transporter là-haut, chez lui.

Vautrin fut saisi, manœuvré à travers l'escalier et mis 5 sur son lit.

— Je ne vous suis bon à rien, je vais voir ma fille, dit M. Goriot.

— Vieil égoïste! s'écria madame Vauquer, va, je te souhaite de mourir comme un chien.

10 — Allez donc voir si vous avez de l'éther, dit à madame Vauquer mademoiselle Michonneau, qui, aidée par Poiret, avait défait les habits de Vautrin.

Madame Vauquer descendit chez elle et laissa mademoiselle Michonneau maîtresse du champ de bataille.

15 — Allons, ôtez-lui donc sa chemise et retournez-le vite! Soyez donc bon à quelque chose en m'épargnant de voir des nudités, dit-elle à Poiret. Vous restez là comme Baba.[1]

Vautrin retourné, mademoiselle Michonneau appliqua 20 sur l'épaule du malade une forte claque, et les deux fatales lettres[2] reparurent en blanc au milieu de la place rouge.

— Tiens, vous avez bien lestement gagné votre gratification de trois mille francs, s'écria Poiret en tenant Vau-25 trin debout, pendant que mademoiselle Michonneau lui remettait sa chemise. — Ouf! il est lourd, reprit-il en le couchant.

— Taisez-vous. S'il y avait une caisse? dit vivement la vieille fille dont les yeux semblaient percer les murs, 30 tant elle examinait avec avidité les moindres meubles de la chambre. — Si l'on pouvait ouvrir ce secrétaire sous un prétexte quelconque? reprit-elle.

— Ce serait peut-être mal, répondit Poiret.

— Non, fit-elle. L'argent volé, ayant été celui de tout le monde, n'est plus à personne. Mais le temps nous manque. J'entends la Vauquer.

— Voilà de l'éther, dit madame Vauquer. Par exemple, c'est aujourd'hui la journée aux aventures. Dieu! cet homme-là ne peut pas être malade, il est blanc comme un poulet.¹

— Comme un poulet? répéta Poiret.

— Son cœur bat régulièrement, dit la veuve en lui posant la main sur le cœur.

— Régulièrement? dit Poiret étonné.

— Il est très bien.

— Vous trouvez? demanda Poiret.

— Dame! il a l'air de dormir. Sylvie est allée chercher un médecin. Dites donc, mademoiselle Michonneau, il renifle à l'éther. Bah! c'est un *se-passe* (un spasme). Son pouls est bon. Il est fort comme un Turc.² Voyez donc, mademoiselle, quelle palatine³ il a sur l'estomac; il vivra cent ans, cet homme-là! Sa perruque tient bièn tout de même. Tiens, elle est collée, il a de faux cheveux, rapport à⁴ ce qu'il est rouge. On dit qu'ils sont tout bons ou tout mauvais, les rouges! Il serait donc bon, lui?

— Bon à pendre, dit Poiret.

— Vous voulez dire au cou d'une jolie femme, s'écria vivement mademoiselle Michonneau. Allez-vous-en donc, monsieur Poiret. Ça nous regarde, nous autres, de vous soigner quand vous êtes malades. D'ailleurs, pour ce à quoi vous êtes bon, vous pouvez bien vous promener, ajouta-t-elle. Madame Vauquer et moi, nous garderons bien ce cher M. Vautrin.

Poiret s'en alla doucement et sans murmurer, comme
un chien à qui son maître donne un coup de pied. Rastignac était sorti pour marcher, pour prendre l'air, il étouf-
fait.   Ce crime commis à heure fixe, il avait voulu l'empê-
5 cher la veille.   Qu'était-il arrivé? Que devait-il faire? Il
tremblait d'en être le complice. Le sang-froid de Vautrin
l'épouvantait encore.

— Si cependant Vautrin mourait sans parler? se disait
Rastignac.

10 Il allait à travers les allées du Luxembourg,[1] comme s'il
eût été traqué par une meute de chiens, et il lui semblait
en entendre les aboiements.

— Eh bien, lui cria Bianchon, as-tu lu *le Pilote?*

Le Pilote était une feuille radicale dirigée par M. Tissot,
15 et qui donnait pour la province, quelques heures après
les journaux du matin, une édition où se trouvaient les
nouvelles du jour, qui alors avaient, dans les départe-
ments, vingt-quatre heures d'avance sur les autres feuilles.

— Il s'y trouve une fameuse histoire, dit l'interne de
20 l'hôpital Cochin.[2] Le fils Taillefer s'est battu en duel
avec le comte Franchessini, de la vieille garde, qui lui a
mis deux pouces de fer dans le front.   Voilà la petite
Victorine un des plus riches partis de Paris. Hein! si on
avait su cela? Quel trente-et-quarante[3] que la mort! Est-
25 il vrai que Victorine te regardait d'un bon œil, toi?

— Tais-toi, Bianchon, je ne l'épouserai jamais. J'aime
une délicieuse femme, j'en suis aimé, je. . .

— Tu dis cela comme si tu te battais les flancs[4] pour ne
pas être infidèle. Montre-moi donc une femme qui vaille
30 le sacrifice de la fortune du sieur Taillefer.

— Tous les démons sont donc après moi? s'écria Rastignac.

— A qui donc en as-tu? es-tu fou? Donne-moi donc la main, dit Bianchon, que je te tâte le pouls. Tu as la fièvre.

— Va donc chez la mère Vauquer, lui dit Eugène; ce scélérat de Vautrin vient de tomber comme mort.

— Ah! dit Bianchon, qui laissa Rastignac seul, tu me confirmes des soupçons que je veux aller vérifier.

La longue promenade de l'étudiant en droit fut solennelle. Il fit en quelque sorte le tour de sa conscience. S'il se frotta, s'il s'examina, s'il hésita, du moins sa probité sortit de cette âpre et terrible discussion éprouvée comme une barre de fer qui résiste à tous les essais. Il se souvint des confidences que le père Goriot lui avait faites la veille, il se rappela l'appartement choisi pour lui près de Delphine, rue d'Artois; il reprit sa lettre, la relut, la baisa.

— Un tel amour est mon ancre de salut,[1] se dit-il. Ce pauvre vieillard a bien souffert par le cœur. Il ne dit rien de ses chagrins, mais qui ne les devinerait pas? Eh bien, j'aurai soin de lui comme d'un père, je lui donnerai mille jouissances. Si elle m'aime, elle viendra souvent chez moi passer la journée près de lui. Cette grande comtesse de Restaud est une infâme, elle ferait un portier de son père. Chère Delphine! elle est meilleure pour le bonhomme, elle est digne d'être aimée. Ah! ce soir, je serai donc heureux!

Il tira la montre, l'admira.

— Tout m'a réussi! Quand on s'aime bien pour toujours, l'on peut s'aider, je puis recevoir cela. D'ailleurs, je parviendrai, certes, et pourrai tout rendre au centuple. Il n'y a dans cette liaison ni crime, ni rien qui puisse faire froncer le sourcil à la vertu la plus sévère. Combien d'honnêtes gens contractent des unions semblables! Nous ne

trompons personne; et ce qui nous avilit, c'est le men-
songe.   Mentir, n'est-ce pas abdiquer? Elle s'est depuis
longtemps séparée de son mari. D'ailleurs, je lui dirai,
moi, à cet Alsacien, de me céder une femme qu'il lui est
5 impossible de rendre heureuse.

   Le combat de Rastignac dura longtemps. Quoique la
victoire dût rester aux vertus de la jeunesse, il fut néanmoins ramené par une invincible curiosité sur les quatre
heures et demie, à la nuit tombante, vers la maison Vau-
10 quer, qu'il se jurait à lui-même de quitter pour toujours.
Il voulait savoir si Vautrin était mort.   Après avoir eu
l'idée de lui administrer un vomitif, Bianchon avait fait
porter à son hôpital les matières rendues par Vautrin, afin
de les analyser chimiquement. En voyant l'insistance que
15 mit mademoiselle Michonneau à vouloir les faire jeter,
ses doutes se fortifièrent. Vautrin fut, d'ailleurs, trop
promptement rétabli pour que Bianchon ne soupçonnât
pas quelque complot contre le joyeux boute en-train de la
pension.   A l'heure où rentra Rastignac, Vautrin se
20 trouvait donc debout, près du poêle, dans la salle à
manger.   Attirés plus tôt que de coutume par la nouvelle
du duel de Taillefer le fils, les pensionnaires, curieux de
connaître les détails de l'affaire et l'influence qu'elle avait
eue sur la destinée de Victorine, étaient réunis, moins le
25 père Goriot, et devisaient de cette aventure.   Quand
Eugène entra, ses yeux rencontrèrent ceux de l'imperturbable Vautrin, dont le regard pénétra si avant dans
son cœur et y remua si fortement quelques cordes mauvaises, qu'il en frissonna.

30   — Eh bien, cher enfant, lui dit le forçat évadé, la Camuse[1] aura longtemps tort avec moi. J'ai, selon ces
dames, soutenu victorieusement un coup de sang qui
aurait dû tuer un bœuf.

—— Ah! vous pouvez bien dire un taureau, s'écria la
veuve Vauquer.

— Seriez-vous donc fâché de me voir en vie? dit Vautrin à l'oreille de Rastignac, dont il crut deviner les
pensées.   Ce serait d'un homme[1] diantrement fort!   5

— Ah! ma foi, dit Bianchon, mademoiselle Michonneau parlait avant-hier d'un monsieur surnommé *Trompe-
la-Mort;* ce nom-là vous irait bien.

Ce mot produisit sur Vautrin l'effet de la foudre: il
pâlit et chancela, son regard magnétique tomba comme   10
un rayon de soleil sur mademoiselle Michonneau, à
laquelle ce jet de volonté cassa les jarrets.[2]   La vieille
fille se laissa couler sur une chaise.   Poiret s'avança
vivement entre elle et Vautrin, comprenant qu'elle était
en danger, tant la figure du forçat devint férocement   15
significative en déposant le masque bénin sous lequel se
cachait sa vraie nature.   Sans rien comprendre encore
à ce drame, tous les pensionnaires restèrent ébahis.   En
ce moment, on entendit le pas de plusieurs hommes et
le bruit de quelques fusils que des soldats firent sonner   20
sur le pavé de la rue.   Au moment où Collin cherchait
machinalement une issue en regardant les fenêtres et les
murs, quatre hommes se montrèrent à la porte du salon.
Le premier était le chef de la police de sûreté, les trois
autres étaient des officiers de paix.   25

— Au nom de la loi et du roi! dit un des officiers,
dont la voix fut couverte par un murmure d'étonnement.

Bientôt le silence régna dans la salle à manger, les
pensionnaires se séparèrent pour livrer passage à trois   30
de ces hommes, qui tous avaient la main dans leur poche
de côté et y tenaient un pistolet armé.   Deux gendarmes

qui suivaient les agents occupèrent la porte du salon, et
deux autres se montrèrent à celle qui conduisait vers
l'escalier.   Le pas et les fusils de plusieurs soldats re-
tentirent sur le pavé caillouteux qui longeait la façade.
5 Tout espoir de fuite fut donc interdit à Trompe-la-Mort,
sur qui tous les regards s'arrêtèrent irrésistiblement.   Le
chef alla droit à lui, commença par lui donner sur la
tête une tape si violemment appliquée, qu'il fit sauter la
perruque et rendit à la tête de Collin toute son horreur.
10 Accompagnées de cheveux rouge-brique et courts qui
leur donnaient un épouvantable caractère de force mêlée
de ruse, cette tête et cette face, en harmonie avec le
buste, furent intelligemment illuminées comme si les
feux de l'enfer les eussent éclairées.   Chacun comprit
15 tout Vautrin, son passé, son présent, son avenir, ses
doctrines implacables, la religion de son bon plaisir, la
royauté que lui donnaient le cynisme de ses pensées, de
ses actes, et la force d'une organisation faite à tout.
Le sang lui monta au visage, et ses yeux brillèrent
20 comme ceux d'un chat sauvage.   Il bondit sur lui-même
par un mouvement empreint d'une si féroce énergie, il
rugit si bien, qu'il arracha des cris de terreur à tous les
pensionnaires.   A ce geste de lion, et s'appuyant de la
clameur générale, les agents saisirent leurs pistolets.
25 Collin comprit son danger en voyant briller le chien de
chaque arme, et donna tout à coup la preuve de la plus
haute puissance humaine.   Horrible et majestueux spectacle! sa physionomie présenta un phénomène qui ne
peut être comparé qu'à celui de la chaudière pleine de
30 cette vapeur fumeuse qui soulèverait des montagnes, et
que dissout en un clin d'œil une goutte d'eau froide.   La
goutte d'eau qui froidit sa rage fut une réflexion rapide

comme un éclair. Il se mit à sourire et regarda sa
perruque.

— Tu n'es pas dans tes jours de politesse, dit-il au
chef de la police de sûreté.

Et il tendit ses mains aux gendarmes en les appelant 5
par un signe de tête.

— Messieurs les gendarmes, mettez-moi les menottes
ou les poucettes.¹ Je prends à témoin les personnes
présentes que je ne résiste pas.

Un murmure admiratif, arraché par la promptitude 10
avec laquelle la lave et le feu sortirent et rentrèrent dans
ce volcan humain, retentit dans la salle.

— Ça te la coupe,² monsieur l'enfonceur, reprit le forçat en regardant le célèbre directeur de la police judiciaire.

                                                          15

— Allons, qu'on se déshabille! lui dit l'homme de la
petite rue Sainte-Anne d'un air plein de mépris.

— Pourquoi? dit Collin. Il y a des dames. Je ne
nie rien, et je me rends.

Il fit une pause, et regarda l'assemblée comme un ora- 20
teur qui va dire des choses surprenantes.

— Écrivez, papa Lachapelle, dit-il en s'adressant à un
petit vieillard en cheveux blancs qui s'était assis au bout
de la table après avoir tiré d'un portefeuille le procès-
verbal de l'arrestation. Je reconnais être Jacques Collin, 25
dit Trompe-la-Mort, condamné à vingt ans de fers; et je
viens de prouver que je n'ai pas volé mon surnom. Si
j'avais seulement levé la main, dit-il aux pensionnaires,
ces trois mouchards-là répandaient tout mon *raisiné*³ sur
le *trimar*⁴ domestique de maman Vauquer. Ces drôles 30
se mêlent de combiner des guets-apens!⁵

Madame Vauquer se trouva mal en entendant ces mots.

— Mon Dieu! c'est à en faire une maladie; moi qui étais hier à la Gaîté avec lui! dit-elle à Sylvie.

— De la philosophie, maman, reprit Collin. Est-ce un malheur d'être allée dans ma loge hier, à la Gaîté?
5 s'écria-t-il. Êtes-vous meilleure que nous? Nous avons moins d'infamie sur l'épaule que vous n'en avez dans le cœur, membres flasques d'une société gangrenée: le meilleur d'entre vous ne me résistait pas. Ses yeux s'arrêtèrent sur Rastignac, auquel il adressa un sourire
10 gracieux qui contrastait singulièrement avec la rude expression de sa figure. — Notre petit marché va toujours, mon ange, en cas d'acceptation toutefois! Vous savez?

Il chanta:

> Ma Fanchette est charmante
> Dans sa simplicité.

15

— Ne soyez pas embarrassé, reprit-il, je sais faire mes recouvrements. On me craint trop pour me *flouer*, moi!

Le bagne avec ses mœurs et son langage, avec ses brusques transitions du plaisant à l'horrible, son épou-
20 vantable grandeur, sa familiarité, sa bassesse, fut tout à coup représenté dans cette interpellation et par cet homme, qui ne fut plus un homme, mais le type de toute une nation dégénérée, d'un peuple sauvage et logique, brutal et souple. En un moment, Collin devint un
25 poète infernal où se peignirent tous les sentiments humains, moins un seul, celui du repentir. Son regard était celui de l'archange déchu qui veut toujours la guerre. Rastignac baissa les yeux en acceptant ce cousinage criminel comme une expiation de ses mauvaises
30 pensées.

— Qui m'a trahi? dit Collin en promenant son terrible regard sur l'assemblée.

Et, l'arrêtant sur mademoiselle Michonneau:

— C'est toi, lui dit-il, vieille cagnotte![1] Tu m'as donné
un faux coup de sang,[2] curieuse!... En disant deux
mots, je pourrais te faire scier le cou dans huit jours. Je
te pardonne, je suis chrétien. D'ailleurs, ce n'est pas 5
toi qui m'as vendu. Mais qui?— Ah! ah! vous fouillez
là-haut, s'écria-t-il en entendant les officiers de la police
judiciaire qui ouvraient ses armoires et s'emparaient de
ses effets. Dénichés les oiseaux, envolés d'hier. Et
vous ne saurez rien. Mes livres de commerce sont là, 10
dit-il en se frappant le front. Je sais qui m'a vendu
maintenant. Ce ne peut être que ce gredin de Fil-de-
Soie. — Pas vrai, père l'empoigneur? dit-il au chef de la
police. Ça s'accorde trop bien avec le séjour de nos
billets de banque là-haut. Plus rien, mes petits mou- 15
chards. Quant à Fil-de-Soie, il sera *terré* sous quinze
jours,[3] lors même que vous le feriez garder par toute
votre gendarmerie. — Que lui avez-vous donné, à cette
Michonnette?[4] dit-il aux gens de police. Un millier
d'écus! Je valais mieux que ça, Ninon[5] cariée, Pompa- 20
dour en loques, Vénus du Père-Lachaise! Si tu m'avais
prévenu, tu aurais eu six mille francs. Ah! tu ne t'en
doutais pas, vieille vendeuse de chair; sans quoi, j'aurais
eu la préférence. Oui, je les aurais donnés pour éviter
un voyage qui me contrarie et qui me fait perdre de 25
l'argent, disait-il pendant qu'on lui mettait les menottes.
Ces gens-là vont se faire un plaisir de me traîner un
temps infini pour m'*otolondrer*.[6] S'ils m'envoyaient tout
de suite au bagne, je serais bientôt rendu à mes occupations, malgré nos petits badauds[7] du quai des Orfèvres. 30
Là-bas, ils vont tous se mettre l'âme à l'envers pour
faire évader leur général, ce bon Trompe-la-Mort! Y

a-t-il un de vous qui soit, comme moi, riche de plus de
dix mille frères prêts à tout faire pour vous? demanda-
t-il avec fierté.   Il y a du bon là, dit-il en se frappant le
cœur; je n'ai jamais trahi personne!— Tiens, cagnotte,
5 vois-les, dit-il en s'adressant à la vieille fille.   Ils me regardent avec terreur, mais, toi, tu leur soulèves le cœur
de dégoût.   Ramasse ton lot.

Il fit une pause en contemplant les pensionnaires.

— Êtes-vous bêtes, vous autres! n'avez-vous jamais vu
10 de forçat? Un forçat de la trempe de Collin, ici présent,
est un homme moins lâche que les autres, et qui proteste
contre les profondes déceptions du contrat social, comme
dit Jean-Jacques,[1] dont je me glorifie d'être l'élève. Enfin, je suis seul contre le gouvernement avec son tas de
15 tribunaux, de gendarmes, de budgets, et je les roule.[2]

— Diantre! dit le peintre, il est fameusement beau à
dessiner.

— Dis-moi, menin[3] de monseigneur le bourreau, gou-
verneur de la Veuve (nom plein de terrible poésie que
20 les forçats donnent à la guillotine), ajouta-t-il en se tournant vers le chef de la police de sûreté, sois bon enfant,
dis-moi si c'est Fil-de-Soie qui m'a vendu. Je ne voudrais pas qu'il payât pour un autre, ce ne serait pas juste.

En ce moment, les agents, qui avaient tout ouvert et
25 tout inventorié chez lui, rentrèrent et parlèrent à voix
basse au chef de l'expédition.

Le procès-verbal était fini.

— Messieurs, dit Collin en s'adressant aux pensionnaires, ils vont m'emmener. Vous avez été tous très
30 aimables pour moi pendant mon séjour ici, j'en aurai de
la reconnaissance. Recevez mes adieux. Vous me per-
mettrez de vous envoyer des figues de Provence.[4]

Il fit quelques pas, et se retourna pour regarder Rastignac.

— Adieu, Eugène, dit-il d'une voix douce et triste qui contrastait singulièrement avec le ton brusque de ses discours. Si tu étais gêné, je t'ai laissé un ami dévoué. 5

Malgré ses menottes, il put se mettre en garde, fit un appel de maître d'armes, cria: « Une, deux! » et se fendit.

— En cas de malheur, adresse-toi là. Homme et argent, tu peux disposer de tout.

Ce singulier personnage mit assez de bouffonnerie 10 dans ces dernières paroles pour qu'elles ne pussent être comprises que de Rastignac et de lui. Quand la maison fut évacuée par les gendarmes, par les soldats et par les agents de la police, Sylvie, qui frottait de vinaigre les tempes de sa maîtresse, regarda les pensionnaires étonnés. 15

— Eh bien, dit-elle, c'était un homme tout de même.

Cette phrase rompit le charme que produisaient sur chacun l'affluence et la diversité des sentiments excités par cette scène. En ce moment, les pensionnaires, après s'être examinés entre eux, virent tous à la fois mademoi- 20 selle Michonneau grêle, sèche et froide autant qu'une momie, tapie près du poêle, les yeux baissés, comme si elle eût craint que l'ombre de son abat-jour[1] ne fût pas assez forte pour cacher l'expression de ses regards. Cette figure, qui leur était antipathique depuis si long- 25 temps, fut tout à coup expliquée. Un murmure, qui, par sa parfaite unité de son, trahissait un dégoût unanime, retentit sourdement. Mademoiselle Michonneau l'entendit et resta. Bianchon, le premier, se pencha vers son voisin.

30

— Je décampe si cette fille doit continuer à dîner avec nous, dit-il à demi-voix.

En un clin d'œil chacun, moins Poiret, approuva la proposition de l'étudiant en médecine, qui, fort de l'adhésion générale, s'avança vers le vieux pensionnaire.

— Vous qui êtes lié particulièrement avec mademoiselle Michonneau, lui dit-il, parlez-lui, faites-lui comprendre qu'elle doit s'en aller à l'instant même.

— A l'instant même? répéta Poiret étonné.

Puis il vint auprès de la vieille, et lui dit quelques mots à l'oreille.

— Mais mon terme est payé, je suis ici pour mon argent comme tout le monde, dit-elle en lançant un regard de vipère sur les pensionnaires.

— Qu'à cela ne tienne! nous nous cotiserons pour vous le rendre, dit Rastignac.

— Monsieur soutient Collin, répondit-elle en jetant sur l'étudiant un regard venimeux et interrogateur, il n'est pas difficile de savoir pourquoi.

A ce mot, Eugène bondit comme pour se ruer sur la vieille fille et l'étrangler. Ce regard, dont il comprit les perfidies, venait de jeter une horrible lumière dans son âme.

— Laissez-la donc, s'écrièrent les pensionnaires.

Rastignac se croisa les bras et resta muet.

— Finissons-en avec mademoiselle Judas, dit le peintre en s'adressant à madame Vauquer. Madame, si vous ne mettez pas à la porte la Michonneau, nous quittons tous votre baraque, et nous dirons partout qu'il ne s'y trouve que des espions et des forçats. Dans le cas contraire, nous nous tairons tous sur cet événement, qui, au bout du compte, pourrait arriver dans les meilleures sociétés, jusqu'à ce qu'on marque les galériens au front, et qu'on leur défende de se déguiser en bourgeois de

Paris et de se faire aussi bêtement farceurs qu'ils le sont
tous.

A ce discours, madame Vauquer retrouva miraculeu-
sement la santé, se redressa, se croisa les bras, ouvrit
ses yeux clairs et sans apparence de larmes.   5

— Mais, mon cher monsieur, vous voulez donc la ruine
de ma maison? Voilà M. Vautrin. . . Oh! mon Dieu, se
dit-elle en s'interrompant elle-même, je ne puis pas m'empêcher de l'appeler par son nom d'honnête homme!
Voilà, reprit-elle, un appartement vide, et vous voulez   10
que j'en aie deux de plus à louer dans une saison où tout
le monde est casé. . .

— Messieurs, prenons nos chapeaux, et allons dîner
place Sorbonne, chez Flicoteaux, dit Bianchon.

Madame Vauquer calcula d'un seul coup d'œil le parti   15
le plus avantageux, et roula jusqu'à mademoiselle
Michonneau.

— Allons, ma chère petite belle, vous ne voulez pas
la mort de mon établissement, hein? Vous voyez à
quelle extrémité me réduisent ces messieurs; remontez   20
dans votre chambre pour ce soir.

— Du tout, du tout, crièrent les pensionnaires, nous
voulons qu'elle sorte à l'instant.

— Mais elle n'a pas dîné, cette pauvre demoiselle, dit
Poiret d'un ton piteux.   •   25

— Elle ira dîner où elle voudra, crièrent plusieurs
voix.

— A la porte, la moucharde!

— A la porte, les mouchards!

— Messieurs, s'écria Poiret, qui s'éleva tout à coup à   30
la hauteur du courage que l'amour prête aux béliers, respectez une personne du sexe.

— Les mouchards ne sont d'aucun sexe, dit le peintre.

— Fameux sexorama!

— A la portorama!

— Messieurs, ceci est indécent. Quand on renvoie
les gens, on doit y mettre des formes.[1] Nous avons
payé, nous restons, dit Poiret en se couvrant de sa casquette et se plaçant sur une chaise à côté de mademoiselle Michonneau, que prêchait madame Vauquer.

— Méchant, lui dit le peintre d'un air comique, petit
méchant, va!

— Allons, si vous ne vous en allez pas, nous nous en
allons nous autres, dit Bianchon.

Et les pensionnaires firent en masse un mouvement
vers le salon.

— Mademoiselle, que voulez-vous donc? s'écria madame Vauquer. Je suis ruinée. Vous ne pouvez pas
rester, ils vont en venir à des actes de violence.

Mademoiselle Michonneau se leva.

— Elle s'en ira! — Elle ne s'en ira pas — Elle s'en
ira! Elle ne s'en ira pas!

Ces mots dits alternativement et l'hostilité des propos
qui commençaient à se tenir sur elle contraignirent mademoiselle Michonneau à partir, après quelques stipula-
tions faites à voix basse avec l'hôtesse.

— Je vais chez madame Buneaud, dit-elle d'un air menaçant.

— Allez où vous voudrez, mademoiselle, dit madame
Vauquer, qui vit une cruelle injure dans le choix qu'elle
faisait d'une maison avec laquelle elle rivalisait, et qui
lui était conséquemment odieuse. Allez chez la Buneaud,
vous aurez du vin à faire danser les chèvres et des plats
achetés chez les regrattiers.

Les pensionnaires se mirent sur deux files dans le plus grand silence. Poiret regarda si tendrement mademoiselle Michonneau, il se montra si naïvement indécis, pour savoir s'il devait la suivre ou rester, que les pensionnaires, heureux du départ de mademoiselle Michonneau, se mirent à rire en se regardant.

— Xi xi xi![1] Poiret, lui cria le peintre. Allons, houp là! houp!

L'employé au Muséum se mit à chanter comiquement ce début d'une romance connue:

> Partant pour la Syrie,[2]
> Le jeune et beau Dunois...

— Allez donc, vous en mourez d'envie; *trahit sua quemque voluptas!*[3] dit Bianchon.

— Chacun suit sa particulière,[4] traduction libre de Virgile, dit le répétiteur.

Mademoiselle Michonneau ayant fait le geste de prendre le bras de Poiret en le regardant, il ne put résister à cet appel et vint donner son appui à la vieille. Des applaudissements éclatèrent, et il y eut une explosion de rires.

— Bravo, Poiret! — Ce vieux Poiret! — Apollon-Poiret! — Mars-Poiret! — Courageux Poiret!

En ce moment, un commissionnaire entra, remit une lettre à madame Vauquer, qui se laissa couler sur sa chaise après l'avoir lue.

— Mais il n'y a plus qu'à brûler ma maison, le tonnerre[5] y tombe! Le fils Taillefer est mort à trois heures. Je suis bien punie d'avoir souhaité du bien à ces dames au détriment de ce pauvre jeune homme. Madame Couture et Victorine me redemandent leurs effets, et vont demeurer chez son père. M. Taillefer permet à sa fille de

garder la veuve Couture comme demoiselle de compagnie.
Quatre appartements vacants, cinq pensionnaires de
moins!...

Elle s'assit et parut près de pleurer.

5   — Le malheur est entré chez moi, s'écria-t-elle.

Le roulement d'une voiture qui s'arrêtait retentit tout
à coup dans la rue.

— Encore quelque chape-chute![1] dit Sylvie.

Goriot montra soudain une physionomie brillante et
10 colorée de bonheur, qui pouvait faire croire à sa régéné-
ration.

— Goriot en fiacre? dirent les pensionnaires.   La fin
du monde arrive!

Le bonhomme alla droit à Eugène, qui restait pensif
15 dans un coin, et le prit par le bras.

— Venez, lui dit-il d'un air joyeux.

Vous ne savez donc pas ce qui se passe? lui dit Eugène.   Vautrin était un forçat que l'on vient d'arrêter,
et le fils Taillefer est mort.

20   — Eh bien, qu'est-ce que ça nous fait? répondit le
père Goriot.   Je dîne avec ma fille, chez vous, entendez-
vous?   Elle vous attend, venez!

Il tira si violemment Rastignac par le bras, qu'il le fit
marcher de force, et parut l'enlever comme si c'eût été sa
25 maîtresse.

— Dînons, cria le peintre.

En ce moment, chacun prit sa chaise et s'attabla.

— Par exemple, dit la grosse Sylvie, tout est malheur
aujourd'hui, mon haricot de mouton s'est attaché.[2]   Bah!
30 vous le mangerez brûlé, tant pire![3]

Madame Vauquer n'eut pas le courage de dire un mot
en ne voyant que dix personnes au lieu de dix-huit

autour de sa table; mais chacun tenta de la consoler et
de l'égayer. Si d'abord les externes s'entretinrent de
Vautrin et des événements de la journée, ils obéirent
bientôt à l'allure serpentine de leur conversation, et se
mirent à parler des duels, du bagne, de la justice, des 5
lois à refaire, des prisons. Puis ils se trouvèrent à mille
lieues de Jacques Collin, de Victorine et de son frère.
Quoiqu'ils ne fussent que dix, ils crièrent comme vingt,
et semblaient être plus nombreux qu'à l'ordinaire; ce fut
toute la différence qu'il y eut entre ce dîner et celui de 10
la veille. L'insouciance habituelle de ce monde égoïste
qui, le lendemain, devait avoir dans les événements
quotidiens de Paris une autre proie à dévorer, reprit le
dessus, et madame Vauquer elle-même se laissa calmer
par l'espérance, qui emprunta la voix de la grosse 15
Sylvie.

Cette journée devait être jusqu'au soir une fantasma-
gorie pour Eugène, qui, malgré la force de son caractère
et la bonté de sa tête, ne savait comment classer ses
idées, quand il se trouva dans le fiacre à côté du père 20
Goriot, dont les discours trahissaient une joie inaccoutu-
mée, et retentissaient à son oreille, après tant d'émotions, comme les paroles que nous entendons en rêve.

— C'est fini de ce matin. Nous dînons tous les trois
ensemble, ensemble! comprenez-vous? Voici quatre ans 25
que je n'ai dîné avec ma Delphine, ma petite Delphine.
Je vais l'avoir à moi pendant toute une soirée. Nous
sommes chez vous depuis ce matin. J'ai travaillé comme
un manœuvre, habit bas. J'aidais à porter les meubles.
Ah! ah! vous ne savez pas comme elle est gentille à 30
table, elle s'occupera de moi: «Tenez, papa, mangez
donc de cela, c'est bon.» Et alors, je ne peux pas man-

ger. Oh! y a-t-il longtemps que je n'ai été tranquille
avec elle comme nous allons l'être!

— Mais, lui dit Eugène, aujourd'hui, le monde est
donc renversé?

— Renversé? dit le père Goriot. Mais à aucune
époque le monde n'a si bien été. Je ne vois que des
figures gaies dans les rues, des gens qui se donnent des
poignées de main, et qui s'embrassent; des gens heureux
comme s'ils allaient tous dîner chez leur fille, y *gobichonner* [1] un bon petit dîner qu'elle a commandé devant moi
au chef du café des Anglais.[2] Mais, bah! près d'elle le
chicotin serait doux comme miel.

— Je crois revenir à la vie, dit Eugène.

— Mais. marchez donc, cocher! cria le père Goriot en
ouvrant la glace de devant. Allez donc plus vite, je vous
donnerai cent sous pour boire si vous me menez en dix
minutes là où vous savez.

En entendant cette promesse, le cocher traversa Paris
avec la rapidité de l'éclair.

— Il ne va pas, ce cocher, disait le père Goriot.

— Mais où me conduisez-vous donc? lui demanda
Rastignac.

— Chez vous, dit le père Goriot.

La voiture s'arrêta rue d'Artois. Le bonhomme descendit le premier et jeta dix francs au cocher avec
la prodigalité d'un homme veuf qui, dans le paroxysme
de son plaisir, ne prend garde à rien.

— Allons, montons, dit-il à Rastignac en lui faisant
traverser une cour et le conduisant à la porte d'un
appartement situé au troisième étage, sur le derrière
d'une maison neuve et de belle apparence.

Le père Goriot n'eut pas besoin de sonner. Thérèse,

la femme de chambre de madame de Nucingen, leur
ouvrit la porte. Eugène se vit dans un délicieux appartement de garçon, composé d'une antichambre, d'un
petit salon, d'une chambre à coucher et d'un cabinet
ayant vue sur un jardin. Dans le petit salon, dont 5
l'ameublement et le décor pouvaient soutenir la comparaison avec ce qu'il y avait de plus joli, de plus gracieux,
il aperçut, à la lumière des bougies, Delphine, qui se leva
d'une causeuse, au coin du feu, mit son écran sur la
cheminée, et lui dit avec une intonation de voix chargée 10
de tendresse:

— Il a donc fallu vous aller chercher, monsieur qui ne
comprenez rien !

Thérèse sortit. L'étudiant prit Delphine dans ses
bras, la serra vivement et pleura de joie. Ce dernier 15
contraste entre ce qu'il voyait et ce qu'il venait de voir,
dans un jour où tant d'irritations avaient fatigué son
cœur et sa tête, détermina chez Rastignac un accès de
sensibilité nerveuse.

— Je savais bien, moi, qu'il t'aimait, dit tout bas le 20
père Goriot à sa fille, pendant qu'Eugène, abattu, gisait
sur la causeuse sans pouvoir prononcer une parole ni se
rendre compte encore de la manière dont ce dernier coup
de baguette avait été frappé.

— Mais venez donc voir, lui dit madame de Nucingen 25
en le prenant par la main et l'emmenant dans une
chambre dont les tapis, les meubles et les moindres
détails lui rappelèrent, en de plus petites proportions,
celle de Delphine.

— Il y manque un lit, dit Rastignac.   30

— Oui, monsieur, dit-elle en rougissant et lui serrant
la main.

Eugène la regarda, et comprit, jeune encore, tout ce qu'il y a de pudeur vraie dans un cœur de femme aimante.

—Vous êtes une de ces créatures que l'on doit adorer toujours, lui dit-elle à l'oreille. Oui, j'ose vous le dire, puisque nous nous comprenons si bien: plus vif et sincère est l'amour, plus il doit être voilé, mystérieux. Ne donnons notre secret à personne.

—Oh! je ne serai pas quelqu'un, moi, dit le père Goriot en grognant.

—Vous savez bien que vous êtes *nous*, vous. . .

—Ah! voilà ce que je voulais. Vous ne ferez pas attention à moi, n'est-ce pas? J'irai, je viendrai comme un bon esprit qui est partout, et qu'on sait être là sans le voir. Eh bien, Delphinette, Ninette, Dedel! n'ai-je pas eu raison de te dire: «Il y a un joli appartement rue d'Artois, meublons-le pour lui!» Tu ne voulais pas. Ah! c'est moi qui suis l'auteur de ta joie, comme je suis l'auteur de tes jours. Les pères doivent toujours donner pour être heureux. Donner toujours, c'est ce qui fait qu'on est père.

—Comment? dit Eugène.

—Oui, elle ne voulait pas, elle avait peur qu'on ne dît des bêtises, comme si le monde valait le bonheur! Mais toutes les femmes rêvent de faire ce qu'elle fait. . .

Le père Goriot parlait tout seul, madame de Nucingen avait emmené Rastignac dans le cabinet, où le bruit d'un baiser retentit, quelque légèrement qu'il fût pris. Cette pièce était en rapport avec l'élégance de l'appartement, dans lequel d'ailleurs rien ne manquait.

—A-t-on bien deviné vos vœux? dit-elle en revenant dans le salon pour se mettre à table.

— Oui, dit-il, trop bien.   Hélas! ce luxe si complet,
ces beaux rêves réalisés, toutes les poésies d'une vie
jeune, élégante, je les sens trop pour ne pas les mériter;
mais je ne puis les accepter de vous, et je suis trop pauvre
encore pour. . .   5

— Ah! ah! vous me résistez déjà, dit-elle d'un petit
air d'autorité railleuse en faisant une de ces jolies moues
que font les femmes quand elles veulent se moquer de
quelque scrupule pour le mieux dissiper.

Eugène s'était trop solennellement interrogé pendant 10
cette journée, et l'arrestation de Vautrin, en lui montrant
la profondeur de l'abîme dans lequel il avait failli rouler,
venait de trop bien corroborer ses sentiments nobles et
sa délicatesse, pour qu'il cédât à cette caressante réfuta-
tion de ses idées généreuses.   Une profonde tristesse 15
s'empara de lui.

— Comment! dit madame de Nucingen, vous refuse-
riez? Savez-vous ce que signifie un refus semblable?
Vous doutez de l'avenir, vous n'osez pas vous lier à moi.
Vous avez donc peur de trahir mon affection? Si vous 20
m'aimez, si je . . . vous aime, pourquoi reculez-vous
devant d'aussi minces obligations? Si vous connaissiez
le plaisir que j'ai eu à m'occuper de tout ce ménage de
garçon, vous n'hésiteriez pas, et vous me demanderiez
pardon.   J'avais de l'argent à vous, je l'ai bien employé, 25
voilà tout.   Vous croyez être grand, et vous êtes petit.
Vous demandez bien plus . . . (Ah! dit-elle en saisissant
un regard de passion chez Eugène) et vous faites des
façons pour des niaiseries.   Si vous ne m'aimez point,
oh! oui, n'acceptez pas.   Mon sort est dans un mot. 30
Parlez! — Mais, mon père, dites-lui donc quelques bonnes
raisons, ajouta-t-elle en se tournant vers son père après

une pause.   Croit-il que je ne sois pas moins chatouil-
leuse que lui sur notre honneur?

Le père Goriot avait le sourire fixe d'un thériaki[1] en
voyant, en écoutant cette jolie querelle.

5   — Enfant! vous êtes à l'entrée de la vie, reprit-elle en
saisissant la main d'Eugène, vous trouvez une barrière
insurmontable pour beaucoup de gens, une main de femme
vous l'ouvre, et vous reculez! Mais vous réussirez, vous
ferez une brillante fortune, le succès est écrit sur votre
10 beau front.   Ne pourrez-vous pas alors me rendre ce
que je vous prête aujourd'hui? Autrefois, les dames ne
donnaient-elles pas à leurs chevaliers des armures, des
épées, des casques, des cottes de mailles, des chevaux,
afin qu'ils pussent aller combattre en leur nom dans les
15 tournois? Eh bien, Eugène, les choses que je vous offre
sont les armes de l'époque, des outils nécessaires à qui veut
être quelque chose.   Il est joli, le grenier où vous êtes,
s'il ressemble à la chambre de papa! Voyons, nous ne
dînerons donc pas? Voulez-vous m'attrister? Répondez
20 donc? dit-elle en lui secouant la main. — Mon Dieu, papa,
décide-le donc, ou je sors et ne le revois jamais.

— Je vais vous décider, dit le père Goriot en sortant
de son extase.   Mon cher monsieur Eugène, vous allez
emprunter de l'argent à des juifs, n'est-ce pas?

25   — Il le faut bien, dit-il.

— Bon! je vous tiens, reprit le bonhomme en tirant un
mauvais portefeuille en cuir tout usé.   Je me suis fait
juif, j'ai payé toutes les factures, les voici.   Vous ne
devez pas un centime pour tout ce qui se trouve ici.   Ça
30 ne fait pas une grosse somme, tout au plus cinq mille
francs.   Je vous les prête, moi! Vous ne me refuserez
pas, je ne suis pas une femme.   Vous m'en ferez une re-

connaissance sur un chiffon de papier, et vous me les rendrez plus tard.

Quelques pleurs roulèrent à la fois dans les yeux d'Eugène et de Delphine, qui se regardèrent avec surprise. Rastignac tendit la main au bonhomme et la lui serra.

— Eh bien, quoi! n'êtes-vous pas mes enfants? dit Goriot.

— Mais, mon pauvre père, dit madame de Nucingen, comment avez-vous donc fait?

— Ah! nous y voilà, répondit-il. Quand je t'ai eu décidée à le mettre près de toi, que je t'ai vue achetant des choses comme pour une mariée, je me suis dit: «Elle va se trouver dans l'embarras!» L'avoué prétend que le procès à intenter à ton mari, pour lui faire rendre ta fortune, durera plus de six mois. Bon. J'ai vendu mes treize cent cinquante livres de rente perpétuelle; je me suis fait, avec quinze mille francs, douze cents francs de rentes viagères bien hypothéquées, et j'ai payé vos marchands avec le reste du capital, mes enfants. Moi, j'ai là-haut une chambre de cinquante écus par an, je peux vivre comme un prince avec quarante sous par jour, et j'aurai encore du reste. Je n'use rien, il ne me faut presque pas d'habits. Voilà quinze jours que je ris dans ma barbe en me disant: «Vont-ils être heureux!» Eh bien, n'êtes-vous pas heureux?

— Oh! papa, papa! dit madame de Nucingen en sautant sur son père, qui la reçut sur ses genoux.

Elle le couvrit de baisers, lui caressa les joues avec ses cheveux blonds, et versa des pleurs sur ce vieux visage épanoui, brillant.

— Cher père, vous êtes un père! Non, il n'existe pas deux pères comme vous sous le ciel. Eugène vous aimait bien déjà, que sera-ce maintenant!

— Mais, mes enfants, dit le père Goriot qui, depuis
dix ans, n'avait pas senti le cœur de sa fille battre sur le
sien, mais, Delphinette, tu veux donc me faire mourir de
joie! Mon pauvre cœur se brise. Allez, monsieur Eugène,
5 nous sommes déjà quittes!

Et le vieillard serrait sa fille par une étreinte si sauvage,
se délirante, qu'elle dit:

— Ah! tu me fais mal.

— Je te fais mal! dit-il en pâlissant.

10 Il la regarda d'un air surhumain de douleur. Pour
bien peindre la physionomie de ce Christ de la paternité,
il faudrait aller chercher des comparaisons dans les
images que les princes de la palette ont inventées pour
peindre la passion soufferte au bénéfice des mondes par
15 le Sauveur des hommes. Le père Goriot baisa bien
doucement la ceinture que ses doigts avaient trop
pressée.

— Non, non, je ne t'ai pas fait mal? reprit-il en la
questionnant par un sourire; c'est toi qui m'as fait mal
20 avec ton cri. Ça coûte plus cher, dit-il à l'oreille de sa
fille en la lui baisant avec précaution, mais faut l'attraper; sans quoi, il se fâcherait.

Eugène était pétrifié par l'inépuisable dévouement de
cet homme, et le contemplait en exprimant cette naïve
25 admiration qui, au jeune âge, est de la foi.

— Je serai digne de tout cela, s'écria-t-il.

— O mon Eugène, c'est beau, ce que vous venez de
dire là.

Et madame de Nucingen baisa l'étudiant au front.

30 — Il a refusé pour toi mademoiselle Taillefer et ses
millions, dit le père Goriot. Oui, elle vous aimait, la
petite; et, son frère mort, la voilà riche comme Crésus.

— Oh! pourquoi le dire; s'écria Rastignac.

— Eugène, lui dit Delphine à l'oreille, maintenant, j'ai
un regret pour ce soir. Ah! je vous aimerai bien, moi!
et toujours.

— Voilà la plus belle journée que j'ai eue depuis vos 5
mariages! s'écria le père Goriot. Le bon Dieu peut me
faire souffrir tant qu'il lui plaira, pourvu que ce ne soit
pas par vous, je me dirai: «En février de cette année,
j'ai été pendant un moment plus heureux que les
hommes ne peuvent l'être pendant toute leur vie.»— 10
Regarde-moi, Fifine! dit-il à sa fille. — Elle est bien
belle, n'est-ce pas? Dites-moi donc, avez-vous rencontré
beaucoup de femmes qui aient ses jolies couleurs et sa
petite fossette? Non, pas vrai? Eh bien, c'est moi qui
ai fait cet amour de femme. Désormais, en se trouvant 15
heureuse par vous, elle deviendra mille fois mieux. Je
puis aller en enfer, mon voisin, dit-il, s'il vous faut ma
part de paradis, je vous la donne. Mangeons, mangeons,
reprit-il en ne sachant plus ce qu'il disait, tout est à
nous.   20

— Ce pauvre père!

— Si tu savais, mon enfant, dit-il en se levant et allant
à elle, lui prenant la tête et la baisant au milieu de ses
nattes de cheveux, combien tu peux me rendre heureux
à bon marché! viens me voir quelquefois, je serai là- 25
haut, tu n'auras qu'un pas à faire. Promets-le-moi, dis!

— Oui, cher père.

— Dis encore.

— Oui, mon bon père.

— Tais-toi, je te le ferais dire cent fois si je m'écou- 30
tais. Dînons.

La soirée tout entière fut employée en enfantillages, et

le père Goriot ne se montra pas le moins fou des trois.
Il se couchait aux pieds de sa fille pour les baiser; il la
regardait longtemps dans les yeux; il frottait sa tête
contre sa robe; enfin il faisait des folies comme en aurait
5 fait l'amant le plus jeune et le plus tendre.

— Voyez-vous, dit Delphine à Eugène, quand mon
père est avec nous, il faut être tout à lui. Ce sera pourtant bien gênant quelquefois.

Eugène, qui s'était senti déjà plusieurs fois des mou-
10 vements de jalousie, ne pouvait pas blâmer ce mot, qui
renfermait le principe de toutes les ingratitudes.

— Et quand l'appartement sera-t-il fini? dit Eugène
en regardant autour de la chambre. Il faudra donc nous
quitter ce soir?

15 — Oui; mais, demain, vous viendrez dîner avec moi,
dit-elle d'un air fin. Demain est un jour d'Italiens.

— J'irai au parterre, moi, dit le père Goriot.

Il était minuit. La voiture de madame de Nucingen
attendait. Le père Goriot et l'étudiant retournèrent à
20 la maison Vauquer en s'entretenant de Delphine avec un
croissant enthousiasme qui produisit un curieux combat
d'expressions entre ces deux violentes passions. Eugène
ne pouvait pas se dissimuler que l'amour du père, qu'aucun intérêt personnel n'entachait, écrasait le sien par sa
25 persistance et par son étendue. L'idole était toujours
pure et belle pour le père, et son adoration s'accroissait
de tout le passé comme de l'avenir. Ils trouvèrent madame Vauquer seule au coin de son poêle, entre Sylvie et
Christophe. La vieille hôtesse était là comme Marius
30 sur les ruines de Carthage.[1] Elle attendait les deux
seuls pensionnaires qui lui restassent, en se désolant
avec Sylvie. Quoique lord Byron[2] ait prêté d'assez

belles lamentations au Tasse, elles sont bien loin de la profonde vérité de celles qui échappaient à madame Vauquer.

— Il n'y aura donc que trois tasses de café à faire demain matin, Sylvie. Hein! ma maison déserte, n'est-ce pas à fendre le cœur? Qu'est-ce que la vie sans mes pensionnaires? Rien du tout. Voilà ma maison démeublée de ses hommes. La vie est dans les meubles. Qu'ai-je fait au ciel pour m'être attiré tous ces désastres? Nos provisions de haricots et de pommes de terre sont faites pour vingt personnes. La police chez moi! Nous allons donc ne manger que des pommes de terre! Je renverrai donc Christophe!

Le Savoyard, qui dormait, se réveilla soudain et dit:

— Madame?

— Pauvre garçon! c'est comme un dogue, dit Sylvie.

— Une saison morte, chacun s'est casé. D'où me tombera-t-il des pensionnaires? J'en perdrai la tête. Et cette sibylle de Michonneau qui m'enlève Poiret! Qu'est-ce qu'elle lui faisait donc pour s'être attaché cet homme-là, qui la suit comme un toutou?

— Ah! dame, fit Sylvie en hochant la tête, ces vieilles filles, ça connaît les rubriques.

— Ce pauvre M. Vautrin dont ils ont fait un forçat, reprit la veuve, eh bien, Sylvie, c'est plus fort que moi, je ne le crois pas encore. Un homme gai comme ça, qui prenait du gloria pour quinze francs par mois, et qui payait rubis sur l'ongle![1]

— Et qui était généreux! dit Christophe.

— Il y a erreur, dit Sylvie.

— Mais non, il a avoué lui-même, reprit madame Vauquer. Et dire que toutes ces choses-là sont arrivées chez

moi, dans un quartier où il ne passe pas un chat! Foi
d'honnête femme, je rêve. Car, vois-tu, nous avons vu
Louis XVI avoir son accident,[1] nous avons vu tomber
l'empereur,[2] nous l'avons vu revenir et retomber, tout
5 cela, c'était dans l'ordre des choses possibles; tandis
qu'il n'y a point de chances contre les pensions bourgeoises: on peut se passer de roi, mais il faut toujours
qu'on mange; et, quand une honnête femme, née de
Conflans, donne à dîner avec toutes bonnes choses, mais
10 à moins que la fin du monde n'arrive. . . Mais c'est ça,
c'est la fin du monde!

   — Et penser que mademoiselle Michonneau, qui vous
fait tout ce tort, va recevoir, à ce qu'on dit, mille écus
de rente, s'écria Sylvie.

15   — Ne m'en parle pas, ce n'est qu'une scélérate! dit
madame Vauquer. Et elle va chez la Buneaud, par-
dessus le marché! Mais elle est capable de tout, elle a
dû faire des horreurs, elle a tué, volé, dans son temps.
Elle devait aller au bagne à la place de ce pauvre cher
20 homme. . .

   En ce moment, Eugène et le père Goriot sonnèrent.

   —Ah! voilà mes deux fidèles, dit la veuve en soupirant.

   Les deux fidèles, qui n'avaient qu'un fort léger sou-
25 venir des désastres de la pension bourgeoise, annoncèrent
sans cérémonie à leur hôtesse qu'ils allaient demeurer à
la Chaussée-d'Antin.

   — Ah! Sylvie, dit la veuve, voilà mon dernier atout.

   —Vous m'avez donné le coup de la mort, messieurs! ça
30 m'a frappée dans l'*estomaque*. J'ai une barre là. Voilà
une journée qui me met dix ans de plus sur la tête. Je
deviendrai folle, ma parole d'honneur! Que faire des

haricots? — Ah bien, si je suis seule ici, tu t'en iras demain, Christophe. — Adieu, messieurs, bonne nuit.

— Qu'a-t-elle donc? demanda Eugène à Sylvie.

— Dame! voilà tout le monde parti par suite des
affaires. Ça lui a troublé la tête. Allons, je l'entends 5
qui pleure. Ça lui fera du bien de *chigner*.[1] Voilà la
première fois qu'elle se vide les yeux depuis que je suis
à son service.

Le lendemain, madame Vauquer s'était, suivant son
expression, *raisonnée*. Si elle parut affligée comme une 10
femme qui avait perdu tous ses pensionnaires, et dont la
vie était bouleversée, elle avait toute sa tête, et montra
ce qu'était la vraie douleur, une douleur profonde, la
douleur causée par l'intérêt froissé, par les habitudes
rompues. Certes, le regard qu'un amant jette sur les 15
lieux habités par sa maîtresse, en les quittant, n'est pas
plus triste que ne le fut celui de madame Vauquer sur sa
table vide. Eugène la consola en lui disant que Bianchon,
dont l'internat finissait dans quelques jours, viendrait
sans doute le remplacer; que l'employé du Muséum avait 20
souvent manifesté le désir d'avoir l'appartement de madame Couture, et que, dans peu de jours, elle aurait re-
monté son personnel.

— Dieu vous entende, mon cher monsieur! mais le
malheur est ici. Avant dix jours, la mort y viendra, 25
vous verrez, lui dit-elle en jetant un regard lugubre sur
la salle à manger. Qui prendra-t-elle?

— Il fait bon déménager, dit tout bas Eugène au père
Goriot.

— Madame, dit Sylvie en accourant effarée, voici trois 30
jours que je n'ai vu Mistigris.

— Ah bien, si mon chat est mort, s'il nous a quittés, je...

La pauvre veuve n'acheva pas, elle joignit les mains et se renversa sur le dos de son fauteuil accablée par ce terrible pronostic.

Vers midi, heure à laquelle les facteurs arrivaient dans
5 le quartier du Panthéon, Eugène reçut une lettre élégamment enveloppée, cachetée aux armes de Beauséant. Elle contenait une invitation adressée à M. et à madame de Nucingen pour le grand bal annoncé depuis un mois, et qui devait avoir lieu chez la vicomtesse. A cette invita-
10 tion était joint un petit mot pour Eugène :

« J'ai pensé, monsieur, que vous vous chargeriez avec plaisir d'être l'interprète de mes sentiments auprès de madame de Nucingen ; je vous envoie l'invitation que vous m'avez demandée, et serai charmée de faire la con-
15 naissance de la sœur de madame de Restaud. Amenez-moi donc cette jolie personne, et faites en sorte qu'elle ne prenne pas toute votre affection, vous m'en devez beaucoup en retour de celle que je vous porte.

« Vicomtesse DE BEAUSÉANT.»

20 — Mais, se dit Eugène en relisant ce billet, madame de Beauséant me dit assez clairement qu'elle ne veut pas du baron de Nucingen.

Il alla promptement chez Delphine, heureux d'avoir à lui procurer une joie dont il recevrait sans doute le prix.
25 Madame de Nucingen était au bain. Rastignac attendit dans le boudoir, en butte aux impatiences naturelles à un jeune homme ardent et pressé de prendre possession d'une maîtresse, l'objet d'une année de désirs. C'est des émotions qui ne se rencontrent pas deux fois dans
30 la vie des jeunes gens. La première femme réellement femme à laquelle s'attache un homme, c'est-à-dire celle qui se présente à lui dans la splendeur des accompagne-

ments que veut la société parisienne, celle-là n'a jamais
de rivale. L'amour à Paris ne ressemble en rien aux
autres amours. Ni les hommes ni les femmes n'y sont
dupes des montres pavoisées de lieux communs que
chacun étale par décence sur ses affections soi-disant 5
désintéressées. En ce pays, une femme ne doit pas
satisfaire seulement le cœur et les sens, elle sait parfaitement qu'elle a de plus grandes obligations à remplir envers les mille vanités dont se compose la vie. Là surtout
l'amour est essentiellement vantard, effronté, gaspilleur, 10
charlatan et fastueux. Si toutes les femmes de la cour
de Louis XIV ont envié à mademoiselle de la Vallière[1]
l'entraînement de la passion qui fit oublier à ce grand
prince que ses manchettes coûtaient chacune mille écus
quand il les déchira pour faciliter au duc de Vermandois[2] 15
son entrée sur la scène du monde, que peut-on demander
au reste de l'humanité? Soyez jeunes, riches et titrés,
soyez mieux encore, si vous pouvez; plus vous apporterez
de grains d'encens à brûler devant l'idole, plus elle vous
sera favorable, si toutefois vous avez une idole. L'amour 20
est une religion, et son culte doit coûter plus cher que
celui de toutes les autres religions; il passe promptement
et passe en gamin qui tient à marquer son passage par
des dévastations. Le luxe du sentiment est la poésie
des greniers; sans cette richesse, qu'y deviendrait l'a- 25
mour? S'il est des exceptions à ces lois draconiennes
du code parisien, elles se rencontrent dans la solitude,
chez les âmes qui ne se sont point laissé entraîner par
les doctrines sociales, qui vivent près de quelque source
aux eaux claires, fugitives, mais incessantes; qui, fidèles 30
à leurs ombrages verts, heureuses d'écouter le langage
de l'infini, écrit pour elles en toute chose et qu'elles re-

trouvent en elles-mêmes, attendent patiemment leurs
ailes en plaignant ceux de la terre. Mais Rastignac,
semblable à la plupart des jeunes gens, qui, par avance,
ont goûté les grandeurs, voulait se présenter tout armé
5 dans la lice du monde; il en avait épousé la fièvre, et se
sentait peut-être la force de le dominer, mais sans connaître ni les moyens ni le but de cette ambition. A
défaut d'un amour pur et sacré, qui remplit la vie, cette
soif du pouvoir peut devenir une belle chose ; il suffit de
10 dépouiller tout intérêt personnel et de se proposer la
grandeur d'un pays pour objet. Mais l'étudiant n'était
pas encore arrivé au point d'où l'homme peut contempler
le cours de la vie et la juger. Jusqu'alors, il n'avait
même pas complètement secoué le charme des fraîches
15 et suaves idées qui enveloppent comme d'un feuillage la
jeunesse des enfants élevés en province. Il avait con-
tinuellement hésité à franchir le Rubicon[1] parisien. Malgré ses ardentes curiosités, il avait toujours conservé quelques arrière-pensées de la vie heureuse que mène le vrai
20 gentilhomme dans son château. Néanmoins, ses derniers
scrupules avaient disparu la veille, quand il s'était vu
dans son appartement. En jouissant des avantages
matériels de la fortune, comme il jouissait depuis longtemps des avantages moraux que donne la naissance, il
25 avait dépouillé sa peau d'homme de province, et s'était
doucement établi dans une position d'où il découvrait
un bel avenir. Aussi, en attendant Delphine, mollement
assis dans ce joli boudoir qui devenait un peu le sien, se
voyait-il si loin du Rastignac venu l'année dernière à
30 Paris, qu'en le lorgnant par un effet d'optique morale, il
se demandait s'il se ressemblait en ce moment à lui-
même.

— Madame est dans sa chambre, vint lui dire Thérèse, qui le fit tressaillir.

Il trouva Delphine étendue sur sa causeuse, au coin du feu, fraîche, reposée. A la voir ainsi étalée sur des flots de mousseline, il était impossible de ne pas la com- 5 parer à ces belles plantes de l'Inde dont le fruit vient dans la fleur.

— Eh bien, nous voilà, dit-elle avec émotion.

— Devinez ce que je vous apporte, dit Eugène en s'as- seyant près d'elle et lui prenant le bras pour lui baiser 10 la main.

Madame de Nucingen fit un mouvement de joie en lisant l'invitation. Elle tourna sur Eugène ses yeux mouillés, et lui jeta ses bras au cou pour l'attirer à elle dans un délire de satisfaction vaniteuse.   15

— Et c'est vous (toi, lui dit-elle à l'oreille; mais Thé- rèse est dans mon cabinet de toilette, soyons prudents!), vous à qui je dois ce bonheur? Oui, j'ose appeler cela un bonheur. Obtenu par vous, n'est-ce pas plus qu'un triomphe d'amour-propre? Personne ne m'a voulu pré- 20 senter dans ce monde. Vous me trouverez peut-être en ce moment petite, frivole, légère comme une Parisienne; mais pensez, mon ami, que je suis prête à tout vous sa- crifier, et que, si je souhaite plus ardemment que jamais d'aller dans le faubourg Saint-Germain, c'est que vous y 25 êtes.

— Ne pensez-vous pas, dit Eugène, que madame de Beauséant a l'air de nous dire qu'elle ne compte pas voir le baron de Nucingen à son bal?

— Mais oui, dit la baronne en rendant la lettre à Eu- 30 gène. Ces femmes-là ont le génie de l'impertinence. Mais n'importe, j'irai. Ma sœur doit s'y trouver, je sais

qu'elle prépare une toilette délicieuse. Eugène, reprit
elle à voix basse, elle y va pour dissiper d'affreux soupçons. Vous ne savez pas les bruits qui courent sur elle!
Nucingen est venu me dire ce matin qu'on en parlait
5 hier au cercle sans se gêner. A quoi tient, mon Dieu,
l'honneur des femmes et des familles! Je me suis sentie
attaquée, blessée dans ma pauvre sœur. Selon certaines
personnes, M. de Trailles aurait souscrit des lettres de
change montant à cent mille francs, presque toutes
10 échues, et pour lesquelles il allait être poursuivi. Dans
cette extrémité, ma sœur aurait vendu ses diamants à un
juif, ces beaux diamants que vous avez pu lui voir, et
qui viennent de madame de Restaud la mère. Enfin,
depuis deux jours, il n'est question que de cela. Je con-
15 çois alors qu'Anastasie se fasse faire une robe lamée, et
veuille attirer sur elle tous les regards chez madame de
Beauséant en y paraissant dans tout son éclat et avec
ses diamants. Mais je ne veux pas être au-dessous d'elle.
Elle a toujours cherché à m'écraser, elle n'a jamais été
20 bonne pour moi, qui lui rendais tant de services, qui
avais toujours de l'argent pour elle quand elle n'en avait
pas. . . Mais laissons le monde; aujourd'hui, je veux
être tout heureuse.

Rastignac était encore à une heure du matin chez ma-
25 dame de Nucingen, qui, en lui prodiguant l'adieu des
amants, cet adieu plein des joies à venir, lui dit avec
une expression de mélancolie:

— Je suis si peureuse, si superstitieuse, donnez à mes
pressentiments le nom qu'il vous plaira, que je tremble
30 de payer mon bonheur par quelque affreuse catastrophe.

— Enfant! dit Eugène.

— Ah! c'est moi qui suis l'enfant ce soir, dit-elle en riant.

Eugène revint à la maison Vauquer avec la certitude de la quitter le lendemain; il s'abandonna donc pendant la route à ces jolis rêves que font tous les jeunes gens quand ils ont encore sur les lèvres le goût du bonheur.

— Eh bien? lui dit le père Goriot quand Rastignac passa devant sa porte.

— Eh bien, répondit Eugène, je vous dirai tout demain.

— Tout, n'est-ce pas? cria le bonhomme. Couchez-vous. Nous allons commencer demain notre vie heureuse.

Le lendemain, Goriot et Rastignac n'attendaient plus que le bon vouloir d'un commissionnaire pour partir de la pension bourgeoise, quand, vers midi, le bruit d'un équipage qui s'arrêtait précisément à la porte de la maison Vauquer retentit dans la rue Neuve-Sainte-Geneviève. Madame de Nucingen descendit de sa voiture, demanda si son père était encore à la pension. Sur la réponse affirmative de Sylvie, elle monta lestement l'escalier. Eugène se trouvait chez lui sans que son voisin le sût. Il avait, en déjeunant, prié le père Goriot d'emporter ses effets, en lui disant qu'ils se retrouveraient à quatre heures rue d'Artois. Mais, pendant que le bonhomme avait été chercher des porteurs, Eugène, ayant promptement répondu à l'appel de l'école, était revenu sans que personne l'eût aperçu, pour compter avec madame Vauquer, ne voulant pas laisser cette charge à Goriot, qui, dans son fanatisme, aurait sans doute payé pour lui. L'hôtesse était sortie. Eugène remonta chez lui pour voir s'il n'y oubliait rien, et s'applaudit d'avoir

eu cette pensée en voyant dans le tiroir de sa table l'acceptation en blanc,[1] souscrite à Vautrin, qu'il avait in-
souciamment jetée là le jour où il l'avait acquittée.
N'ayant pas de feu, il allait la déchirer en petits mor-
5 ceaux quand, en reconnaissant la voix de Delphine, il ne
voulut faire aucun bruit, et s'arrêta pour l'entendre, en
pensant qu'elle ne devait avoir aucun secret pour lui.
Puis, dès les premiers mots, il trouva la conversation
entre le père et la fille trop intéressante pour ne pas
10 l'écouter.

— Ah! mon père, dit-elle, plaise au ciel que vous ayez
eu l'idée de demander compte de ma fortune assez à
temps pour que je ne sois pas ruinée! Puis-je parler?

— Oui, la maison est vide, dit le père Goriot d'une
15 voix altérée.

— Qu'avez-vous donc, mon père? demanda madame
de Nucingen.

— Tu viens, répondit le vieillard, de me donner un
coup de hache sur la tête. Dieu te pardonne, mon en-
20 fant! Tu ne sais pas combien je t'aime; si tu l'avais su,
tu ne m'aurais pas dit brusquement de semblables choses,
surtout si rien n'est désespéré. Qu'est-il donc arrivé de
si pressant, pour que tu sois venue me chercher ici
quand dans quelques instants nous allions être rue
25 d'Artois?

— Eh! mon père, est-on maître de son premier mouvement dans une catastrophe? Je suis folle! Votre avoué
nous a fait découvrir un peu plus tôt le malheur qui sans
doute éclatera plus tard. Votre vieille expérience com-
30 merciale va nous devenir nécessaire, et je suis accourue
vous chercher comme on s'accroche à une branche quand
on se noie. Lorsque M. Derville a vu Nucingen lui

opposer mille chicanes, il l'a menacé d'un procès en lui disant que l'autorisation du président du tribunal serait promptement obtenue. Nucingen est venu ce matin chez moi pour me demander si je voulais sa ruine et la mienne. Je lui ai répondu que je ne me connaissais à rien de tout cela, que j'avais une fortune, que je devais être en possession de ma fortune, et que tout ce qui avait rapport à ce démêlé regardait mon avoué, que j'étais de la dernière ignorance et dans l'impossibilité de rien entendre à ce sujet. N'est-ce pas ce que vous m'aviez recommandé de dire?

— Bien, répondit le père Goriot.

— Eh bien, reprit Delphine, il m'a mise au fait de ses affaires. Il a jeté tous ses capitaux et les miens dans des entreprises à peine commencées, et pour lesquelles il a fallu mettre de grandes sommes en dehors. Si je le forçais à me représenter ma dot, il serait obligé de déposer son bilan; tandis que, si je veux attendre un an, il s'engage sur l'honneur à me rendre une fortune double ou triple de la mienne en plaçant mes capitaux dans des opérations territoriales à la fin desquelles je serai maîtresse de tous les biens. Mon cher père, il était sincère, il m'a effrayée. Il m'a demandé pardon de sa conduite, il m'a rendu ma liberté, m'a permis de me conduire à ma guise, à la condition de le laisser entièrement maître de gérer les affaires sous mon nom. Il m'a promis, pour me prouver sa bonne foi, d'appeler M. Derville toutes les fois que je le voudrais pour juger si les actes en vertu desquels il m'instituerait propriétaire seraient convenablement rédigés. Enfin il s'est remis entre mes mains pieds et poings liés.[1] Il demande encore pendant deux ans la conduite de la maison, et il m'a suppliée de ne

rien dépenser pour moi de plus qu'il ne m'accorde. Il
m'a prouvé que tout ce qu'il pouvait faire était de conserver les apparences, qu'il avait renvoyé sa danseuse,
et qu'il allait être contraint à la plus stricte mais à la
5 plus sourde économie, afin d'atteindre au terme de ses
spéculations sans altérer son crédit. Je l'ai malmené,
j'ai tout mis en doute afin de le pousser à bout et d'en
apprendre davantage: il m'a montré ses livres, enfin il
a pleuré. Je n'ai jamais vu d'homme en pareil état. Il
10 avait perdu la tête, il parlait de se tuer, il délirait. Il m'a
fait pitié.

— Et tu crois à ces sornettes?... s'écria le père
Goriot. C'est un comédien! J'ai rencontré des Alle-
mands en affaires: ces gens-là sont presque tous de
15 bonne foi, pleins de candeur; mais, quand, sous leur air
de franchise et de bonhomie, ils se mettent à être malins
et charlatans, ils le sont alors plus que les autres. Ton
mari t'abuse. Il se sent serré de près,[1] il fait le mort,
il veut rester plus maître sous ton nom qu'il ne l'est sous
20 le sien. Il va profiter de cette circonstance pour se
mettre à l'abri des chances de son commerce. Il est
aussi fin que perfide; c'est un mauvais gars.[2] Non, non,
je ne m'en irai pas au Père-Lachaise en laissant mes
filles dénuées de tout. Je me connais encore un peu aux
25 affaires. Il a, dit-il, engagé ses fonds dans les entreprises;
eh bien, ses intérêts sont représentés par des valeurs, par
des reconnaissances, par des traités! qu'il les montre, et
liquide avec toi. Nous choisirons les meilleures spéculations, nous en courrons les chances, et nous aurons
30 les titres récognitifs[3] en notre nom de *Delphine Goriot,
épouse séparée quant aux biens[4] du baron de Nucingen.*
Mais nous prend-il pour des imbéciles, celui-là? Croit-

îl que je puisse supporter pendant deux jours l'idée de
te laisser sans fortune, sans pain? Je ne la supporterais
pas un jour, pas une nuit, pas deux heures! Si cette
idée était vraie, je n'y survivrais pas. Eh quoi! j'aurai
travaillé pendant quarante ans de ma vie, j'aurai porté 5
des sacs sur mon dos, j'aurai sué des averses,[1] je me
serai privé pendant toute ma vie pour vous, mes anges,
qui me rendiez tout travail, tout fardeau léger; et, aujourd'hui, ma fortune, ma vie, s'en iraient en fumée!
Ceci me ferait mourir enragé. Par tout ce qu'il y a de 10
plus sacré sur terre et au ciel, nous allons tirer ça au
clair,[2] vérifier les livres, la caisse, les entreprises! Je ne
dors pas, je ne me couche pas, je ne mange pas qu'il ne
me soit prouvé que ta fortune est là tout entière. Dieu
merci, tu es séparée de biens; tu auras maître Derville 15
pour avoué, un honnête homme heureusement. Jour de
Dieu! tu garderas ton bon petit million, tes cinquante
mille livres de rente, jusqu'à la fin de tes jours, ou je
fais un tapage dans Paris, ah! ah! Mais je m'adresserais
aux Chambres si les tribunaux nous victimaient. Te 20
savoir tranquille et heureuse du côté de l'argent, mais
cette pensée allégeait tous mes maux et calmait mes
chagrins. L'argent, c'est la vie. Monnaie fait tout.
Que nous chante-t-il donc, cette grosse souche d'Alsacien?
Delphine, ne fais pas une concession d'un quart de liard 25
à cette grosse bête, qui t'a mise à la chaîne[3] et t'a rendue
malheureuse. S'il a besoin de toi, nous le tricoterons
ferme,[4] et nous le ferons marcher droit. Mon Dieu, j'ai
la tête en feu, j'ai dans le crâne quelque chose qui me
brûle. Ma Delphine sur la paille! Oh! ma Fifine, toi! 30
Sapristi! où sont mes gants? Allons! partons, je veux
aller tout voir, les livres, les affaires, la caisse, la cor-

respondance, à l'instant. Je ne serai calme que quand
il me sera prouvé que ta fortune ne court plus de risques,
et que je la verrai de mes yeux.

— Mon cher père, allez-y prudemment!... Si vous
5 mettiez la moindre velléité de vengeance en cette affaire,
et si vous montriez des intentions trop hostiles, je serais
perdue. Il vous connaît, il a trouvé tout naturel que,
sous votre inspiration, je m'inquiétasse de ma fortune;
mais, je vous le jure, il la tient en ses mains, et a voulu
10 la tenir. Il est homme à s'enfuir avec tous les capitaux
et à nous laisser là, le scélérat! Il sait bien que je ne
déshonorerai pas moi-même le nom que je porte en le
poursuivant. Il est à la fois fort et faible. J'ai bien
tout examiné. Si nous le poussons à bout, je suis
15 ruinée.

— Mais c'est donc un fripon?

— Eh bien, oui, mon père, dit-elle en se jetant sur une
chaise en pleurant. Je ne voulais pas vous l'avouer pour
vous épargner le chagrin de m'avoir mariée à un homme
20 de cette espèce-là! Mœurs secrètes et conscience, l'âme
et le corps, tout en lui s'accorde! c'est effroyable: je le
hais et le méprise. Oui, je ne puis plus estimer ce vil
Nucingen après tout ce qu'il m'a dit. Un homme capable
de se jeter dans les combinaisons commerciales dont il
25 m'a parlé n'a pas la moindre délicatesse, et mes craintes
viennent de ce que j'ai lu parfaitement dans son âme. Il
m'a nettement proposé, lui, mon mari, la liberté, vous
savez ce que cela signifie? si je voulais être, en cas de
malheur, un instrument entre ses mains, enfin si je vou-
30 lais lui servir de prête-nom.

— Mais les lois sont là! Mais il y a une place de Grève
pour les gendres de cette espèce-là! s'écria le père Goriot;

mais je le guillotinerais moi-même s'il n'y avait pas de bourreau.

— Non, mon père, il n'y a pas de lois contre lui. Écoutez en deux mots son langage, dégagé des circonlocutions dont il l'enveloppait: «Ou tout est perdu, vous 5 n'avez pas un liard, vous êtes ruinée; car je ne saurais choisir pour complice une autre personne que vous; ou vous me laisserez conduire à bien mes entreprises.» Est-ce clair? Il tient encore à moi. Ma probité de femme le rassure; il sait que je lui laisserai sa fortune, et me con- 10 tenterai de la mienne. C'est une association improbe et voleuse à laquelle je dois consentir sous peine d'être ruinée. Il m'achète ma conscience et la paye en me laissant être à mon aise la femme d'Eugène. «Je te permets de commettre des fautes, laisse-moi faire des crimes en 15 ruinant de pauvres gens!» Ce langage est-il encore assez clair? Savez-vous ce qu'il nomme faire des opérations? Il achète des terrains nus sous son nom, puis il y fait bâtir des maisons par des hommes de paille. Ces hommes concluent les marchés pour les bâtisses avec tous les entre- 20 preneurs, qu'ils payent en effets à longs termes, et consentent, moyennant une légère somme, à donner quittance à mon mari, qui est alors possesseur des maisons, tandis que ces hommes s'acquittent avec les entrepreneurs dupés en faisant faillite. Le nom de la maison de Nucingen a 25 servi à éblouir les pauvres constructeurs. J'ai compris cela. J'ai compris aussi que, pour prouver, en cas de besoin, le payement de sommes énormes, Nucingen a envoyé des valeurs considérables à Amsterdam, à Londres, à Naples, à Vienne. Comment les saisirions-nous? 30

Eugène entendit le son lourd des genoux du père Goriot, qui tomba sans doute sur le carreau de sa chambre.

— Mon Dieu, que t'ai-je fait ? Ma fille livrée à ce misé
rable, il exigera tout d'elle s'il le veut. — Pardon, ma
fille ! cria le vieillard.

—Oui, si je suis dans un abîme, il y a peut-être de
5 votre faute, dit Delphine.   Nous avons si peu de raison
quand nous nous marions ! Connaissons-nous le monde,
les affaires, les hommes, les mœurs ? Les pères devraient
penser pour nous.   Cher père, je ne vous reproche rien,
pardonnez-moi ce mot.   En ceci la faute est tout à moi.
10 Non, ne pleurez point, papa, dit-elle en baisant le front
de son père.

— Ne pleure pas non plus, ma petite Delphine. Donne
tes yeux, que je les essuie en les baisant. Va ! je vais retrouver ma caboche et débrouiller l'écheveau d'affaires
15 que ton mari a mêlé.

— Non, laissez-moi faire ; je saurai le manœuvrer.   Il
m'aime, eh bien, je me servirai de mon empire sur lui
pour l'amener à me placer promptement quelques capitaux en propriétés. Peut-être lui ferai-je racheter sous mon
20 nom Nucingen, en Alsace, il y tient.   Seulement, venez
demain pour examiner ses livres, ses affaires. M. Derville
ne sait rien de ce qui est commercial. . . Non, ne venez
pas demain. Je ne veux pas me tourner le sang. Le bal
de madame de Beauséant a lieu après-demain, je veux me
25 soigner pour y être belle, reposée, et faire honneur à mon
cher Eugène ! . . . Allons donc voir sa chambre.

En ce moment, une voiture s'arrêta dans la rue Neuve-
Sainte-Geneviève, et l'on entendit dans l'escalier la voix
de madame de Restaud, qui disait à Sylvie :

30   — Mon père y est-il ?

Cette circonstance sauva heureusement Eugène, qui mé-
ditait déjà de se jeter sur son lit et de feindre d'y dormir.

— Ah! mon père, vous a-t-on parlé d'Anastasie? dit Delphine en reconnaissant la voix de sa sœur. Il paraîtrait qu'il lui arrive aussi de singulières choses dans son ménage.

— Quoi donc? dit le père Goriot: ce serait donc ma fin. Ma pauvre tête ne tiendra pas à un double malheur.

— Bonjour, mon père, dit la comtesse en entrant.— Ah! te voilà, Delphine.

Madame de Restaud parut embarrassée de rencontrer sa sœur.

— Bonjour, Nasie, dit la baronne. Trouves-tu donc ma présence extraordinaire? Je vois mon père tous les jours, moi.

— Depuis quand?

— Si tu y venais, tu le saurais.

— Ne me taquine pas, Delphine, dit la comtesse d'une voix lamentable. — Je suis bien malheureuse, je suis perdue, mon pauvre père! oh! bien perdue cette fois!

— Qu'as-tu, Nasie? cria le père Goriot. Dis-nous tout, mon enfant. Elle pâlit!— Delphine, allons, secours-la donc, sois bonne pour elle, je t'aimerai encore mieux, si je peux, toi!

— Ma pauvre Nasie, dit madame de Nucingen en asseyant sa sœur, parle. Tu vois en nous les deux seules personnes qui t'aimeront toujours assez pour te pardonner tout. Vois-tu, les affections de famille sont les plus sûres.

Elle lui fit respirer des sels et la comtesse revint à elle.

— J'en mourrai! dit le père Goriot. Voyons, reprit-il en remuant son feu de mottes, approchez-vous toutes les deux. J'ai froid. Qu'as-tu, Nasie? Dis vite, tu me tues...

— Eh bien, dit la pauvre femme, mon mari sait tout.
Figurez-vous, mon père, il y a quelque temps, vous souvenez-vous de cette lettre de change de Maxime? Eh bien,
ce n'était pas la première. J'en avais déjà payé beaucoup.
Vers le commencement de janvier, M. de Trailles me paraissait bien chagrin. Il ne me disait rien; mais il est si
facile de lire dans le cœur des gens qu'on aime, un rien
suffit: puis il y a des pressentiments. Enfin il était plus
aimant, plus tendre que je ne l'avais jamais vu, j'étais
toujours plus heureuse. Pauvre Maxime! dans sa pensée,
il me faisait ses adieux, m'a-t-il dit: il voulait se brûler
la cervelle! Enfin je l'ai tant tourmenté, tant supplié, je
suis restée deux heures à ses genoux... il m'a dit qu'il
devait cent mille francs! Oh! papa, cent mille francs! Je
suis devenue folle. Vous ne les aviez pas, j'avais tout dévoré...

— Non, dit le père Goriot, je n'aurais pas pu les faire,
à moins d'aller les voler. Mais j'y aurais été, Nasie!
J'irai.

A ce mot lugubrement jeté, comme un son du râle
d'un mourant, et qui accusait l'agonie du sentiment
paternel réduit à l'impuissance, les deux sœurs firent une
pause. Quel égoïsme serait resté froid à ce cri de désespoir qui, semblable à une pierre lancée dans un gouffre,
en révélait la profondeur?

— Je les ai trouvés en disposant de ce qui ne m'appartenait pas, mon père, dit la comtesse en fondant en
larmes.

Delphine fut émue et pleura en mettant la tête sur le
cou de sa sœur.

— Tout est donc vrai! lui dit-elle.

Anastasie baissa la tête, madame de Nucingen la saisit

à plein corps, la baisa tendrement, et, l'appuyant sur son cœur:

— Ici, tu seras toujours aimée sans être jugée, lui dit-elle.

— Mes anges, dit Goriot d'une voix faible, pourquoi 5 votre union est-elle due au malheur?

— Pour sauver la vie de Maxime, enfin pour sauver tout mon bonheur, reprit la comtesse encouragée par ces témoignages d'une tendresse chaude et palpitante, j'ai porté chez cet usurier que vous connaissez, un homme 10 fabriqué par l'enfer, que rien ne peut attendrir, ce M. Gobseck, les diamants de famille auxquels tient tant M. de Restaud, les siens, les miens, tout, je les ai vendus. Vendus! comprenez-vous? Il a été sauvé! mais, moi, je suis morte. Restaud a tout su. 15

— Par qui? comment? Que je le tue! cria le père Goriot.

— Hier, il m'a fait appeler dans sa chambre. J'y suis allée... «Anastasie, m'a-t-il dit d'une voix... (oh! sa voix a suffi, j'ai tout deviné), où sont vos diamants?— 20 Chez moi. — Non, m'a-t-il dit en me regardant, ils sont là, sur ma commode.» Et il m'a montré l'écrin qu'il avait couvert de son mouchoir. «Vous savez d'où ils viennent?» m'a-t-il dit. Je suis tombée à ses genoux... j'ai pleuré, je lui ai demandé de quelle mort il voulait 25 me voir mourir.

— Tu as dit cela! s'écria le père Goriot. Par le sacré nom de Dieu, celui qui vous fera mal à l'une ou à l'autre, tant que je serai vivant, peut être sûr que je le brûlerai à petit feu! Oui, je le déchiqueterai comme... 30

Le père Goriot se tut, les mots expiraient dans sa gorge.

— Enfin, ma chère, il m'a demandé quelque chose de plus difficile à faire que de mourir. Le ciel préserve toute femme d'entendre ce que j'ai entendu!

— J'assassinerai cet homme, dit le père Goriot tran-
5 quillement. Mais il n'a qu'une vie, et il m'en doit deux. Enfin, quoi? reprit-il en regardant Anatasie.

— Eh bien, dit la comtesse en continuant, après une pause il m'a regardée: «Anastasie, m'a-t-il dit, j'ensevelis tout dans le silence, nous resterons ensemble, nous avons
10 des enfants. Je ne tuerai pas M. de Trailles, je pourrais le manquer, et, pour m'en défaire autrement, je pourrais me heurter contre la justice humaine. Le tuer dans vos bras, ce serait déshonorer *les* enfants. Mais, pour ne voir périr ni vos enfants, ni leur père, ni moi, je vous
15 impose deux conditions. Répondez: Ai-je un enfant à moi?» J'ai dit oui. «Lequel? a-t-il demandé. — Ernest, notre aîné. — Bien, a-t-il dit. Maintenant, jurez-moi de m'obéir désormais sur un seul point.» J'ai juré. «Vous signerez la vente de vos biens quand je vous le deman-
20 derai.»

— Ne signe pas! cria le père Goriot, ne signe jamais cela. Ah! ah! monsieur de Restaud, vous ne savez pas ce que c'est que de rendre une femme heureuse, elle va chercher le bonheur là où il est, et vous la punissez de
25 votre niaise impuissance?... Je suis là, moi, halte-là! il me trouvera dans sa route. — Nasie, sois en repos. Ah! il tient à son héritier! Bon, bon. Je lui empoignerai son fils, qui, sacré tonnerre! est mon petit-fils. Je puis bien le voir, ce marmot! Je le mets dans mon village,
30 j'en aurai soin, sois bien tranquille. Je le ferai capituler, ce monstre-là, en lui disant: «A nous deux! Si tu veux avoir ton fils, rends à ma fille son bien, et laisse-la se conduire à sa guise.»

— Mon père !

— Oui, ton père ! Ah ! je suis un vrai père. Que ce drôle de grand seigneur ne maltraite pas mes filles. Tonnerre ! je ne sais pas ce que j'ai dans les veines. J'y ai le sang d'un tigre, je voudrais dévorer ces deux hommes. O mes enfants ! voilà donc votre vie ? Mais c'est ma mort... Que deviendrez-vous donc quand je ne serai plus là ? Les pères devraient vivre autant que leurs enfants. Mon Dieu, comme ton monde est mal arrangé ! Et tu as un fils cependant, à ce qu'on nous dit. Tu devrais nous empêcher de souffrir dans nos enfants. Mes chers anges, quoi ! ce n'est qu'à vos douleurs que je dois votre présence. Vous ne me faites connaître que vos larmes. Eh bien, oui, vous m'aimez, je le vois. Venez, venez vous plaindre ici ! mon cœur est grand, il peut tout recevoir... Oui, vous aurez beau le percer, les lambeaux feront encore des cœurs de père. Je voudrais prendre vos peines, souffrir pour vous... Ah ! quand vous étiez petites, vous étiez bien heureuses...

— Nous n'avons eu que ce temps-là de bon, dit Delphine. Où sont les moments où nous dégringolions du haut des sacs dans le grand grenier ?

— Mon père, ce n'est pas tout, dit Anastasie à l'oreille de Goriot, qui fit un bond. Les diamants n'ont pas été vendus cent mille francs. Maxime est poursuivi. Nous n'avons plus que douze mille francs à payer. Il m'a promis d'être sage, de ne plus jouer. Il ne me reste plus au monde que son amour, et je l'ai payé trop cher pour ne pas mourir s'il m'échappait. Je lui ai sacrifié fortune, honneur, repos, enfants. Oh ! faites qu'au moins Maxime soit libre, honoré, qu'il puisse demeurer dans le monde où il saura se faire une position. Maintenant, il ne me doit pas que le bonheur, nous avons des enfants qui seraient sans fortune. Tout sera perdu s'il est mis à Sainte-Pélagie.[1]

— Je ne les ai pas, Nasie. Plus rien! plus rien! C'est
5 la fin du monde. Oh! le monde va crouler, c'est sûr. Allez-vous-en, sauvez-vous auparavant! Ah! j'ai encore mes boucles d'argent, six couverts, les premiers que j'ai eus dans ma vie. Enfin, je n'ai plus que douze cents francs de rentes viagères. . .

10 — Qu'avez-vous donc fait de vos rentes perpétuelles?

— Je les ai vendues en me réservant ce petit bout de revenu pour mes besoins. Il me fallait douze mille francs pour arranger un appartement à Fifine.

— Chez toi, Delphine? dit madame de Restaud à sa
15 sœur.

— Oh! qu'est-ce que cela fait? reprit le père Goriot; les douze mille francs sont employés.

— Je devine, dit la comtesse. Pour M. de Rastignac. Ah! ma pauvre Delphine, arrête-toi. Vois où j'en suis.

20 — Ma chère, M. de Rastignac est un jeune homme incapable de ruiner sa maîtresse.

— Merci! Delphine. . . Dans la crise où je me trouve, j'attendais mieux de toi; mais tu ne m'as jamais aimée.

— Si, elle t'aime, Nasie! cria le père Goriot, elle me
25 le disait tout à l'heure. Nous parlions de toi, elle me soutenait que tu étais belle et qu'elle n'était que jolie, elle!

— Elle! répéta la comtesse, elle est d'un beau froid.[2]

— Quand cela serait, dit Delphine en rougissant, comment t'es-tu comportée envers moi? Tu m'as reniée, tu
30 m'as fait fermer les portes de toutes les maisons où je souhaitais aller, enfin tu n'as jamais manqué la moindre occasion de me causer de la peine. Et moi, suis-je venue,

comme toi, soutirer à ce pauvre père, mille francs à mille francs, sa fortune, et le réduire à l'état où il est? Voilà ton ouvrage, ma sœur. Moi, j'ai vu mon père tant que j'ai pu, je ne l'ai pas mis à la porte, et ne suis pas venue lui lécher les mains quand j'avais besoin de lui. Je ne savais seulement pas qu'il eût employé ces douze mille francs pour moi. J'ai de l'ordre, moi! tu le sais. D'ailleurs, quand papa m'a fait des cadeaux, je ne les ai jamais quêtés.

— Tu étais plus heureuse que moi. M. de Marsay était riche, tu en sais quelque chose. Tu as toujours été vilaine comme l'or.[1] Adieu, je n'ai ni sœur ni. . .

— Tais-toi, Nasie! cria le père Goriot.

— Il n'y a qu'une sœur comme toi qui puisse répéter ce que le monde ne croit plus, tu es un monstre! lui dit Delphine.

— Mes enfants, mes enfants, taisez-vous, ou je me tue devant vous.

— Va, Nasie, je te pardonne, dit madame de Nucingen en continuant, tu es malheureuse. Mais je suis meilleure que tu ne l'es. Me dire cela au moment où je me sentais capable de tout pour te secourir, même d'entrer dans la chambre de mon mari, ce que je ne ferais ni pour moi ni pour. . . Ceci est digne de tout ce que tu as commis de mal contre moi depuis neuf ans.

— Mes enfants, mes enfants, embrassez-vous! dit le père. Vous êtes deux anges.

— Non, laissez-moi, cria la comtesse, que Goriot avait prise par le bras et qui secoua l'embrassement de son père. Elle a moins de pitié pour moi que n'en aurait mon mari. Ne dirait-on pas qu'elle est l'image de toutes les vertus!

— J'aime encore mieux passer pour devoir de l'argent
à M. de Marsay que d'avouer que M. de Trailles me coûte
plus de deux cent mille francs, répondit madame de Nucingen.

— Delphine! cria la comtesse en faisant un pas vers
elle.

— Je te dis la vérité quand tu me calomnies, répliqua
froidement la baronne.

— Delphine! tu es une. . .

Le père Goriot s'élança, retint la comtesse et l'empêcha
de parler en lui couvrant la bouche avec sa main.

— Mon Dieu! mon père, à quoi donc avez-vous touché
ce matin? lui dit Anastasie.

— Eh bien, oui, j'ai tort, dit le pauvre père en s'es-
suyant les mains à son pantalon.   Mais je ne savais pas
que vous viendriez, je déménage.

Il était heureux de s'être attiré un reproche qui détour-
nait sur lui la colère de sa fille.

— Ah! reprit-il en s'asseyant, vous m'avez fendu le
cœur. Je me meurs, mes enfants! Le crâne me cuit intérieurement comme s'il avait du feu. Soyez donc gentilles,
aimez-vous bien! Vous me feriez mourir. Delphine, Nasie,
allons, vous aviez raison, vous aviez tort toutes les deux.
Voyons, Dedel, reprit-il en portant sur la baronne des
yeux pleins de larmes, il lui faut douze mille francs, cher-
chons-les. Ne vous regardez pas comme ça. (Il se mit à
genoux devant Delphine.) Demande-lui pardon pour me
faire plaisir, lui dit-il à l'oreille; elle est la plus malheureuse, voyons!

— Ma pauvre Nasie, dit Delphine épouvantée de la sauvage et folle expression que la douleur imprimait sur le
visage de son père, j'ai eu tort, embrasse-moi. . .

— Ah! vous me mettez du baume sur le cœur, cria le père Goriot. Mais où trouver douze mille francs? Si je me proposais comme remplaçant?[1]

— Ah! mon père! dirent les deux filles en l'entourant, non, non.

— Dieu vous récompensera de cette pensée, notre vie n'y suffirait point! n'est-ce pas, Nasie? reprit Delphine.

— Et puis, pauvre père, ce serait une goutte d'eau, fit observer la comtesse.

— Mais on ne peut donc rien faire de son sang? cria le vieillard désespéré. Je me voue à celui qui te sauvera, Nasie! je tuerai un homme pour lui. Je ferai comme Vautrin, j'irai au bagne! je. . .

Il s'arrêta comme s'il eût été foudroyé.

— Plus rien! dit-il en s'arrachant les cheveux. Si je savais où aller pour voler, mais il est encore difficile de trouver un vol à faire. Et puis il faudrait du monde et du temps pour prendre la Banque.[2] Allons, je dois mourir, je n'ai plus qu'à mourir. Oui, je ne suis plus bon à rien, je ne suis plus père! non. Elle me demande, elle a besoin! et moi, misérable, je n'ai rien. Ah! tu t'es fait des rentes viagères, vieux scélérat, et tu avais des filles! Mais tu ne les aimes donc pas? Crève, crève comme un chien que tu es! Oui, je suis au-dessous d'un chien, un chien ne se conduirait pas ainsi! Oh! ma tête. . . elle bout!

— Mais, papa, crièrent les deux jeunes femmes qui l'entouraient pour l'empêcher de se frapper la tête contre les murs, soyez donc raisonnable.

Il sanglotait. Eugène, épouvanté, prit la lettre de change souscrite à Vautrin, et dont le timbre comportait une plus forte somme; il en corrigea le chiffre, en fit une

lettre de change régulière de douze mille francs à l'ordre
de Goriot, et entra.

— Voici tout votre argent, madame, dit-il en présentant
le papier. Je dormais, votre conversation m'a réveillé, j'ai
5 pu savoir ainsi ce que je devais à M. Goriot. En voici le
titre que vous pouvez négocier, je l'acquitterai fidèlement.

La comtesse, immobile, tenait le papier.

— Delphine, dit-elle, pâle et tremblante de colère, de
fureur, de rage, je te pardonnais tout, Dieu m'en est
10 témoin; mais ceci! Comment, monsieur était là, tu le
savais! tu as eu la petitesse de te venger en me laissant
lui livrer mes secrets, ma vie, celle de mes enfants, ma
honte, mon honneur! Va! tu ne m'es plus rien, je te hais,
je te ferai tout le mal possible . . . je. . .

15 La colère lui coupa la parole et son gosier se sécha.

— Mais c'est mon fils, notre enfant, ton frère, ton sauveur! criait le père Goriot. Embrasse-le donc, Nasie!
Tiens, moi, je l'embrasse, reprit-il en serrant Eugène avec
une sorte de fureur. — O mon enfant! je serai plus qu'un
20 père pour toi, je veux être une famille. Je voudrais être
Dieu, je te jetterais l'univers aux pieds. — Mais! baise-le
donc, Nasie! ce n'est pas un homme, c'est un ange, un
véritable ange.

— Laissez-la, mon père, elle est folle en ce moment,
25 dit Delphine.

— Folle! folle! Et toi, qu'es-tu? demanda madame de
Restaud.

— Mes enfants, je meurs, si vous continuez, cria le
vieillard en tombant sur son lit comme frappé par une
30 balle. — Elles me tuent! se dit-il.

La comtesse regarda Eugène, qui restait immobile, abasourdi par la violence de cette scène.

— Monsieur. . . ? lui dit-elle en l'interrogeant du geste, de la voix et du regard, sans faire attention à son père, dont le gilet fut rapidement défait par Delphine.

— Madame, je payerai et je me tairai, répondit-il sans attendre la question.

— Tu as tué notre père, Nasie! dit Delphine en montrant le vieillard évanoui à sa sœur, qui se sauva.

— Je lui pardonne bien, dit le bonhomme en ouvrant les yeux, sa situation est épouvantable et tournerait une meilleure tête. Console Nasie, sois douce pour elle, promets-le à ton pauvre père, qui se meurt, demanda-t-il à Delphine en lui pressant la main.

— Mais qu'avez-vous? dit-elle tout effrayée.

— Rien, rien, répondit le père, ça se passera. J'ai quelque chose qui me presse le front, une migraine. . . Pauvre Nasie, quel avenir!

En ce moment, la comtesse rentra, se jeta aux genoux de son père:

— Pardon! cria-t-elle.

— Allons, dit le père Goriot, tu me fais encore plus de mal maintenant.

— Monsieur, dit la comtesse à Rastignac, les yeux baignés de larmes, la douleur m'a rendue injuste. Vous serez un frère pour moi? reprit-elle en lui tendant la main.

— Nasie, lui dit Delphine en la serrant, ma petite Nasie, oublions tout.

— Non, dit-elle, je m'en souviendrai, moi!

— Mes anges, s'écria le père Goriot, vous m'enlevez le rideau que j'avais sur les yeux, votre voix me ranime. Embrassez-vous donc encore. — Eh bien, Nasie, cette lettre de change te sauvera-t-elle?

— Je l'espère.   Dites donc, papa, voulez-vous y mettre
votre signature?

— Tiens, suis-je bête, moi, d'oublier ça!   Mais je me
suis trouvé mal, Nasie, ne m'en veux pas.   Envoie-moi
dire que tu es hors de peine.   Non, j'irai.   Mais non, je
n'irai pas, je ne puis plus voir ton mari, je le tuerais net.
Quant à dénaturer[1] tes biens, je serai là.   Va vite, mon
enfant, et fais que Maxime devienne sage.

Eugène était stupéfait.

— Cette pauvre Anastasie a toujours été violente, dit
madame de Nucingen, mais elle a bon cœur.

— Elle est revenue pour l'endos, dit Eugène à l'oreille
de Delphine.

— Vous croyez?

— Je voudrais ne pas le croire.   Méfiez-vous d'elle,
répondit-il en levant les yeux comme pour confier à Dieu
des pensées qu'il n'osait exprimer.

— Oui, elle a toujours été un peu comédienne, et mon
pauvre père se laisse prendre à ses mines.

— Comment allez-vous, mon bon père Goriot? demanda Rastignac au vieillard.

— J'ai envie de dormir, répondit-il.

Eugène aida Goriot à se coucher.   Puis, quand le bonhomme se fut endormi en tenant la main de Delphine,
sa fille se retira.

— Ce soir aux Italiens, dit-elle à Eugène, et tu me
diras comment il va.   Demain, vous déménagerez, monsieur.   Voyons votre chambre...   Oh! quelle horreur!
dit-elle en y entrant.   Mais vous étiez plus mal que
n'est mon père.   Eugène, tu t'es bien conduit.   Je vous
aimerais davantage, si c'était possible; mais, mon enfant,
si vous voulez faire fortune, il ne faut pas jeter comme

ça des douze mille francs par les fenêtres. Le comte de Trailles est joueur. Ma sœur ne veut pas voir ça. Il aurait été chercher ses douze mille francs là où il sait perdre ou gagner des monts d'or.

Un gémissement les fit revenir chez Goriot, qu'ils trouvèrent en apparence endormi; mais, quand les deux amants s'approchèrent, ils entendirent ces mots:

— Elles ne sont pas heureuses!

Qu'il dormît ou qu'il veillât, l'accent de cette phrase frappa si vivement le cœur de sa fille, qu'elle s'approcha du grabat sur lequel gisait son père, et le baisa au front. Il ouvrit les yeux en disant:

— C'est Delphine.

— Eh bien, comment vas-tu? demanda-t-elle.

— Bien, dit-il. Ne sois pas inquiète, je vais sortir. Allez, allez, mes enfants, soyez heureux.

Eugène accompagna Delphine jusque chez elle; mais, inquiet de l'état dans lequel il avait laissé Goriot, il refusa de dîner avec elle et revint à la maison Vauquer. Il trouva le père Goriot debout et prêt à s'attabler. Bianchon s'était mis de manière à bien examiner la figure du vermicellier. Quand il lui vit prendre son pain et le sentir pour juger de la farine avec laquelle il était fait, l'étudiant, ayant observé dans ce mouvement une absence totale de ce que l'on pourrait nommer la conscience de l'acte, fit un geste sinistre.

— Viens donc près de moi, monsieur l'interne[1] à Cochin, dit Eugène.

Bianchon s'y transporta d'autant plus volontiers qu'il allait être près du vieux pensionnaire.

— Qu'a-t-il? demanda Rastignac.

— A moins que je ne me trompe, il est flambé! Il a

dû se passer quelque chose d'extraordinaire en lui, il me
semble être sous le poids d'une apoplexie séreuse[1] imminente.   Quoique le bas de la figure soit assez calme, les
traits supérieurs du visage se tirent vers le front malgré
5 lui, vois!   Puis les yeux sont dans l'état particulier qui
dénote l'invasion du sérum dans le cerveau.   Ne dirait-
on pas qu'ils sont pleins d'une poussière fine?   Demain
matin, j'en saurai davantage.

— Y aurait-il quelque remède?

10 — Aucun.   Peut-être pourra-t-on retarder sa mort si
l'on trouve les moyens de déterminer une réaction vers
les extrémités, vers les jambes; mais, si demain soir les
symptômes ne cessent pas, le pauvre bonhomme est
perdu.   Sais-tu par quel événement la maladie a été cau-
15 sée? Il a dû recevoir un coup violent sous lequel son
moral aura succombé.

— Oui, dit Rastignac en se rappelant que les deux
filles avaient battu sans relâche sur le cœur de leur père.

— Au moins, se disait Eugène, Delphine aime son
20 père, elle!

Le soir, aux Italiens, Rastignac prit quelques précautions afin de ne pas trop alarmer madame de Nucingen.

— N'ayez pas d'inquiétude, répondit-elle aux premiers
mots que lui dit Eugène, mon père est fort.   Seulement,
25 ce matin, nous l'avons un peu secoué.   Nos fortunes
sont en question, songez-vous à l'étendue de ce malheur?
Je ne vivrais pas, si votre affection ne me rendait pas
insensible à ce que j'aurais regardé naguère comme des
angoisses mortelles.   Il n'est plus aujourd'hui qu'une
30 seule crainte, un seul malheur pour moi, c'est de perdre
l'amour qui m'a fait sentir le plaisir de vivre.   En dehors
de ce sentiment, tout m'est indifférent, je n'aime plus

rien au monde. Vous êtes tout pour moi. Si je sens le bonheur d'être riche, c'est pour mieux vous plaire. Je suis, à ma honte, plus amante que je ne suis fille. Pourquoi? Je ne sais. Toute ma vie est en vous. Mon père m'a donné un cœur, mais vous l'avez fait battre. Le 5 monde entier peut me blâmer, que m'importe si vous, qui n'avez pas le droit de m'en vouloir, m'acquittez des crimes auxquels me condamne un sentiment irrésistible? Me croyez-vous une fille dénaturée? Oh! non, il est impossible de ne pas aimer un père aussi bon que l'est le 10 nôtre. Pouvais-je empêcher qu'il ne vît enfin les suites naturelles de nos déplorables mariages? Pourquoi les a-t-il permis? N'était-ce pas à lui de réfléchir pour nous? Aujourd'hui, je le sais, il souffre autant que nous; mais que pouvons-nous y faire? Le consoler! nous ne le con- 15 solerions de rien. Notre résignation lui faisait plus de douleur que nos reproches et nos plaintes ne lui causeraient de mal. Il est des situations dans la vie où tout est amertume.

Eugène resta muet, saisi de tendresse par l'expression 20 naïve d'un sentiment vrai. Si les Parisiennes sont souvent fausses, ivres de vanité, personnelles, coquettes, froides, il est sûr que, quand elles aiment réellement, elles sacrifient plus de sentiment que les autres femmes à leurs passions; elles se grandissent de toutes leurs petitesses, 25 et deviennent sublimes. Puis Eugène était frappé de l'esprit profond et judicieux que la femme déploie pour juger les sentiments les plus naturels, quand une affection privilégiée l'en sépare et la met à distance. Madame de Nucingen se choqua du silence que gardait Eugène. 30

— A quoi pensez-vous donc? lui demanda-t-elle.

— J'écoute encore ce que vous m'avez dit. J'ai cru jusqu'ici vous aimer plus que vous ne m'aimiez.

Elle sourit et s'arma contre le plaisir qu'elle éprouva, pour laisser la conversation dans les bornes imposées par les convenances. Elle n'avait jamais entendu les expressions vibrantes d'un amour jeune et sincère. Quelques mots de plus, elle ne se serait plus contenue.

— Eugène, dit-elle en changeant de conversation, vous ne savez donc pas ce qui se passe? Tout Paris sera demain chez madame de Beauséant. Les Rochefide et le marquis d'Ajuda se sont entendus pour ne rien ébruiter mais le roi signe demain le contrat de mariage, et votre pauvre cousine ne sait rien encore. Elle ne pourra pas se dispenser de recevoir, et le marquis ne sera pas à son bal. On ne s'entretient que de cette aventure.

— Et le monde se rit d'une infamie, et il y trempe! Vous ne savez donc pas que madame de Beauséant en mourra?

— Non, dit Delphine en souriant, vous ne connaissez pas ces sortes de femmes-là. Mais tout Paris viendra chez elle, et j'y serai! Je vous dois ce bonheur-là pourtant.

— Mais, dit Rastignac, n'est-ce pas un de ces bruits absurdes comme on en fait tant courir à Paris?

— Nous saurons la vérité demain.

Eugène ne rentra pas à la maison Vauquer. Il ne put se résoudre à ne pas jouir de son nouvel appartement. Si, la veille, il avait été forcé de quitter Delphine, à une heure après minuit, ce fut Delphine qui le quitta vers deux heures pour retourner chez elle. Il dormit le lendemain assez tard, attendit vers midi madame de Nucingen, qui vint déjeuner avec lui. Les jeunes gens sont si avides de ces jolis bonheurs, qu'il avait presque oublié le père Goriot. Ce fut une longue fête pour lui que de s'habituer à chacune de ces élégantes choses qui lui ap-

partenaient.   Madame de Nucingen était là, donnant à
tout un nouveau prix.   Cependant, vers quatre heures,
les deux amants pensèrent au père Goriot en songeant au
bonheur qu'il se promettait à venir demeurer dans cette
maison.   Eugène fit observer qu'il était nécessaire d'y 5
transporter promptement le bonhomme, s'il devait être
malade, et quitta Delphine pour courir à la maison Vauquer.   Ni le père Goriot ni Bianchon n'étaient à table.

— Eh bien, lui dit le peintre, le père Goriot est éclopé.[1]
Bianchon est là-haut près de lui.   Le bonhomme a vu 10
l'une de ses filles, la comtesse de Restaurama.   Puis il a
voulu sortir et sa maladie a empiré.   La société va être
privée d'un de ses plus beaux ornements.

Rastignac s'élança vers l'escalier.

— Hé! monsieur Eugène!   15

— Monsieur Eugène! madame vous appelle, cria Sylvie.

— Monsieur, lui dit la veuve, M. Goriot et vous, vous
deviez sortir le 15 de février.[2]   Voilà trois jours que le
15 est passé, nous sommes au 18; il faudra me payer un
mois pour vous et pour lui; mais, si vous voulez garantir 20
le père Goriot, votre parole me suffira.

— Pourquoi? n'avez-vous pas confiance?

— Confiance! Si le bonhomme n'avait plus sa tête et
mourait, ses filles ne me donneraient pas un liard, et
toute sa défroque ne vaut pas dix francs.   Il a emporté 25
ce matin ses derniers couverts, je ne sais pourquoi.   Il
s'était mis en jeune homme.   Dieu me pardonne, je crois
qu'il avait du rouge, il m'a paru rajeuni.

— Je réponds de tout, dit Eugène en frissonnant d'horreur et appréhendant une catastrophe.   30

Il monta chez le père Goriot.   Le vieillard gisait sur
son lit, et Bianchon était auprès de lui.

— Bonjour, père, lui dit Eugène.

Le bonhomme lui sourit doucement, et répondit en tournant vers lui des yeux vitreux:

— Comment va-t-elle?

5 — Bien.   Et vous?

— Pas mal.

— Ne le fatigue pas, dit Bianchon en entraînant Eugène dans un coin de la chambre.

— Eh bien? lui dit Rastignac.

10 — Il ne peut être sauvé que par un miracle.   La congestion séreuse a eu lieu, il a les sinapismes; heureusement, il les sent, ils agissent.

— Peut-on le transporter?

— Impossible.   Il faut le laisser là, lui épargner tout
15 mouvement physique et toute émotion. . .

— Mon bon Bianchon, dit Eugène, nous le soignerons à nous deux.

— J'ai déjà fait venir le médecin en chef de mon hôpital.

— Eh bien?

20 — Il prononcera demain soir.   Il m'a promis de venir après sa journée.   Malheureusement, ce fichu bonhomme a commis ce matin une imprudence sur laquelle il ne veut pas s'expliquer.   Il est entêté comme une mule. Quand je lui parle, il fait semblant de ne pas entendre,
25 et dort pour ne pas me répondre; ou bien, s'il a les yeux ouverts, il se met à geindre.   Il est sorti vers le matin, il a été à pied dans Paris, on ne sait où.   Il a emporté tout ce qu'il possédait de vaillant,[1] il a été faire quelque sacré[2] trafic pour lequel il a outre-passé ses forces! Une
30 de ses filles est venue.

— La comtesse? dit Eugène.   Une grande brune, l'œil vif et bien coupé, joli pied, taille souple?

—- Oui.

— Laisse-moi seul un moment avec lui, dit Rastignac.
Je vais le confesser, il me dira tout, à moi.

— Je vais aller dîner pendant ce temps-là.   Seulement,
tâche de ne pas trop l'agiter; nous avons encore quelque   5
espoir.

— Sois tranquille.

— Elles s'amuseront bien demain, dit le père Goriot à
Eugène quand ils furent seuls.   Elles vont à un grand
bal.   10

— Qu'avez-vous donc fait ce matin, papa, pour être si
souffrant ce soir, qu'il vous faille rester au lit?

— Rien.

— Anastasie est venue? demanda Rastignac.

— Oui. répondit le père Goriot.   15

— Eh bien, ne me cachez rien.   Que vous a-t-elle
encore demandé?

— Ah! reprit-il en rassemblant ses forces pour parler,
elle était bien malheureuse, allez, mon enfant! Nasie n'a
pas un sou depuis l'affaire des diamants.   Elle avait   20
commandé, pour ce bal, une robe lamée qui doit lui aller
comme un bijou.   Sa couturière, une infâme, n'a pas
voulu lui faire crédit, et sa femme de chambre a payé
mille francs en à-compte sur la toilette.   Pauvre Nasie,
en être venue là!   Ça m'a déchiré le cœur.   Mais la   25
femme de chambre, voyant ce Restaud retirer toute
confiance à Nasie, a eu peur de perdre son argent, et
s'entend avec la couturière pour ne livrer la robe que si
les mille francs sont rendus.   Le bal est demain, la robe
est prête, Nasie est au désespoir.   Elle a voulu m'em-   30
prunter mes couverts pour les engager.   Son mari veut
qu'elle aille à ce bal pour montrer à tout Paris les dia-

mants qu'on prétend vendus par elle.   Peut-elle dire à
ce monstre: « Je dois mille francs, payez-les ? » Non. J'ai
compris ça, moi.   Sa sœur Delphine ira là dans une
toilette superbe.   Anastasie ne doit pas être au-dessous
5 de sa cadette.   Et puis elle est si noyée de larmes, ma
pauvre fille !   J'ai été si humilié de n'avoir pas eu douze
mille francs hier, que j'aurais donné le reste de ma
misérable vie pour racheter ce tort-là.   Voyez-vous,
j'avais eu la force de tout supporter, mais mon dernier
10 manque d'argent m'a crevé le cœur.   Oh ! oh ! je n'en ai
fait ni une ni deux,[1] je me suis rafistolé, requinqué ; j'ai
vendu pour six cents francs de couverts et de boucles,
puis j'ai engagé pour un an mon titre de rente viagère
contre quatre cents francs une fois payés, au papa Gob-
15 seck.   Bah ! je mangerai du pain ! ça me suffisait quand
j'étais jeune, ça peut encore aller.   Au moins, elle aura
une belle soirée, ma Nasie.   Elle sera pimpante.   J'ai le
billet de mille francs là, sous mon chevet.   Ça me ré-
chauffe d'avoir là sous la tête ce qui va faire plaisir à la
20 pauvre Nasie.   Elle pourra mettre sa mauvaise Victoire[2]
à la porte.   A-t-on vu des domestiques ne pas avoir confiance dans leurs maîtres ! Demain, je serai bien.   Nasie
vient à dix heures.   Je ne veux pas qu'elles me croient
malade, elles n'iraient point au bal, elles me soigneraient.
25 Nasie m'embrassera demain comme son enfant, ses ca-
resses me guériront.   Enfin, n'aurais-je pas dépensé
mille francs chez l'apothicaire ? J'aime mieux les donner
à mon Guérit-Tout, à ma Nasie.   Je la consolerai dans
sa misère, au moins.   Ça m'acquitte du tort de m'être
30 fait du viager.   Elle est au fond de l'abîme, et moi, je
ne suis plus assez fort pour l'en tirer.   Oh ! je vais me
remettre au commerce.   J'irai à Odessa pour y acheter

du grain. Les blés valent là trois fois moins que les
nôtres ne coûtent. Si l'introduction des céréales est
défendue en nature,[1] les braves gens qui font les lois n'ont
pas songé à prohiber les fabrications dont les blés sont
le principe. Eh! eh!. . . j'ai trouvé cela, moi, ce matin! 5
Il y a de beaux coups à faire dans les amidons.

— Il est fou, se dit Eugène en regardant le vieillard.

— Allons, restez en repos, ne parlez pas. . .

Eugène descendit pour dîner quand Bianchon remonta.
Puis tous deux passèrent la nuit à garder le malade à 10
tour de rôle, en s'occupant, l'un à lire ses livres de médecine, l'autre à écrire à sa mère et à ses sœurs. Le lendemain, les symptômes qui se déclarèrent chez le malade
furent, suivant Bianchon, d'un favorable augure; mais ils
exigèrent des soins continuels dont les deux étudiants 15
étaient seuls capables, et dans le récit desquels il est impossible de compromettre la pudibonde phraséologie de
l'époque. Les sangsues mises sur le corps appauvri du
bonhomme furent accompagnées de cataplasmes, de bains
de pieds, de manœuvres médicales pour lesquelles il fal- 20
lait d'ailleurs la force et le dévouement des deux jeunes
gens. Madame de Restaud ne vint pas; elle envoya
chercher sa somme par un commissionnaire.

— Je croyais qu'elle serait venue elle-même. Mais ce
n'est pas un mal, elle se serait inquiétée, dit le père en 25
paraissant heureux de cette circonstance.

A sept heures du soir, Thérèse vint apporter une lettre
de Delphine:

«Que faites-vous donc, mon ami? A peine aimée,
serais-je déjà négligée? Vous m'avez montré, dans ces 30
confidences versées de cœur à cœur, une trop belle âme
pour n'être pas de ceux qui restent toujours fidèles en

voyant combien les sentiments ont de nuances. Comme
vous l'avez dit en écoutant la Prière de *Mosé*.[1] « Pour
« les uns, c'est une même note ; pour les autres, c'est l'infini
« de la musique ! » Songez que je vous attends ce soir pour
5 aller au bal de madame de Beauséant.   Décidément, le
contrat de M. d'Ajuda a été signé ce matin à la cour, et
la pauvre vicomtesse ne l'a su qu'à deux heures.   Tout
Paris va se porter chez elle, comme le peuple encombre
la Grève quand il doit y avoir une exécution.   N'est-ce
10 pas horrible d'aller voir si cette femme cachera sa douleur, si elle saura bien mourir ?   Je n'irais certes pas,
mon ami, si j'avais été déjà chez elle ; mais elle ne recevra plus sans doute, et tous les efforts que j'ai faits seraient superflus.   Ma situation est bien différente de
15 celle des autres.   D'ailleurs, j'y vais pour vous aussi.
Je vous attends.   Si vous n'étiez pas près de moi dans
deux heures, je ne sais si je vous pardonnerais cette
félonie. »

Rastignac prit une plume et répondit ainsi :

20 « J'attends un médecin pour savoir si votre père doit
vivre encore.   Il est mourant.   J'irai vous porter l'arrêt,
et j'ai peur que ce ne soit un arrêt de mort.   Vous verrez
si vous pouvez aller au bal.   Mille tendresses. »

Le médecin vint à huit heures et demie, et, sans don-
25 ner un avis favorable, il ne pensa pas que la mort dût
être imminente.   Il annonça des mieux et des rechutes
alternatifs d'où dépendraient la vie et la raison du bonhomme.

— Il vaudrait mieux qu'il mourût promptement, fut le
30 dernier mot du docteur.

Eugène confia le père Goriot aux soins de Bianchon,
et partit pour aller porter à madame de Nucingen les

tristes nouvelles qui, dans son esprit encore imbu des
devoirs de famille, devaient suspendre toute joie.

— Dites-lui qu'elle s'amuse tout de même, lui cria le
père Goriot, qui paraissait assoupi, mais qui se dressa
sur son séant au moment où Rastignac sortit.

Le jeune homme se présenta navré de douleur à Delphine, et la trouva coiffée, chaussée, n'ayant plus que sa
robe de bal à mettre. Mais, semblables aux coups de
pinceau par lesquels les peintres achèvent leurs tableaux,
les derniers apprêts voulaient plus de temps que n'en
demandait le fond même de la toile.

— Eh quoi! vous n'êtes pas habillé? dit-elle.

— Mais, madame, votre père. . .

— Encore mon père! s'écria-t-elle en l'interrompant.
Mais vous ne m'apprendrez pas ce que je dois à mon père.
Je connais mon père depuis longtemps. Pas un mot, Eugène. Je ne vous écouterai que quand vous aurez fait
votre toilette. Thérèse a tout préparé chez vous; ma
voiture est prête, prenez-la; revenez. Nous causerons de
mon père en allant au bal. Il faut partir de bonne heure;
si nous sommes pris dans la file des voitures, nous
serons bien heureux de faire notre entrée à onze heures.

— Madame. . .

— Allez! pas un mot, dit-elle courant dans son boudoir
pour y prendre un collier.

— Mais allez donc, monsieur Eugène! vous fâcherez
madame, dit Thérèse en poussant le jeune homme, épouvanté de cet élégant parricide.

Il alla s'habiller en faisant les plus tristes, les plus
décourageantes réflexions. Il voyait le monde comme un
océan de boue dans lequel un homme se plongeait jusqu'au cou, s'il y trempait le pied.

— Il ne s'y commet que des crimes mesquins! se dit-il. Vautrin est plus grand.

Il avait vu les trois grandes expressions de la Société: l'Obéissance, la Lutte et la Révolte; la Famille, le Monde et Vautrin. Et il n'osait prendre parti. L'Obéissance était ennuyeuse, la Révolte impossible, et la Lutte incertaine. Sa pensée le reporta au sein de sa famille. Il se souvint des pures émotions de cette vie calme, il se rappela les jours passés au milieu des êtres dont il était chéri. En se conformant aux lois naturelles du foyer domestique, ces chères créatures y trouvaient un bonheur plein, continu, sans angoisses. Malgré ses bonnes pensées, il ne se sentit pas le courage de venir confesser la foi des âmes pures à Delphine, en lui ordonnant la vertu au nom de l'amour. Déjà son éducation commencée avait porté ses fruits. Il aimait égoïstement déjà. Son tact lui avait permis de re-connaître la nature du cœur de Delphine, il pressentait qu'elle était capable de marcher sur le corps de son père pour aller au bal, et il n'avait ni la force de jouer le rôle d'un raisonneur, ni le courage de lui déplaire, ni la vertu de la quitter.

— Elle ne me pardonnerait jamais d'avoir eu raison contre elle dans cette circonstance, se dit-il.

Puis il commenta les paroles des médecins; il se plut à penser que le père Goriot n'était pas aussi dangereuse-ment malade qu'il le croyait: enfin, il entassa des raison-nements assassins pour justifier Delphine. Elle ne con-naissait pas l'état dans lequel était son père. Le bon-homme lui-même la renverrait au bal, si elle l'allait voir. Souvent la loi sociale, implacable dans sa formule, con-damne là où le crime apparent est excusé par les innom-brables modifications qu'introduisent au sein des familles

la différence des caractères, la diversité des intérêts et
des situations. Eugène voulait se tromper lui-même, il
était prêt à faire à sa maîtresse le sacrifice de sa conscience. Depuis deux jours, tout était changé dans sa vie.
La femme y avait jeté ses désordres, elle avait fait pâlir 5
la famille, elle avait tout confisqué à son profit. Rastignac
et Delphine s'étaient rencontrés dans les conditions
voulues pour éprouver l'un par l'autre les plus vives jouissances. Leur passion bien préparée avait grandi par ce
qui tue les passions, par la jouissance. En possédant cette 10
femme, Eugène s'aperçut que jusqu'alors il ne l'avait que
désirée, il ne l'aima qu'au lendemain du bonheur: l'amour
n'est peut-être que la reconnaissance du plaisir. Infâme
ou sublime, il adorait cette femme pour les voluptés qu'il
lui avait apportées en dot et pour toutes celles qu'il en 15
avait reçues; de même que Delphine aimait Rastignac
autant que Tantale[1] aurait aimé l'ange qui serait venu
satisfaire sa faim, ou étancher la soif de son gosier des-
séché.

— Eh bien, comment va mon père? lui dit madame 20
de Nucingen quand il fut de retour et en costume de bal.

— Extrêmement mal, répondit-il; si vous voulez me
donner une preuve de votre affection, nous courrons le
voir.

— Eh bien, oui, dit-elle, mais après le bal.   Mon bon 25
Eugène, sois gentil, ne me fais pas de morale, viens.

Ils partirent. Eugène resta silencieux pendant une
partie du chemin.

— Qu'avez-vous donc? dit-elle.

— J'entends le râle de votre père, répondit-il avec l'ac- 30
cent de la fâcherie.

Et il se mit à raconter avec la chaleureuse éloquence

du jeune âge la féroce action à laquelle madame de Restaud avait été poussée par la vanité, la crise mortelle que
le dernier dévouement du père avait déterminée, et ce
que coûterait la robe lamée d'Anastasie.   Delphine
5 pleurait.

— Je vais être laide, pensa-t-elle.

Ses larmes se séchèrent.

— J'irai garder mon père, je ne quitterai pas son chevet,
reprit-elle.

10   — Ah! te voilà comme je te voulais, s'écria Rastignac.

Les lanternes de cinq cents voitures éclairaient les
abords de l'hôtel de Beauséant.   De chaque côté de la
porte illuminée piaffait[1] un gendarme.   Le grand monde
affluait si abondamment, et chacun mettait tant d'empres-
15 sement à voir cette grande femme au moment de sa chute,
que les appartements, situés au rez-de-chaussée de l'hôtel,
étaient déjà pleins quand madame de Nucingen et Rastignac s'y présentèrent.   Depuis le moment où toute la cour
se rua chez la grande Mademoiselle,[2] à qui Louis XIV arra-
20 chait son amant, nul désastre de cœur ne fut plus éclatant que ne l'était celui de madame de Beauséant.   En
cette circonstance, la dernière fille de la quasi royale
maison de Bourgogne se montra supérieure à son mal, et
domina jusqu'à son dernier moment le monde, dont elle
25 n'avait accepté les vanités que pour les faire servir au
triomphe de sa passion.   Les plus belles femmes de Paris
animaient les salons de leurs toilettes et de leurs sourires.
Les hommes les plus distingués de la cour, les ambassa-
deurs, les ministres, les gens illustrés en tout genre, cha-
30 marrés de croix, de plaques, de cordons multicolores, se
pressaient autour de la vicomtesse.   L'orchestre faisait ré-
sonner les motifs de sa musique sous les lambris dorés de

ce palais, désert pour sa reine. Madame de Beauséant se tenait debout devant son premier salon pour recevoir ses prétendus amis. Vêtue de blanc, sans aucun ornement dans ses cheveux simplement nattés, elle semblait calme, et n'affichait ni douleur, ni fierté, ni fausse joie. Personne 5 ne pouvait lire dans son âme. Vous eussiez dit d'une Niobé[1] de marbre. Son sourire à ses intimes amis fut parfois railleur; mais elle parut à tous semblable à elle-même, et se montra si bien ce qu'elle était quand le bonheur la parait de ses rayons, que les plus insensibles 10 l'admirèrent, comme les jeunes Romaines applaudissaient le gladiateur qui savait sourire en expirant. Le monde semblait s'être paré pour faire ses adieux à l'une de ses souveraines.

— Je tremblais que vous ne vinssiez pas, dit-elle à 15 Rastignac.

— Madame, répondit-il d'une voix émue en prenant ce mot pour un reproche, je suis venu pour rester le dernier.

— Bien, dit-elle en lui prenant la main. Vous êtes 20 peut-être ici le seul auquel je puisse me fier. Mon ami, aimez une femme que vous puissiez aimer toujours. N'en abandonnez aucune.

Elle prit le bras de Rastignac et le mena sur un canapé, dans le salon où l'on jouait. 25

— Allez, lui dit-elle, chez le marquis. Jacques, mon valet de chambre, vous y conduira et vous remettra une lettre pour lui. Je lui demande ma correspondance. Il vous la remettra tout entière, j'aime à le croire. Si vous avez mes lettres, montez dans ma chambre. On me 30 préviendra.

Elle se leva pour aller au-devant de la duchesse de

Langeais, sa meilleure amie, qui venait aussi. Rastignac
partit, fit demander le marquis d'Ajuda à l'hôtel Rochefide, où il devait passer la soirée et où il le trouva. Le
marquis l'emmena chez lui, remit une boîte à l'étudiant,
5 et lui dit:

— Elles y sont toutes.

Il parut vouloir parler à Eugène, soit pour le questionner sur les événements du bal et sur la vicomtesse,
soit pour lui avouer que déjà peut-être il était au déses-
10 poir de son mariage, comme il le fut plus tard; mais un
éclair d'orgueil brilla dans ses yeux, et il eut le déplorable courage de garder le secret sur ses plus nobles
sentiments.

— Ne lui dites rien de moi, mon cher Eugène.

15 Il pressa la main de Rastignac par un mouvement
affectueusement triste, et lui fit signe de partir. Eugène
revint à l'hôtel de Beauséant, et fut introduit dans la
chambre de la vicomtesse, où il vit les apprêts d'un départ. Il s'assit auprès du feu, regarda la cassette en
20 cèdre, et tomba dans une profonde mélancolie. Pour
lui, madame de Beauséant avait les proportions des
déesses de l'*Iliade*.

— Ah! mon ami!... dit la vicomtesse en entrant et
appuyant sa main sur l'épaule de Rastignac.

25 Il aperçut sa cousine en pleurs, les yeux levés, une
main tremblante, l'autre levée. Elle prit tout à coup la
boîte, la plaça dans le feu et la vit brûler.

— Ils dansent! ils sont venus tous bien exactement,
tandis que la mort viendra tard. Chut! mon ami, dit-
30 elle en mettant un doigt sur la bouche de Rastignac près
de parler. Je ne verrai plus jamais ni Paris ni le monde.
A cinq heures du matin, je vais partir pour aller m'en-

sevelir au fond de la Normandie.   Depuis trois heures
après midi, j'ai été obligée de faire mes préparatifs,
signer des actes, voir à des affaires; je ne pouvais envoyer personne chez. . .

Elle s'arrêta.

— Il était sûr qu'on le trouverait chez. . .

Elle s'arrêta encore, accablée de douleur.   En ces moments, tout est souffrance, et certains mots sont impossibles à prononcer.

— Enfin, reprit-elle, je comptais sur vous ce soir pour
ce dernier service.   Je voudrais vous donner un gage de
mon amitié.   Je penserai souvent à vous, qui m'avez
paru bon et noble, jeune et candide au milieu de ce
monde où ces qualités sont si rares.   Je souhaite que
vous songiez quelquefois à moi.   Tenez, dit-elle en jetant
les yeux autour d'elle, voici le coffret où je mettais mes
gants.   Toutes les fois que j'en ai pris avant d'aller au
bal ou au spectacle, je me sentais belle, parce que j'étais
heureuse, et je n'y touchais que pour y laisser quelque
pensée gracieuse: il y a beaucoup de moi là dedans, il y
a toute une madame de Beauséant qui n'est plus, acceptez-
le; j'aurai soin qu'on le porte chez vous, rue d'Artois.
Madame de Nucingen est fort bien ce soir, aimez-la
bien.   Si nous ne nous voyons plus, mon ami, soyez sûr
que je ferai des vœux pour vous, qui avez été bon pour
moi.   Descendons, je ne veux pas leur laisser croire que
je pleure.   J'ai l'éternité devant moi, j'y serai seule, et
personne ne m'y demandera compte de mes larmes.   Encore un regard à cette chambre.

Elle s'arrêta.   Puis, après s'être un moment caché les
yeux avec sa main, elle se les essuya, les baigna d'eau
fraîche, et prit le bras de l'étudiant.

— Marchons ! dit-elle.

Rastignac n'avait pas encore senti d'émotion aussi
violente que le fut le contact de cette douleur si noblement contenue.　En rentrant dans le bal, Eugène en fit
5 le tour avec madame de Beauséant, dernière et délicate
attention de cette gracieuse femme.　Bientôt il aperçut
les deux sœurs, madame de Restaud et madame de Nucingen.　La comtesse était magnifique avec tous ses
diamants étalés, qui, pour elle, étaient brûlants sans
10 doute, elle les portait pour la dernière fois.　Quelque
puissants que fussent son orgueil et son amour, elle ne
soutenait pas bien les regards de son mari.　Ce spectacle
n'était pas de nature à rendre les pensées de Rastignac
moins tristes, il revit sous les diamants des deux sœurs
15 le grabat sur lequel gisait le père Goriot.　Son attitude
mélancolique ayant trompé la vicomtesse, elle lui retira
son bras.

— Allez ! je ne veux pas vous coûter un plaisir, dit-elle.

Eugène fut bientôt réclamé par Delphine, heureuse de
20 l'effet qu'elle produisait, et jalouse de mettre aux pieds
de l'étudiant les hommages qu'elle recueillait dans ce
monde, où elle espérait être adoptée.

— Comment trouvez-vous Nasie ? lui dit-elle.

— Elle a, dit Rastignac, escompté jusqu'à la mort de
25 son père.

Vers quatre heures du matin, la foule des salons commençait à s'éclaircir.　Bientôt la musique ne se fit plus
entendre.　La duchesse de Langeais et Rastignac se
trouvèrent seuls dans le grand salon.　La vicomtesse,
30 croyant n'y rencontrer que l'étudiant, y vint, après avoir
dit adieu à M. de Beauséant, qui s'alla coucher en lui
répétant :

— Vous avez tort, ma chère, d'aller vous enfermer à
votre âge! Restez donc avec nous.

En voyant la duchesse, madame de Beauséant ne put
retenir une exclamation.

— Je vous ai devinée, Clara, dit madame de Langeais. 5
Vous partez pour ne plus revenir; mais vous ne partirez
pas sans m'avoir entendue et sans que nous nous soyons
comprises.

Elle prit son amie par le bras, l'emmena dans le salon
voisin, et, là, la regardant avec des larmes dans les yeux, 10
elle la serra dans ses bras et la baisa sur les joues.

— Je ne veux pas vous quitter froidement, ma chère,
ce serait un remords trop lourd.   Vous pouvez compter
sur moi comme sur vous-même.   Vous avez été grande
ce soir, je me suis sentie digne de vous, et veux vous le 15
prouver.   J'ai eu des torts envers vous, je n'ai pas
toujours été bien, pardonnez-moi, ma chère: je désavoue
tout ce qui a pu vous blesser, je voudrais reprendre mes
paroles.   Une même douleur a réuni nos âmes, et je ne
sais qui de nous sera la plus malheureuse.   M. de Mon- 20
triveau n'était pas ici ce soir, comprenez-vous? Qui vous
a vue pendant ce bal, Clara, ne vous oubliera jamais.
Moi, je tente un dernier effort.   Si j'échoue, j'irai dans
un couvent!   Où allez-vous, vous?

— En Normandie, à Courcelles, aimer, prier, jusqu'au 25
jour où Dieu me retirera de ce monde.

— Venez, monsieur de Rastignac, dit la vicomtesse
d'une voix émue, en pensant que ce jeune homme attendait.

L'étudiant plia le genou, prit la main de sa cousine et 30
la baisa.

— Antoinette, adieu! reprit madame de Beauséant,

soyez heureuse. —Quant à vous, vous l'êtes, vous êtes
jeune, vous pouvez croire à quelque chose, dit-elle à l'étudiant.   A mon départ de ce monde, j'aurai eu, comme
quelques mourants privilégiés, de religieuses, de sincères
5 émotions autour de moi!

Rastignac s'en alla vers cinq heures, après avoir vu
madame de Beauséant dans sa berline de voyage, après
avoir reçu son dernier adieu mouillé de larmes qui prou-
vaient que les personnes les plus élevées ne sont pas
10 mises hors de la loi du cœur et ne vivent pas sans chagrins, comme quelques courtisans du peuple voudraient
le lui faire croire.   Eugène revint à pied vers la maison
Vauquer, par un temps humide et froid.   Son éducation
s'achevait.

15   — Nous ne sauverons pas le pauvre père Goriot, lui
dit Bianchon quand Rastignac entra chez son voisin.

—Mon ami, lui dit Eugène après avoir regardé le
vieillard endormi, va, poursuis la destinée modeste à
laquelle tu bornes tes désirs.   Moi, je suis en enfer, et
20 il faut que j'y reste.   Quelque mal que l'on te dise du
monde, crois-le! il n'y a pas de Juvénal qui puisse en
peindre l'horreur couverte d'or et de pierreries.

Le lendemain, Rastignac fut éveillé sur les deux heures
après midi par Bianchon, qui, forcé de sortir, le pria de
25 garder le père Goriot, dont l'état avait fort empiré pendant la matinée.

—Le bonhomme n'a pas deux jours, n'a peut-être pas
six heures à vivre, dit l'élève en médecine, et cependant
nous ne pouvons pas cesser de combattre le mal.   Il va
30 falloir lui donner des soins coûteux.   Nous serons bien
ses garde-malades; mais je n'ai pas le sou, moi.   J'ai
retourné ses poches, fouillé ses armoires: zéro au quo-

tient.   Je l'ai questionné dans un moment où il avait sa
tête, il m'a dit ne pas avoir un liard à lui.   Qu'as-tu, toi?

— Il me reste vingt francs, répondit Rastignac; mais
j'irai les jouer, je gagnerai.

— Si tu perds?

— Je demanderai de l'argent à ses gendres et à ses
filles.

— Et s'ils ne t'en donnent pas? reprit Bianchon.   Le
plus pressé dans ce moment n'est pas de trouver de l'argent: il faut envelopper le bonhomme d'un sinapisme
bouillant depuis les pieds jusqu'à la moitié des cuisses.
S'il crie, il y aura de la ressource.   Tu sais comment
cela s'arrange.   D'ailleurs, Christophe t'aidera.   Moi, je
passerai chez l'apothicaire répondre de tous les médica-
ments que nous y prendrons.   Il est malheureux que le
pauvre homme n'ait pas été transportable à notre hospice, il y aurait été mieux.   Allons, viens, que je t'installe,
et ne le quitte pas que je ne sois revenu.

Les deux jeunes gens entrèrent dans la chambre où
gisait le vieillard.   Eugène fut effrayé du changement
de cette face convulsée, blanche et profondément débile.

— Eh bien, papa? lui dit-il en se penchant sur le
grabat.

Goriot leva sur Eugène des yeux ternes et le regarda
fort attentivement sans le reconnaître.   L'étudiant ne
soutint pas ce spectacle, des larmes humectèrent ses yeux.

— Bianchon, ne faudrait-il pas des rideaux aux fenêtres?

— Non, les circonstances atmosphériques ne l'affectent
plus.   Ce serait trop heureux s'il avait chaud ou froid.
Néanmoins, il nous faut du feu pour faire les tisanes et
préparer bien des choses.   Je t'enverrai des falourdes

qui nous serviront jusqu'à ce que nous ayons du bois.
Hier et cette nuit, j'ai brûlé le tien et toutes les mottes
du pauvre homme.   Il faisait humide, l'eau dégouttait
des murs.   A peine ai-je pu sécher la chambre.   Chris-
5 tophe l'a balayée, c'est vraiment une écurie.   J'y ai
brûlé du genièvre, ça puait trop.

— Mon Dieu! dit Rastignac, mais ses filles!

— Tiens, s'il demande à boire, tu lui donneras de
ceci, dit l'interne en montrant à Rastignac un grand pot
10 blanc.   Si tu l'entends se plaindre et que le ventre soit
chaud et dur, tu te feras aider par Christophe pour lui
administrer . . . tu sais.   S'il avait, par hasard, une
grande exaltation, s'il parlait beaucoup, s'il avait enfin
un petit brin de démence, laisse-le aller.   Ce ne sera
15 pas un mauvais signe.   Mais envoie Christophe à l'hospice Cochin.   Notre médecin, mon camarade ou moi,
nous viendrions lui appliquer des moxas.   Nous avons
fait ce matin, pendant que tu dormais, une grande con-
sultation avec un élève du docteur Gall,[1] avec un méde-
20 cin en chef de l'Hôtel-Dieu[2] et le nôtre.   Ces messieurs
ont cru reconnaître de curieux symptômes, et nous allons
suivre les progrès de la maladie afin de nous éclairer sur
plusieurs points scientifiques assez importants.   Un de
ces messieurs prétend que la pression du sérum, si elle
25 portait plus sur un organe que sur un autre, pourrait
développer des faits particuliers.   Écoute-le donc bien,
au cas où il parlerait, afin de constater à quel genre
d'idées appartiendraient ses discours: si c'est des effets
de mémoire, de pénétration, de jugement, s'il s'occupe
30 de matérialités ou de sentiments; s'il calcule, s'il revient
sur le passé; enfin sois en état de nous faire un rapport
exact.   Il est possible que l'invasion[3] ait lieu en bloc,

il mourra imbécile comme il l'est en ce moment. Tout
est bien bizarre dans ces sortes de maladies! Si la bombe
crevait, par ici, dit Bianchon en montrant l'occiput du
malade, il y a des exemples de phénomènes singuliers:
le cerveau recouvre quelques-unes de ses facultés, et la 5
mort est plus lente à se déclarer. Les sérosités peuvent
se détourner du cerveau, prendre des routes dont on ne
connaît le cours que par l'autopsie. Il y a aux Incurables[1] un vieillard hébété chez qui l'épanchement a
suivi la colonne vertébrale; il souffre horriblement, mais 10
il vit.

— Se sont-elles bien amusées? dit le père Goriot, qui
reconnut Eugène.

— Oh! il ne pense qu'à ses filles, dit Bianchon. Il m'a
dit plus de cent fois cette nuit: «Elles dansent! Elle a 15
sa robe.» Il les appelait par leurs noms. Il me faisait
pleurer, le diable m'emporte! avec ses intonations: «Delphine! ma petite Delphine! Nasie!» Ma parole d'honneur, dit l'élève en médecine, c'était à fondre en
larmes. 20

— Delphine, dit le vieillard, elle est là, n'est-ce pas? Je
le savais bien.

Et ses yeux recouvrèrent une activité folle pour regarder les murs et la porte.

— Je descends dire à Sylvie de préparer les sinapismes, 25
cria Bianchon, le moment est favorable.

Rastignac resta seul près du vieillard, assis au pied du
lit, les yeux fixes sur cette tête effrayante et douloureuse
à voir.

— Madame de Beauséant s'enfuit, celui-ci se meurt, 30
dit-il. Les belles âmes ne peuvent pas rester longtemps
en ce monde. Comment les grands sentiments s'allie-

raient-ils, en effet, à une société mesquine, petite, superfi-
cielle?

Les images de la fête à laquelle il avait assisté se re-
présentèrent à son souvenir et contrastèrent avec le
5 spectacle de ce lit de mort.   Bianchon reparut soudain.

— Dis donc, Eugène, je viens de voir notre médecin
en chef, et je suis revenu toujours courant. S'il se mani-
feste des symptômes de raison, s'il parle, couche-le sur
un long sinapisme, de manière à l'envelopper de moutarde
10 depuis la nuque jusqu'à la chute des reins, et fais-nous
appeler.

— Cher Bianchon, dit Eugène.

— Oh! il s'agit d'un fait scientifique, reprit l'élève en
médecine avec toute l'ardeur d'un néophyte.

15 — Allons, dit Eugène, je serai donc le seul à soigner ce
pauvre vieillard par affection.

— Si tu m'avais vu ce matin, tu ne dirais pas cela, reprit Bianchon, sans s'offenser du propos.   Les médecins
qui ont exercé ne voient que la maladie; moi, je vois
20 encore le malade, mon cher garçon.

Il s'en alla, laissant Eugène seul avec le vieillard, et
dans l'appréhension d'une crise qui ne tarda pas à se déclarer.

— Ah! c'est vous, mon cher enfant, dit le père Goriot
25 en reconnaissant Eugène.

— Allez-vous mieux? demanda l'étudiant en lui prenant
la main.

— Oui, j'avais la tête serrée comme dans un étau, mais
elle se dégage.   Avez-vous vu mes filles? Elles vont venir
30 bientôt, elles accourront aussitôt qu'elles me sauront malade, elles m'ont tant soigné rue de la Jussienne!   Mon
Dieu! je voudrais que ma chambre fût propre pour les

recevoir. Il y a un jeune homme qui m'a brûlé toutes mes
mottes.

— J'entends Christophe, lui dit Eugène; il vous monte
du bois que ce jeune homme vous envoie.

— Bon! mais comment payer le bois? Je n'ai pas un 5
sou, mon enfant. J'ai tout donné, tout. Je suis à la charité.[1] La robe lamée était-elle belle, au moins? (Ah! je
souffre!) — Merci, Christophe! Dieu vous récompensera,
mon garçon; moi, je n'ai plus rien.

— Je te payerai bien, toi et Sylvie, dit Eugène à l'oreille 10
du garçon.

— Mes filles vous ont dit qu'elles allaient venir, n'est-
ce pas, Christophe? Vas-y encore, je te donnerai cent
sous. Dis-leur que je ne me sens pas bien, que je voudrais
les embrasser, les voir encore une fois avant de mourir. 15
Dis-leur cela, mais sans trop les effrayer.

Christophe partit, sur un signe de Rastignac.

— Elles vont venir, reprit le vieillard. Je les connais.
Cette bonne Delphine, si je meurs, quel chagrin je lui
causerai! Nasie aussi. Je ne voudrais pas mourir, pour ne 20
pas les faire pleurer. Mourir, mon bon Eugène, c'est ne
plus les voir. Là où l'on s'en va, je m'ennuierai bien. Pour
un père, l'enfer, c'est d'être sans enfants, et j'ai déjà fait
mon apprentissage depuis qu'elles sont mariées. Mon paradis était rue de la Jussienne. Dites donc, si je vais en 25
paradis, je pourrai revenir sur terre en esprit autour
d'elles. J'ai entendu dire de ces choses-là. Sont-elles
vraies? Je crois les voir en ce moment telles qu'elles
étaient rue de la Jussienne. Elles descendaient le matin.
«Bonjour, papa,» disaient-elles. Je les prenais sur mes 30
genoux, je leur faisais mille agaceries, des niches. Elles
me caressaient gentiment. Nous déjeunions tou— [1]

matins ensemble, nous dînions, enfin j'étais père, je jouis-
sais de mes enfants.   Quand elles étaient rue de la Jussienne, elles ne raisonnaient pas, elles ne savaient rien
du monde, elles m'aimaient bien.   Mon Dieu! pourquoi
5 ne sont-elles pas toujours restées petites?   (Oh! je souffre,
la tête me tire.)   Ah! ah! pardon, mes enfants! je souffre
horriblement, et il faut que ce soit de la vraie douleur,
vous m'avez rendu bien dur au mal.   Mon Dieu! si j'avais
seulement leurs mains dans les miennes, je ne sentirais
10 point mon mal. — Croyez-vous qu'elles viennent?   Christophe est si bête!   J'aurais dû y aller moi-même.   Il va
les voir, lui.   Mais vous avez été hier au bal.   Dites-moi
donc comment elles étaient?   Elles ne savaient rien de
ma maladie, n'est-ce pas?   Elles n'auraient pas dansé,
15 pauvres petites! Oh! je ne veux plus être malade.   Elles
ont encore trop besoin de moi.   Leurs fortunes sont com-
promises.   Et à quels maris sont-elles livrées! Guérissez-
moi, guérissez-moi!   (Oh! que je souffre!... Ah! ah!
ah!) — Voyez-vous, il faut me guérir, parce qu'il leur
20 faut de l'argent, et je sais où aller en gagner.   J'irai faire
de l'amidon en aiguilles¹ à Odessa.   Je suis un malin, je
gagnerai des millions.   (Oh! je souffre trop!)

Goriot garda le silence pendant un moment, en paraissant faire tous ses efforts pour rassembler ses forces afin
25 de supporter la douleur.

— Si elles étaient là, je ne me plaindrais pas, dit-il.
Pourquoi donc me plaindre?

Un léger assoupissement survint et dura longtemps.
Christophe revint. Rastignac, qui croyait le père Goriot
30 endormi, laissa le garçon lui rendre compte à haute voix
de sa mission.

— Monsieur, dit-il, je suis d'abord allé chez madame la

comtesse, à laquelle il m'a été impossible de parler, elle
était dans de grandes affaires avec son mari. Comme j'in-
sistais, M. de Restaud est venu lui-même, et m'a dit comme
ça: «M. Goriot se meurt? Eh bien, c'est ce qu'il a de mieux
à faire. J'ai besoin de madame de Restaud pour terminer   5
des affaires importantes, elle ira quand tout sera fini.»
Il avait l'air en colère, ce monsieur-là. J'allais sortir,
lorsque madame est entrée dans l'antichambre par une
porte que je ne voyais pas, et m'a dit: «Christophe, dis
à mon père que je suis en discussion avec mon mari, je   10
ne puis pas le quitter; il s'agit de la vie ou de la mort de
mes enfants; mais, aussitôt que tout sera fini, j'irai.»
Quant à madame la baronne, autre histoire! je ne l'ai
point vue, et je n'ai pas pu lui parler. «Ah! me dit la
femme de chambre, madame est rentrée du bal à cinq   15
heures un quart, elle dort; si je l'éveille avant midi, elle
me grondera. Je lui dirai que son père va plus mal,
quand elle me sonnera. Pour une mauvaise nouvelle, il
est toujours temps de la lui dire.» J'ai eu beau prier!
Ah ouin![1] ... J'ai demandé à parler à M. le baron, il   20
était sorti.

— Pas une de ses filles ne viendrait! s'écria Rastignac.
Je vais écrire à toutes deux.

— Pas une! répondit le vieillard en se dressant sur
son séant. Elles ont des affaires, elles dorment, elles   25
ne viendront pas. Je le savais. Il faut mourir pour
savoir ce que c'est que des enfants... Ah! mon ami,
ne vous mariez pas, n'ayez pas d'enfants! Vous leur
donnez la vie, ils vous donnent la mort. Vous les faites
entrer dans le monde, ils vous en chassent. Non, elles   30
ne viendront pas! Je sais cela depuis dix ans. Je me
le disais quelquefois, mais je n'osais pas y croire.

Une larme roula dans chacun de ses yeux, sur la bordure rouge, sans en tomber.

—Ah! si j'étais riche, si j'avais gardé ma fortune, si
je ne la leur avais pas donnée, elles seraient là, elles
5 me lècheraient les joues de leurs baisers! je demeurerais
dans un hôtel, j'aurais de belles chambres, des domestiques, du feu à moi; et elles seraient tout en larmes, avec
leurs maris, leurs enfants. J'aurais tout cela. Mais
rien! L'argent donne tout, même des filles. Oh! mon
10 argent, où est-il? Si j'avais des trésors à laisser, elles
me panseraient, elles me soigneraient; je les entendrais,
je les verrais. Ah! mon cher enfant, mon seul enfant,
j'aime mieux mon abandon et ma misère! Au moins,
quand un malheureux est aimé, il est bien sûr qu'on
15 l'aime. Non, je voudrais être riche, je les verrais. Ma
foi, qui sait? Elles ont toutes les deux des cœurs de
roche. J'avais trop d'amour pour elles, pour qu'elles en
eussent pour moi. Un père doit être toujours riche, il
doit tenir ses enfants en bride comme des chevaux sour-
20 nois. Et j'étais à genoux devant elles. Les misérables!
elles couronnent dignement leur conduite envers moi
depuis dix ans. Si vous saviez comme elles étaient aux
petits soins pour moi dans les premiers temps de leur
mariage! (Oh! je souffre un cruel martyre!) Je venais
25 de leur donner à chacune près de huit cent mille francs,
elles ne pouvaient pas, ni leurs maris non plus, être
rudes avec moi. L'on me recevait: «Mon bon père,
par-ci; mon cher père, par-là.» Mon couvert était toujours mis chez elles. Enfin je dînais avec leurs maris,
30 qui me traitaient avec considération. J'avais l'air
d'avoir encore quelque chose. Pourquoi ça? Je n'avais
rien dit de mes affaires. Un homme qui donne huit

cent mille francs à ses filles était un homme à soigner.
Et l'on était aux petits soins, mais c'était pour mon
argent. Le monde n'est pas beau. J'ai vu cela, moi!
L'on me menait en voiture au spectacle, et je restais
comme je voulais aux soirées. Enfin, elles se disaient
mes filles et elles m'avouaient pour leur père. J'ai encore ma finesse, allez, et rien ne m'est échappé. Tout
a été à son adresse[1] et m'a percé le cœur. Je voyais bien
que c'était des frimes; mais le mal était sans remède.
Je n'étais pas chez elles aussi à l'aise qu'à la table d'en
bas. Je ne savais rien dire. Aussi, quand quelques-uns
de ces gens du monde demandaient à l'oreille de mes
gendres: «Qui est-ce que ce monsieur-là? — C'est le
père aux écus, il est riche. — Ah diable!» disait-on, et
l'on me regardait avec le respect dû aux écus. Mais, si
je les gênais quelquefois un peu, je rachetais bien mes
défauts! D'ailleurs, qui donc est parfait? (Ma tête est
une plaie!) Je souffre en ce moment ce qu'il faut souffrir
pour mourir, mon cher monsieur Eugène, eh bien, ce
n'est rien en comparaison de la douleur que m'a causée
le premier regard par lequel Anastasie m'a fait comprendre que je venais de dire une bêtise qui l'humiliait:
son regard m'a ouvert toutes les veines. J'aurais voulu
tout savoir, mais ce que j'ai bien su, c'est que j'étais
de trop sur terre. Le lendemain, je suis allé chez Delphine pour me consoler, et voilà que j'y fais une bêtise
qui me l'a mise en colère. J'en suis devenu comme
fou. J'ai été huit jours ne sachant plus ce que je devais
faire. Je n'ai pas osé les aller voir, de peur de leurs
reproches. Et me voilà à la porte de chez mes filles.
O mon Dieu! puisque tu connais les misères, les souffrances que j'ai endurées; puisque tu as compté les coups

de poignard que j'ai reçus, dans ce temps qui m'a vieilli,
changé, tué, blanchi, pourquoi me fais-tu donc souffrir
aujourd'hui? J'ai bien expié le péché de les trop aimer.
Elles se sont bien vengées de mon affection, elles m'ont
5 tenaillé comme des bourreaux. Eh bien, les pères sont si
bêtes, je les aimais tant, que j'y suis retourné comme un
joueur au jeu. Mes filles, c'était mon vice à moi; elles
étaient mes maîtresses, enfin tout! Elles avaient toutes les
deux besoin de quelque chose, de parures; les femmes de
10 chambre me le disaient, et je les donnais pour être bien
reçu! Mais elles m'ont fait tout de même quelques petites
leçons sur ma manière d'être dans le monde. Oh! elles
n'ont pas attendu le lendemain. Elles commençaient à
rougir de moi. Voilà ce que c'est que de bien élever ses
15 enfants. A mon âge, je ne pouvais pourtant pas aller à
l'école. (Je souffre horriblement, mon Dieu! Les médecins! les médecins! Si l'on m'ouvrait la tête, je souffrirais
moins.) Mes filles, mes filles! Anastasie, Delphine! je
veux les voir. Envoyez-les chercher par la gendarmerie,
20 de force! la justice est pour moi, tout est pour moi, la
nature, le Code civil. Je proteste! La patrie périra si les
pères sont foulés aux pieds. Cela est clair. La société, le
monde, roulent sur la paternité, tout croule si les enfants
n'aiment pas leurs pères. Oh! les voir, les entendre, n'im-
25 porte ce qu'elles me diront, pourvu que j'entende leur
voix, ça calmera mes douleurs, Delphine surtout. Mais
dites-leur, quand elles seront là, de ne pas me regarder
froidement comme elles font. Ah! mon bon ami, monsieur
Eugène, vous ne savez pas ce que c'est que de trouver l'or
30 du regard changé tout à coup en plomb gris. Depuis le jour
où leurs yeux n'ont plus rayonné sur moi, j'ai toujours été
en hiver ici; je n'ai plus eu que des chagrins à dévorer,

et je les ai dévorés! J'ai vécu pour être humilié, insulté.
Je les aime tant, que j'avalais tous les affronts par lesquels elles me vendaient une pauvre petite jouissance
honteuse. Un père se cacher pour voir ses filles! Je leur
ai donné ma vie, elles ne me donneront pas une heure   5
aujourd'hui! J'ai soif, j'ai faim, le cœur me brûle, elles
ne viendront pas rafraîchir mon agonie, car je meurs, je
le sens. Mais elles ne savent donc pas ce que c'est que
de marcher sur le cadavre de son père! Il y a un Dieu
dans les cieux, il nous venge malgré nous, nous autres 10
pères. Oh! elles viendront! Venez, mes chéries, venez
encore me baiser, un dernier baiser, le viatique[1] de votre
père, qui priera Dieu pour vous, qui lui dira que vous
avez été de bonnes filles, qui plaidera pour vous! Après
tout, vous êtes innocentes. Elles sont innocentes, mon 15
ami! Dites-le bien à tout le monde, qu'on ne les inquiète
pas à mon sujet. Tout est de ma faute, je les ai habi-
tuées à me fouler aux pieds. J'aimais cela, moi. Ça ne
regarde personne, ni la justice humaine, ni la justice
divine. Dieu serait injuste s'il les condamnait à cause de 20
moi. Je n'ai pas su me conduire, j'ai fait la bêtise d'abdiquer mes droits. Je me serais avili pour elles! Que
voulez-vous! le plus beau naturel, les meilleures âmes
auraient succombé à la corruption de cette facilité paternelle. Je suis un misérable, je suis justement puni. Moi 25
seul ai causé les désordres de mes filles, je les ai gâtées.
Elles veulent aujourd'hui le plaisir, comme elles voulaient autrefois du bonbon. Je leur ai toujours permis de
satisfaire leurs fantaisies de jeunes filles. A quinze ans,
elles avaient voiture! Rien ne leur a résisté. Moi seul suis 30
coupable, mais coupable par amour. Leur voix m'ouvrait
le cœur. Je les entends, elles viennent. Oh! oui, elles

viendront. La loi veut qu'on vienne voir mourir son père,
la loi est pour moi. Puis ça ne coûtera qu'une course.[1]
Je la payerai. Écrivez-leur que j'ai des millions à leur
laisser! Parole d'honneur. J'irai faire des pâtes d'Italie à
5 Odessa. Je connais la manière. Il y a, dans mon projet,
des millions à gagner. Personne n'y a pensé. Ça ne se
gâtera point dans le transport, comme le blé ou comme
la farine. Eh! eh! l'amidon, il y aura là des millions!
Vous ne mentirez pas, dites-leur des millions, et, quand
10 même elles viendraient par avarice, j'aime mieux être
trompé, je les verrai. Je veux mes filles! je les ai faites,
elles sont à moi! dit-il en se dressant sur son séant, en
montrant à Eugène une tête dont les cheveux blancs
étaient épars et qui menaçait par tout ce qui pouvait
15 exprimer la menace.

— Allons, lui dit Eugène, recouchez-vous, mon bon
père Goriot, je vais leur écrire. Aussitôt que Bianchon
sera de retour, j'irai, si elles ne viennent pas.

— Si elles ne viennent pas? répéta le vieillard en
20 sanglotant. Mais je serai mort, mort dans un accès de
rage, de rage! La rage me gagne! En ce moment, je
vois ma vie entière. Je suis dupe! elles ne m'aiment pas,
elles ne m'ont jamais aimé! cela est clair. Si elles ne sont
pas venues, elles ne viendront pas. Plus elles auront tardé,
25 moins elles se décideront à me faire cette joie. Je les connais. Elles n'ont jamais su rien deviner de mes chagrins,
de mes douleurs, de mes besoins, elles ne devineront pas
plus ma mort; elles ne sont seulement pas dans le secret
de ma tendresse. Oui, je le vois, pour elles, l'habitude
30 de m'ouvrir les entrailles a ôté du prix à tout ce que je
faisais. Elles auraient demandé à me crever les yeux, je
leur aurais dit: «Crevez-les!» Je suis trop bête. Elles

croient que tous les pères sont comme le leur.   Il faut
toujours se faire valoir.   Leurs enfants me vengeront.
Mais c'est dans leur intérêt, de venir ici.   Prévenez-les
donc qu'elles compromettent leur agonie.   Elles commet-
tent tous les crimes en un seul. . . Mais allez donc, dites-   5
leur donc que, ne pas venir, c'est un parricide!   Elles en
ont assez commis sans ajouter celui-là.   Criez donc comme
moi: « Hé, Nasie! hé, Delphine!   venez à votre père,
qui a été si bon pour vous et qui souffre! »   Rien, personne!
Mourrai-je donc comme un chien?   Voilà ma récompense,   10
l'abandon.   Ce sont des infâmes, des scélérates; je les
abomine, je les maudis; je me relèverai, la nuit, de mon
cercueil pour les remaudire, car, enfin, mes amis, ai-je
tort? elles se conduisent bien mal, hein! . . . Qu'est-ce que
je dis?   Ne m'avez-vous pas averti que Delphine est là?   15
C'est la meilleure des deux. . . Vous êtes mon fils, Eugène,
vous! aimez-la, soyez un père pour elle.   L'autre est bien
malheureuse. Et leurs fortunes! Ah! mon Dieu! J'expire,
je souffre un peu trop!   Coupez-moi la tête, laissez-moi
seulement le cœur.
                                                                  20
— Christophe, allez chercher Bianchon, s'écria Eugène,
épouvanté du caractère que prenaient les plaintes et les
cris du vieillard, et ramenez-moi un cabriolet. — Je vais
aller chercher vos filles, mon bon père Goriot, je vous les
ramènerai.
                                                                  25
— De force! de force! demandez la garde, la ligne,[1]
tout! tout! dit-il en jetant à Eugène un dernier regard
où brilla la raison.   Dites au gouvernement, au procureur
du roi, qu'on me les amène, je le veux!

— Mais vous les avez maudites.
                                                                  30
— Qui est-ce qui a dit cela? répondit le vieillard
stupéfait.   Vous savez bien que je les aime, je les adore!

Je suis guéri si je les vois... Allez, mon bon voisin, mon
cher enfant, allez! vous êtes bon, vous; je voudrais vous
remercier, mais je n'ai rien à vous donner que les bénédictions d'un mourant.   Ah! je voudrais au moins voir
5 Delphine pour lui dire de m'acquitter envers vous.   Si
l'autre ne peut pas, amenez-moi celle-là.   Dites-lui que
vous ne l'aimerez plus si elle ne veut pas venir.   Elle
vous aime tant, qu'elle viendra.   A boire! les entrailles
me brûlent!   Mettez-moi quelque chose sur la tête.   La
10 main de mes filles, ça me sauverait, je le sens... Mon
Dieu! qui refera leur fortune si je m'en vais?   Je veux
aller à Odessa pour elles, à Odessa, y faire des pâtes.

   —Buvez ceci, dit Eugène en soulevant le moribond
et le prenant dans son bras gauche, tandis que de la main
15 droite il tenait une tasse pleine de tisane.

   —Vous devez aimer votre père et votre mère, vous!
dit le vieillard en serrant de ses mains défaillantes la
main d'Eugène.   Comprenez-vous que je vais mourir
sans les voir, mes filles?   Avoir soif toujours, et ne jamais
20 boire, voilà comment j'ai vécu depuis dix ans... Mes
deux gendres ont tué mes filles.   Oui, je n'ai plus eu de
filles après qu'elles ont été mariées.   Pères, dites aux
Chambres de faire une loi sur le mariage!   Enfin, ne
mariez pas vos filles, si vous les aimez.   Le gendre est
25 un scélérat qui gâte tout chez une fille, il souille tout.
Plus de mariages!   C'est ce qui nous enlève nos filles,
et nous ne les avons plus quand nous mourons.   Faites
une loi sur la mort des pères.   C'est épouvantable, ceci!
Vengeance!   Ce sont mes gendres qui les empêchent de
30 venir... Tuez-les!... A mort le Restaud, à mort l'Alsacien, ils sont mes assassins!... La mort ou mes filles!
... Ah! c'est fini, je meurs sans elles!... Elles!... Nasie!
Fifine, allons, venez donc!   Votre papa sort...

— Mon bon père Goriot, calmez-vous, voyons, restez
tranquille, ne vous agitez pas, ne pensez pas.

— Ne pas les voir, voilà l'agonie !

— Vous allez les voir.

— Vrai ? cria le vieillard égaré. Oh ! les voir ! je vais
les voir, entendre leur voix. Je mourrai heureux. Eh
bien, oui, je ne demande plus à vivre, je n'y tenais plus,
mes peines allaient croissant. Mais les voir, toucher
leurs robes, ah ! rien que leurs robes, c'est bien peu ;
mais que je sente quelque chose d'elles ! Faites-moi
prendre les cheveux . . . veux. . .

Il tomba la tête sur l'oreiller comme s'il recevait un
coup de massue. Ses mains s'agitèrent sur la couverture
comme pour prendre les cheveux de ses filles.

— Je les bénis, dit-il en faisant un effort . . . bénis. . .

Il s'affaissa tout à coup. En ce moment, Bianchon
entra.

— J'ai rencontré Christophe, dit-il, il va t'amener une
voiture.

Puis il regarda le malade, lui souleva de force les pau-
pières, et les deux étudiants lui virent un œil sans chaleur
et terne.

— Il n'en reviendra pas, dit Bianchon, je ne crois pas.

Il prit le pouls, le tâta, mit la main sur le cœur du
bonhomme.

— La machine va toujours ; mais, dans sa position,
c'est un malheur, il vaudrait mieux qu'il mourût !

— Ma foi, oui, dit Rastignac.

— Qu'as-tu donc ? Tu es pâle comme la mort.

— Mon ami, je viens d'entendre des cris et des
plaintes. . . Il y a un Dieu ! Oh ! oui, il y a un Dieu, et
il nous a fait un monde meilleur, ou notre terre est un

non-sens.   Si ce n'avait pas été si tragique, je fondrais
en larmes, mais j'ai le cœur et l'estomac horriblement
serrés.

— Dis donc, il va falloir bien des choses; où prendre
5 de l'argent?

Rastignac tira sa montre.

— Tiens, mets-la vite en gage.   Je ne veux pas m'arrêter en route, car j'ai peur de perdre une minute, et
j'attends Christophe.   Je n'ai pas un liard, il faudra
10 payer mon cocher au retour.

Rastignac se précipita dans l'escalier, et partit pour
aller rue du Helder, chez madame de Restaud. Pendant
le chemin, son imagination, frappée de l'horrible spectacle dont il avait été témoin, échauffa son indignation.
15 Quand il arriva dans l'antichambre et qu'il demanda
madame de Restaud, on lui répondit qu'elle n'était pas
visible.

— Mais, dit-il au valet de chambre, je viens de la part
de son père, qui se meurt.

20 — Monsieur, nous avons de M. le comte les ordres les
plus sévères. . .

— Si M. de Restaud y est, dites-lui dans quel état se
trouve son beau-père et prévenez-le qu'il faut que je lui
parle à l'instant même.

25 Eugène attendit pendant longtemps.

— Il se meurt peut-être en ce moment, pensait-il.

Le valet de chambre l'introduisit dans le premier salon,
où M. de Restaud reçut l'étudiant debout, sans le faire
asseoir, devant une cheminée où il n'y avait pas de
30 feu.

— Monsieur le comte, lui dit Rastignac, monsieur votre
beau-père expire en ce moment dans un bouge infâme,

sans un liard pour avoir du bois; il est exactement à la
mort et demande à voir sa fille. . .

— Monsieur, lui répondit avec froideur le comte de
Restaud, vous avez pu vous apercevoir que j'ai fort peu
de tendresse pour M. Goriot. Il a compromis son ca- 5
ractère avec madame de Restaud, il a fait le malheur de
ma vie, je vois en lui l'ennemi de mon repos. Qu'il
meure, qu'il vive, tout m'est parfaitement indifférent.
Voilà quels sont mes sentiments à son égard. Le monde
pourra me blâmer, je méprise l'opinion. J'ai maintenant 10
des choses plus importantes à accomplir qu'à m'occuper
de ce que penseront de moi des sots ou des indifférents.
Quant à madame de Restaud, elle est hors d'état de sortir. D'ailleurs, je ne veux pas qu'elle quitte sa maison.
Dites à son père qu'aussitôt qu'elle aura rempli ses de- 15
voirs envers moi, envers mon enfant, elle ira le voir. Si
elle aime son père, elle peut être libre dans quelques
instants. . .

— Monsieur le comte, il ne m'appartient pas de juger
votre conduite, vous êtes le maître de votre femme; mais 20
je puis compter sur votre loyauté? eh bien, promettez-
moi seulement de lui dire que son père n'a pas un jour à
vivre, et l'a déjà maudite en ne la voyant pas à son chevet.

— Dites-le-lui vous-même, répondit M. de Restaud,
frappé des sentiments d'indignation que trahissait l'ac- 25
cent d'Eugène.

Rastignac entra, conduit par le comte, dans le salon
où se tenait habituellement la comtesse: il la trouva noyée
de larmes, et plongée dans une bergère comme une
femme qui voudrait mourir. Elle lui fit pitié. Avant de 30
regarder Rastignac, elle jeta sur son mari de craintifs regards qui annonçaient une prostration complète de ses

forces écrasées par une tyrannie morale et physique.
Le comte hocha la tête, elle se crut encouragée à parler.

— Monsieur, j'ai tout entendu. Dites à mon père que,
s'il connaissait la situation dans laquelle je suis, il me
pardonnerait... Je ne comptais pas sur ce supplice, il est
au-dessus de mes forces, monsieur! — Mais je résisterai
jusqu'au bout, dit-elle à son mari. Je suis mère. — Dites
à mon père que je suis irréprochable envers lui, malgré
les apparences! cria-t-elle avec désespoir à l'étudiant.

Eugène salua les deux époux, en devinant l'horrible
crise dans laquelle était la femme, et se retira stupéfait.
Le ton de M. de Restaud lui avait démontré l'inutilité
de sa démarche, et il comprit qu'Anastasie n'était plus
libre. Il courut chez madame de Nucingen, et la trouva
dans son lit.

— Je suis souffrante, mon pauvre ami, lui dit-elle. J'ai
pris froid en sortant du bal, j'ai peur d'avoir une fluxion
de poitrine, j'attends le médecin.

— Eussiez-vous la mort sur les lèvres, lui dit Eugène
en l'interrompant, il faut vous traîner auprès de votre
père. Il vous appelle! si vous pouviez entendre le plus
léger de ses cris, vous ne vous sentiriez point malade.

— Eugène, mon père n'est peut-être pas aussi malade
que vous le dites; mais je serais au désespoir d'avoir le
moindre tort à vos yeux, et je me conduirai comme vous
le voudrez. Lui, je le sais, il mourrait de chagrin si ma
maladie devenait mortelle par suite de cette sortie. Eh
bien, j'irai dès que mon médecin sera venu... Ah!
pourquoi n'avez-vous plus votre montre? dit-elle en ne
voyant plus la chaîne.

Eugène rougit.

— Eugène, Eugène, si vous l'aviez déjà vendue, perdue... oh! cela serait bien mal!

L'étudiant se pencha sur le lit de Delphine et lui dit à
l'oreille:

— Vous voulez le savoir? eh bien, sachez-le! Votre 5
père n'a pas de quoi s'acheter le linceul dans lequel on
le mettra ce soir. Votre montre est en gage, je n'avais
plus rien.

Delphine sauta tout à coup hors de son lit, courut à
son secrétaire, y prit sa bourse, la tendit à Rastignac. 10
Elle sonna et s'écria:

— J'y vais, j'y vais, Eugène. Laissez-moi m'habiller;
mais je serais un monstre! Allez, j'arriverai avant vous!
— Thérèse, cria-t-elle à sa femme de chambre, dites à
M. de Nucingen de monter me parler à l'instant 15
même.

Eugène, heureux de pouvoir annoncer au moribond la
présence d'une de ses filles, arriva presque joyeux rue
Neuve-Sainte-Geneviève. Il fouilla dans la bourse pour
pouvoir payer immédiatement son cocher. La bourse de 20
cette jeune femme, si riche, si élégante, contenait soixante et dix francs. Parvenu en haut de l'escalier, il
trouva le père Goriot maintenu par Bianchon, et opéré
par le chirurgien de l'hôpital, sous les yeux du médecin.
On lui brûlait le dos avec des moxas, dernier remède de 25
la science, remède inutile.

— Les sentez-vous? demanda le médecin.

Le père Goriot, ayant entrevu l'étudiant, répondit:

— Elles viennent, n'est-ce pas?

— Il peut s'en tirer, dit le chirurgien, il parle. 30

— Oui, répondit Eugène, Delphine me suit.

— Allons! dit Bianchon, il parlait de ses filles, après

lesquelles il crie comme un homme sur le pal crie, dit-on,
après l'eau. . .

— Cessez, dit le médecin au chirurgien, il n'y a plus
rien à faire, on ne le sauvera pas.

5   Bianchon et le chirurgien replacèrent le mourant à
plat sur son grabat infect.

— Il faudrait cependant le changer de linge, dit le
médecin.   Quoiqu'il n'y ait aucun espoir, il faut respecter
en lui la nature humaine.   Je reviendrai, Bianchon, dit-
10 il à l'étudiant.   S'il se plaignait encore, mettez-lui de
l'opium sur le diaphragme.

Le chirurgien et le médecin sortirent.

— Allons, Eugène, du courage, mon fils! dit Bianchon
à Rastignac quand ils furent seuls, il s'agit de lui mettre
15 une chemise blanche et de changer son lit.   Va dire à
Sylvie de monter des draps et de venir nous aider.

Eugène descendit, et trouva madame Vauquer occupée
à mettre le couvert avec Sylvie.   Aux premiers mots
que lui dit Rastignac, la veuve vint à lui, en prenant
20 l'air aigrement doucereux d'une marchande soupçonneuse
qui ne voudrait ni perdre son argent, ni fâcher le con-
sommateur.

— Mon cher monsieur Eugène, répondit-elle, vous
savez, tout comme moi, que le père Goriot n'a plus le
25 sou.   Donner des draps à un homme en train de tortiller
de l'œil,[1] c'est les perdre, d'autant qu'il faudra bien en
sacrifier un pour le linceul.   Aussi, vous me devez déjà
cent quarante-quatre francs, mettez quarante francs de
draps, et quelques autres petites choses, la chandelle
30 que Sylvie vous donnera, tout cela fait au moins deux
cents francs, qu'une pauvre veuve comme moi n'est pas
en état de perdre.   Dame, soyez juste, monsieur Eugène,

j'ai bien assez perdu depuis cinq jours que le guignon
s'est logé chez moi. J'aurais donné dix écus pour que
ce bonhomme-là fût parti ces jours-ci, comme vous le
disiez. Ça frappe mes pensionnaires. Pour un rien,[1] je
le ferais porter à l'hôpital. Enfin, mettez-vous à ma place.
Mon établissement avant tout, c'est ma vie, à moi.

Eugène remonta rapidement chez le père Goriot.

— Bianchon, l'argent de la montre?

— Il est là sur la table, il en reste trois cent soixante
et quelques francs. J'ai payé sur ce qu'on m'a donné
tout ce que nous devions. La reconnaissance du mont-
de-piété est sous l'argent.

— Tenez, madame, dit Rastignac après avoir dégrin-
golé l'escalier avec horreur, soldez nos comptes. M.
Goriot n'a pas longtemps à rester chez vous, et moi. . .

— Oui, il en sortira les pieds en avant,[2] pauvre bonhomme, dit-elle en comptant deux cents francs, d'un air
moitié gai, moitié mélancolique.

— Finissons, dit Rastignac.

— Sylvie, donnez les draps, et allez aider ces messieurs
là-haut.

— Vous n'oublierez pas Sylvie, dit madame Vauquer à
l'oreille d'Eugène, voilà deux nuits qu'elle veille.

Dès qu'Eugène eut le dos tourné, la vieille courut à sa
cuisinière:

— Prends les draps retournés,[3] numéro 7. Pardieu!
c'est toujours assez bon pour un mort, lui dit-elle à
l'oreille.

Eugène, qui avait déjà monté quelques marches de
l'escalier, n'entendit pas les paroles de la vieille hôtesse.

— Allons, lui dit Bianchon, passons-lui sa chemise.
Tiens-le droit.

Eugène se mit à la tête du lit et soutint le moribond, auquel Bianchon enleva sa chemise, et le bonhomme fit un geste comme pour garder quelque chose sur sa poitrine, et poussa des cris plaintifs et inarticulés, à la manière des animaux qui ont une grande douleur à exprimer.

— Oh! oh! dit Bianchon, il veut une petite chaîne de cheveux et un médaillon que nous lui avons ôtés tout à l'heure pour lui poser ses moxas. Pauvre homme! il faut la lui remettre. Elle est sur la cheminée.

Eugène alla prendre une chaîne tressée avec des cheveux d'un blond cendré, sans doute ceux de madame Goriot. Il lut d'un côté du médaillon: ANASTASIE, et de l'autre: DELPHINE. Image de son cœur qui reposait toujours sur son cœur. Les boucles contenues étaient d'une telle finesse, qu'elles devaient avoir été prises pendant la première enfance des deux filles. Lorsque le médaillon toucha sa poitrine, le vieillard fit un *han* prolongé qui annonçait une satisfaction effrayante à voir. C'était un des derniers retentissements de sa sensibilité, qui semblait se retirer au centre inconnu d'où partent et où s'adressent nos sympathies. Son visage convulsé prit une expression de joie maladive. Les deux étudiants, frappés de ce terrible éclat d'une force de sentiment qui survivait à la pensée, laissèrent tomber chacun des larmes chaudes sur le moribond, qui jeta un cri de plaisir aigu.

— Nasie! Fifine! dit-il.

— Il vit encore, dit Bianchon.

— A quoi ça lui sert-il? dit Sylvie.

— A souffrir, répondit Rastignac.

Après avoir fait à son camarade un signe pour lui dire de l'imiter, Bianchon s'agenouilla pour passer ses bras sous les jarrets du malade, pendant que Rastignac en faisait autant de l'autre côté du lit afin de passer les mains sous le dos. Sylvie était là, prête à retirer les draps quand le moribond serait soulevé, afin de les remplacer par ceux qu'elle apportait. Trompé sans doute par les larmes, Goriot usa de ses dernières forces pour étendre les mains, rencontra de chaque côté de son lit les têtes des étudiants, les saisit violemment par les cheveux, et l'on entendit faiblement :

— Ah ! mes anges !

Deux mots, deux murmures accentués par l'âme qui s'envola sur cette parole.

— Pauvre cher homme ! dit Sylvie, attendrie de cette exclamation où se peignit un sentiment suprême que le plus horrible, le plus involontaire des mensonges exaltait une dernière fois.

Le dernier soupir de ce père devait être un soupir de joie. Ce soupir fut l'expression de toute sa vie, il se trompait encore. Le père Goriot fut pieusement replacé sur son grabat. A compter de ce moment, sa physionomie garda la douloureuse empreinte du combat qui se livrait entre la mort et la vie dans une machine qui n'avait plus cette espèce de conscience cérébrale d'où résulte le sentiment du plaisir et de la douleur pour l'être humain. Ce n'était plus qu'une question de temps pour la destruction.

— Il va rester ainsi quelques heures, et mourra sans que l'on s'en aperçoive, il ne râlera même pas. Le cerveau doit être complètement envahi.

En ce moment, on entendit dans l'escalier un pas de jeune femme haletante.

— Elle arrive trop tard, dit Rastignac.

Ce n'était pas Delphine, c'était Thérèse, sa femme de
chambre.

— Monsieur Eugène, dit-elle, il s'est élevé une scène
violente entre monsieur et madame, à propos de l'argent
5 que cette pauvre madame demandait pour son père.
Elle s'est évanouie, le médecin est venu, il a fallu la
saigner, elle criait: « Mon père se meurt, je veux voir
papa!» Enfin, des cris à fendre l'âme. . .

— Assez, Thérèse. Elle viendrait, que maintenant ce
10 serait superflu, M. Goriot n'a plus de connaissance.

— Pauvre cher monsieur, est-il mal comme ça! dit
Thérèse.

— Vous n'avez plus besoin de moi, faut que j'aille à
mon dîner, il est quatre heures et demie, dit Sylvie, qui
15 faillit se heurter sur le haut de l'escalier avec madame de
Restaud.

Ce fut une apparition grave et terrible que celle de la
comtesse. Elle regarda le lit de mort, mal éclairé par
une seule chandelle, et versa des pleurs en apercevant le
20 masque de son père où palpitaient encore les derniers tres-
saillements de la vie. Bianchon se retira par discrétion.

— Je ne me suis pas échappée assez tôt, dit la comtesse à Rastignac.

L'étudiant fit un signe de tête affirmatif plein de tris-
25 tesse. Madame de Restaud prit la main de son père, la
baisa.

— Pardonnez-moi, mon père! Vous disiez que ma
voix vous rappellerait de la tombe; eh bien, revenez un
moment à la vie pour bénir votre fille repentante. En-
30 tendez-moi. Ceci est affreux! votre bénédiction est la
seule que je puisse recevoir ici-bas désormais. Tout le
monde me hait, vous seul m'aimez. Mes enfants eux-

mêmes me haïront.   Emmenez-moi avec vous, je vous
aimerai, je vous soignerai.   Il n'entend plus . . . je suis
folle. . .

Elle tomba sur ses genoux, et contempla ce débris
avec une expression de délire.   5

— Rien ne manque à mon malheur, dit-elle en regardant Eugène.   M. de Trailles est parti, laissant ici
des dettes énormes, et j'ai su qu'il me trompait.   Mon
mari ne me pardonnera jamais, et je l'ai laissé le maître
de ma fortune.   J'ai perdu toutes mes illusions.   Hélas! 10
pour qui ai-je trahi le seul cœur (elle montra son père)
où j'étais adorée!   Je l'ai méconnu, je l'ai repoussé, je
lui ai fait mille maux, infâme que je suis!

— Il le savait, dit Rastignac.

En ce moment, le père Goriot ouvrit les yeux, mais 15
par l'effet d'une convulsion.   Le geste qui révélait
l'espoir de la comtesse ne fut pas moins horrible à voir
que l'œil du mourant.

— M'entendrait-il? cria la comtesse.   Non, se dit-elle
en s'asseyant auprès du lit.   20

Madame de Restaud ayant manifesté le désir de garder
son père, Eugène descendit pour prendre un peu de
nourriture.   Les pensionnaires étaient déjà réunis.

— Eh bien, lui demanda le peintre, il paraît que nous
allons avoir un petit mortorama là-haut?   25

— Charles, répondit Eugène, il me semble que vous
devriez plaisanter sur quelque sujet moins lugubre.

— Nous ne pourrons donc plus rire ici? reprit le
peintre.   Qu'est-ce que cela fait, puisque Bianchon dit
que le bonhomme n'a plus sa connaissance?   30

— Eh bien, reprit l'employé au Muséum, il sera mort
comme il a vécu.

— Mon père est mort! cria la comtesse.

A ce cri terrible, Sylvie, Rastignac et Bianchon montèrent et trouvèrent madame de Restaud évanouie.
Après l'avoir fait revenir à elle, ils la transportèrent
5 dans le fiacre qui l'attendait. Eugène la confia aux
soins de Thérèse, lui ordonnant de la conduire chez
madame de Nucingen.

— Oh! il est bien mort, dit Bianchon en descendant.

—Allons, messieurs, à table, dit madame Vauquer, la
10 soupe va refroidir.

Les deux étudiants se mirent à côté l'un de l'autre.

— Que faut-il faire maintenant? dit Eugène à Bianchon.

— Mais je lui ai fermé les yeux, et je l'ai convenable-
15 ment disposé. Quand le médecin de la mairie[1] aura constaté le décès que nous irons déclarer, on le coudra dans
un linceul, et on l'enterrera. Que veux-tu qu'il devienne?

— Il ne flairera plus son pain comme ça, dit un pen-
20 sionnaire en imitant la grimace du bonhomme.

— Sacrebleu! messieurs, dit le répétiteur, laissez donc
le père Goriot, et ne nous en faites plus manger, car on
l'a mis à toute sauce depuis une heure. Un des privilèges
de la bonne ville de Paris, c'est qu'on peut y naître, y
25 vivre, y mourir sans que personne fasse attention à vous.
Profitons donc des avantages de la civilisation. Il y a
soixante morts aujourd'hui, voulez-vous vous apitoyer
sur les hécatombes parisiennes? Que le père Goriot
soit crevé,[2] tant mieux pour lui! Si vous l'adorez, allez le
30 garder, et laissez-nous manger tranquillement, nous
autres.

— Oh! oui, dit la veuve, tant mieux pour lui qu'il soit

mort! Il paraît que le pauvre homme avait bien du désagrément, sa vie durant.

Ce fut la seule oraison funèbre d'un être qui, pour Eugène, représentait la Paternité. Les quinze pensionnaires
se mirent à causer comme à l'ordinaire. Lorsque Eugène 5
et Bianchon eurent mangé, le bruit des fourchettes et des
cuillers, les rires de la conversation, les diverses expressions de ces figures gloutonnes et indifférentes, leur insouciance, tout les glaça d'horreur. Ils sortirent pour aller
chercher un prêtre qui veillât et priât pendant la nuit près 10
du mort. Il leur fallut mesurer les derniers devoirs à
rendre au bonhomme sur le peu d'argent dont ils pour-
raient disposer. Vers neuf heures du soir, le corps fut
placé sur un fond sanglé,[1] entre deux chandelles, dans
cette chambre nue, et un prêtre vint s'asseoir auprès de 15
lui. Avant de se coucher, Rastignac, ayant demandé
des renseignements à l'ecclésiastique sur le prix du
service à faire et sur celui des convois, écrivit un mot au
baron de Nucingen et au comte de Restaud, en les priant
d'envoyer leurs gens d'affaires afin de pourvoir à tous 20
les frais de l'enterrement. Il leur dépêcha Christophe,
puis il se coucha et s'endormit accablé de fatigue. Le lendemain matin, Bianchon et Rastignac furent obligés
d'aller déclarer eux-mêmes le décès, qui vers midi fut
constaté. Deux heures après, aucun des deux gendres 25
n'avait envoyé d'argent, personne ne s'était présenté en
leur nom, et Rastignac avait été forcé déjà de payer les
frais du prêtre. Sylvie ayant demandé dix francs pour
ensevelir le bonhomme et le coudre dans un linceul,
Eugène et Bianchon calculèrent que, si les parents du mort 30
ne voulaient se mêler de rien, ils auraient à peine de
quoi subvenir aux frais. L'étudiant en médecine se

chargea donc de mettre lui-même le cadavre dans une
bière de pauvre qu'il fit apporter de son hôpital, où il
l'eut à meilleur marché.

— Fais une farce à ces drôles-là, dit-il à Eugène. Va
5 acheter un terrain, pour cinq ans, au Père-Lachaise, et
commande un service de troisième classe à l'église et
aux Pompes funèbres.[1] Si les gendres et les filles se
refusent à te rembourser, tu feras graver sur la tombe:
«Ci-gît M. Goriot, père de la comtesse de Restaud et de
10 la baronne de Nucingen, enterré aux frais de deux étudiants.»

Eugène ne suivit le conseil de son ami qu'après avoir
été infructueusement chez M. et madame de Nucingen et
chez M. et madame de Restaud. Il n'alla pas plus loin
15 que la porte. Chacun des concierges avait des ordres
sévères.

— Monsieur et madame, dirent-ils, ne reçoivent personne; leur père est mort, et ils sont plongés dans la
plus vive douleur.

20 Eugène avait assez l'expérience du monde parisien
pour savoir qu'il ne devait pas insister. Son cœur se
serra étrangement quand il se vit dans l'impossibilité de
parvenir jusqu'à Delphine.

«Vendez une parure, lui écrivit-il chez le concierge, et
25 que votre père soit décemment conduit à sa dernière demeure.»

Il cacheta ce mot, et pria le concierge du baron de le
remettre à Thérèse pour sa maîtresse; mais le concierge
le remit au baron de Nucingen, qui le jeta dans le feu.
30 Après avoir fait toutes ses dispositions, Eugène revint
vers trois heures à la pension bourgeoise, et ne put retenir une larme quand il aperçut à cette porte bâtarde la

bière à peine couverte d'un drap noir, posée sur deux chaises dans cette rue déserte. Un mauvais goupillon, auquel personne n'avait encore touché,[1] trempait dans un plat de cuivre argenté plein d'eau bénite. La porte n'était pas même tendue de noir. C'était la mort des pauvres, qui n'a ni faste, ni suivants, ni amis, ni parents. Bianchon, obligé d'être à son hôpital, avait écrit un mot à Rastignac pour lui rendre compte de ce qu'il avait fait avec l'église. L'interne lui mandait qu'une messe était hors de prix, qu'il fallait se contenter du service moins coûteux des vêpres, et qu'il avait envoyé Christophe avec un mot aux Pompes funèbres. Au moment où Eugène achevait de lire le griffonnage de Bianchon, il vit entre les mains de madame Vauquer le médaillon à cercle d'or où étaient les cheveux des deux filles.

— Comment avez-vous osé prendre cela? lui dit-il.

— Pardi! fallait-il l'enterrer avec? répondit Sylvie. C'est en or.

—Certes! reprit Eugène avec indignation, qu'il emporte au moins avec lui la seule chose qui puisse représenter ses deux filles.

Quand le corbillard vint, Eugène fit remonter la bière, la décloua, et plaça religieusement sur la poitrine du bonhomme une image qui se rapportait à un temps où Delphine et Anastasie étaient jeunes, vierges et pures, et *ne raisonnaient pas*, comme il l'avait dit dans ses cris d'agonisant. Rastignac et Christophe accompagnèrent seuls, avec deux croque-morts, le char qui menait le pauvre homme à Saint-Étienne du Mont, église peu distante de la rue Neuve-Sainte-Geneviève. Arrivé là, le corps fut présenté à une petite chapelle basse et

sombre, autour de laquelle l'étudiant chercha vainement
les deux filles du père Goriot ou leurs maris. Il fut
seul avec Christophe, qui se croyait obligé de rendre
les derniers devoirs à un homme qui lui avait fait
5 gagner quelques bons pourboires. En attendant les
deux prêtres, l'enfant de chœur et le bedeau, Rastignac
serra la main de Christophe, sans pouvoir prononcer une
parole.

— Oui, monsieur Eugène, dit Christophe, c'était un
10 brave et honnête homme, qui n'a jamais dit une parole
plus haut que l'autre, qui ne nuisait à personne et n'a
jamais fait de mal.

Les deux prêtres, l'enfant de chœur et le bedeau vinrent et donnèrent tout ce qu'on peut avoir pour soixante
15 et dix francs dans une époque où la religion n'est pas
assez riche pour prier gratis. Les gens du clergé chan-
tèrent un psaume, le *Libera*,[1] le *De profundis*. Le service dura vingt minutes. Il n'y avait qu'une seule voiture de deuil pour un prêtre et un enfant de chœur, qui
20 consentirent à recevoir avec eux Eugène et Christophe.

— Il n'y a point de suite, dit le prêtre, nous pourrons
aller vite, afin de ne pas nous attarder, il est cinq heures
et demie.

Cependant, au moment où le corps fut placé dans le
25 corbillard, deux voitures armoriées, mais vides, celle du
comte de Restaud et celle du baron de Nucingen, se présentèrent et suivirent le convoi jusqu'au Père-Lachaise.
A six heures, le corps du père Goriot fut descendu dans
sa fosse, autour de laquelle étaient les gens de ses filles,
30 qui disparurent avec le clergé aussitôt que fut dite la
courte prière due au bonhomme pour l'argent de l'étudiant. Quand les deux fossoyeurs eurent jeté quelques

pelletées de terre sur la bière pour la cacher, ils se rele-
vèrent, et l'un d'eux, s'adressant à Rastignac, lui demanda
leur pourboire.   Eugène fouilla dans sa poche et n'y
trouva rien, il fut forcé d'emprunter vingt sous à Christophe.   Ce fait, si léger en lui-même, détermina chez   5
Rastignac un accès d'horrible tristesse.   Le jour tombait, un humide crépuscule agaçait les nerfs, il regarda
la tombe et y ensevelit sa dernière larme de jeune homme,
cette larme arrachée par les saintes émotions d'un cœur
pur, une de ces larmes qui, de la terre où elles tombent,   10
rejaillissent jusque dans les cieux.   Il se croisa les bras,
contempla les nuages; et, le voyant ainsi, Christophe le
quitta.

Rastignac, resté seul, fit quelques pas vers le haut du
cimetière et vit Paris tortueusement couché le long des   15
deux rives de la Seine, où commençaient à briller les
lumières.   Ses yeux s'attachèrent presque avidement
entre la colonne de la place Vendôme[1] et le dôme des
Invalides,[2] là où vivait ce beau monde dans lequel il
avait voulu pénétrer.   Il lança sur cette ruche bourdon-   20
nante un regard qui semblait par avance en pomper le
miel, et dit ces mots grandioses:

— A nous deux maintenant!

Et, pour premier acte du défi qu'il portait à la Société,
Rastignac alla dîner chez madame de Nucingen.   25

Saché, *septembre 1834.*

NOTES

The meaning of a number of literary or historical allusions could easily have been ascertained by the student himself, by reference to an encyclopedia ; but it has been assumed that he had none such at hand.

Idiomatic or proverbial expressions have been included more for the sake of giving their origin, whenever it has been possible, than for the sake of their meaning, which any good dictionary usually gives.

Whenever the pronunciation appears after a word, it is given in French sounds.

Page 1. — 1. **Père Goriot,** *Old Goriot;* familiar use of *père.*

2. **Geoffroy Saint-Hilaire** (1772–1844), distinguished French zoologist; the precursor of the doctrine of descent known as *transformism.*

3. **ces temps de douloureuse littérature.** *Le Père Goriot* was written in 1834. Balzac has probably in mind the Romantic school with its exaggerations and improbabilities. Although at first a Romanticist of the worst kind himself in his fondness for the melodramatic, the one thing after all which really interests him is the study of man in his environment. However, Balzac, who was always in hard straits, may simply refer to the difficulty of making money as a writer.

Page 2. — 1. **Jaggernat,** *Juggernaut,* the famous Hindoo idol, annually dragged in processions on an enormous car, under the wheels of which many devotees have thrown themselves to be crushed; the word is used figuratively in English as well as in French. Cf. Forster, *Dickens,* II, 415:

'Poor Johnny Tetterby, staggering under his Moloch of an infant, the *Juggernaut* that crushed all his enjoyments.'

Page 3. — 1. **Val-de-Grâce,** formerly an abbey, now the principal military hospital in Paris. — **Panthéon** is another name for the church *Sainte-Geneviève.* It now serves as a resting place for great men, and is, in a way, for France, what Westminster Abbey is for England.

2. **cailloutis en cuvette**, a basin-shaped space made of crushed stones.

3. **porte bâtarde**, freely, *house door;* a door which is not broad enough to give passage to a horse and carriage as a *porte cochère.*

Page 4. — 1. **Deux Sexes et Autres**, probably an instance of Balzac's rather heavy wit.

2. **porte à claire-voie**, *open-work gate*, of wood or iron. Cf. Hawthorne, *Our Old Home:*

'There is an iron-gate, through the rusty *open-work* of which you see a grassy lawn.'

3. **à quelques pas de là**, i.e. *au Val de Grâce.*

4. **qui que tu sois**, etc., an inscription composed by Voltaire for a statue of Love in the park of Sceaux, near Paris.

5. **tieuilles**, for *ti-yeul*. In spite of the distinction established by Littré between the sounds of the liquid *ll*s and *y* before a vowel, none such is observed in Paris, and *tilleul, filleul* are pronounced *ti-yeul, fi-yeul.*

6. **en quenouille**, said of the slender shape given to certain fruit-trees. It differs from the pyramid shape in that the middle branches are the largest.

Page 5. — 1. **jurent**, English 'swear at' used colloquially in the same sense of 'being inharmonious with.' Cf. *Harpers*, May, LXXVIII, 258:

'What is new in it in the way of art, furniture or bric-à-brac, may not be in the best taste, and may *swear at* the old furniture, etc.'

2. **garde-manger**, *safe;* i.e. a receptacle for the storage of meat or provisions.

3. **sentine**, lit., 'bilge'; freely *cess-pool.*

4. **porte-fenêtre**. French windows have two sashes hinged at the sides and opening in the middle. In the *porte-fenêtre* the window extends to the level of the floor, and can be opened as a door.

Page 6. — 1. **marbre Sainte-Anne**, Belgian marble, grey mixed with white.

2. **Télémaque**, artists as well as poets have sought inspiration in the adventures of Telemachus, narrated in the *Odyssey*, but best known to the French by Fénelon's *Télémaque.*

3. **service**, the same in English in the sense of 'that which is served.' Cf. P. Jonson, *Case is Altered*, I, 1:

'*service* is ready to go up, man; you must slip on your coat.'

—office, the same in English, with the meaning of pantry, scul·lery. Cf. Mrs. Gore, *Sketches of English Character* (1852):

'as he passed by the areas of the fashionable squares and imbibed the aroma of stews and ragoûts issuing from the *offices.*'

Page 7. — 1. ronds de moiré métallique, dish-mats made of tin to which a crystal-like and shot-color appearance has been imparted by means of an acid.

2. **Incurables** (*hospice des*), for old and indigent people.

3. **poêle vert,** earthen-ware stove made of green colored tiles cemented together. — **quinquets d'Argand,** Argand was the real inventor of this lamp. Quinquet introduced some modifications in it and gave it his name.

4. **externe,** *boarder* (who comes in for meals); other meanings of the word: 'day-scholar,' or 'surgeon's assistant.'

5. **style,** *style,* or more correctly 'stile,' a pointed instrument.

Page 8. — 1. ronron (onomatopoeia), *purr.*

2. **grimacés,** *creased, puckered.*

3. **rat d'église,** a devout person who frequents churches. Cf. English 'rat,' i.e. clergyman, spoken in contempt. *Halliwell.*

4. **blafard,** usually applies to the complexion; but Mme Vauquer's whole figure suggests a leaden and unhealthy enbonpoint.

5. **la ouate,** *ouate, onze, onzième* are treated as words beginning with a consonant; no elision.

6. **qui ont eu des malheurs,** the hackneyed expression of boarding-house keepers 'who have seen better days.'

7. **Georges** (*Cadoudal*), a famous royalist conspirator who, in 1800, formed with General Pichegru a plot to assassinate or dethrone Bonaparte.

Page 9. — 1. bonne femme au fond, another hackneyed expression.

2. **commissaire-ordonnateur,** an officer or official in the military service whose duty it is to pass for payment the army expenses; *a commissary in the control department.*

Page 11. — 1. la Bourbe, another name for the lying-in hospital now generally known as *la Maternité.* — la **Salpêtrière** (official name: *Hospice pour la Vieillesse*), for aged and hysterical women.

Page 12. — 1. glacés, probably in the sense of *qui glacent le sang.*

2. **pleurardes,** the threadbare fringes of a shawl might well be compared with falling tears; *pleurard,* however, excludes the idea of pity, but rather conveys that of habitual whimpering.

3. **marchande à la toilette,** also *revendeuse à la toilette,* a woman who goes to houses offering for sale dress-goods and jewelry, but who not unfrequently also carries on a number of other small professions, not always above reproach.

4. **blanc,** *blank.*

5. **clairette,** *shrill.*

Page 13. — 1. **ombre chinoise,** a shadow or silhouette, as projected by a magic lantern on a light screen.

2. **fils de Japhet,** the Japhetic nations (of or belonging to Japheth, one of the sons of Noah) which people the north of Asia and all Europe, *Webster,* — s. v.

3. **boulevard Italien,** same as *boulevard des Italiens;* an adjective of nationality used as part of a proper name is written with a capital.

4. **exécuteur des hautes-œuvres,** formerly *exécuteur de la haute justice,* 'high executioner,' 'hangman.'

5. **voiles noirs,** parricides were taken to the place of execution with a black veil over their heads.

6. **son,** *bran* placed in the basket which is to receive the head and body of the executed criminal.

7. **ficelle,** *string* which lets down the blade of the guillotine.

8. **Ratons . . . Bertrands,** allusion to one of La Fontaine's fables *Le Singe et le Chat;* the cat (*Raton*) draws the chestnuts from the fire while the ape (*Bertrand*) eats them; hence *Raton =* cat's paw. Cf. M. Hawke, *Killing is Murder:*

'These he useth as the Monkey did the Cat's paw to scrape the nuts out of the fire.'

Page 15. — 1. **avait dénaturé sa fortune,** *had changed the nature of his fortune* (by selling property of one kind in order to acquire some of another, of which he could dispose).

2. **se cognait,** reflective voice used here as in the figurative expression *se cogner la tête contre le mur,* 'to persevere in an impossible thing.'

Page 16. — 1. **ça me connaît,** colloquial for *je connais ça,* with the additional meaning of 'knowing all about a thing, being used to it.'

Page 17. — 1. **gloria,** a popular term, black coffee with an ad-mixture usually of brandy; probably so called, according to Littré, because, just as in the Roman Catholic service the *Gloria patri* ends all psalms, so is this beverage taken at the end of all popular meals.

Page 18. — 1. **vert-de-gris,** produced by the liquids spilled on the copper bar.

Page 19. — 1. **pâtira** (also *pâtiras*, from *pâtir*, i.e. *souffrir*): meaning the same as *souffre-douleurs*.

Page 20. — 1. **velours d'Utrecht,** the same in English; a plush used in velvet upholstery, made of mohair, or in inferior qualities, of mohair and cotton.

2. **peintures à la colle,** or *en détrempe* (English 'distemper'), a method of painting in which the colors are mixed with some gela-tinous substance soluble in water. Cf. 'a small picture in *distemper* on panel,' Mrs. Jameson, *Leg. Monast. Ord.* (1863).

3. **papiers que refusaient les cabarets,** the wall-paper in the suburban wine shops is naturally of the very cheapest.

4. **remarquable,** *noticeable.*

5. **jabot dormant,** *jabot* or *frill*, probably attached to the bosom and not removable, as the ordinary frill was.

6. **bleu-barbeau,** *light blue; barbeau* is another name for *bluet*, blue-bottle or blue cornflower.

7. **piriforme,** i.e. *en forme de poire.*

8. **bonnes fortunes,** freely *love affairs.*

9. **galantin** (familiar), *lady's man.*

10. **ormoires,** for *armoires,* as the illiterate here say "sparrow-grass" for "asparagus."

Page 21. — 1. **j'ai sur la planche du pain de cuit,** *de* expletive; a commoner expression is *avoir du pain sur la planche,* 'to be well provided for.'

2. **œil de pie,** magpies are known to be attracted by shining ob-jects, and although bonds are only paper, they stood for so much gold and silver.

3. **inscriptions sur le grand-livre** (de la dette publique), *Govern-ment bonds* (of the public funded debt).

4. **larmier,** *tear-bag,* or *sack.*

5. **ailes de pigéon,** a mode of dressing the side hair once adopted by men; the same expression in English: 'pigeon wings.'

6. **École polytechnique,** a government Institute for the training of artillery and engineer officers, directors of roads and bridges, and officials who require to know something of the higher branches of technical science.

Page 22. — 1. **tiré à quatre épingles,** *dressed to the nines;* a woman who was careful in her attire fastened her *fichu* or kerchief with four pins; one less so, used a smaller number.

2. **richement,** *magnifiquement.*

3. **Macouba,** renowned snuff coming from Macouba, a town in the French Antilles.

4. **du Vauquer,** article sometimes used before a proper name in speaking of a person in a familiar or slighting way.

5. **billets d'auteur,** *free passes.* Playwrights receive from the theater managers tickets of which they may dispose as they please.

Page 23. — 1. **pays latin,** same as *quartier latin,* the center of higher education in Paris.

2. **Gobelins,** i.e. where the famous establishment for the manufacture of *Gobelins* tapestries stood.

3. **Marais,** a part of Paris on the left bank of the Seine; takes its name from the number of market-gardens (*jardins maraîchers*), which formerly surrounded it.

Page 24. — 1. **Palais-Royal,** erected by Richelieu is now the seat of the State Council and Audit Office. The wooden galleries mentioned have long been torn down.

2. **sous les armes,** *in all her finery, in full feather;* as a soldier fully equipped for military service.

3. **Bœuf à la mode,** a once famous restaurant at moderate prices, in the rue de Valois, near the Palais-Royal. The dish known by that name consists of a piece of beef larded and cooked with carrots.

4. **donnante,** somewhat colloquial.

Page 25. — 1. **dévisager,** used popularly in the sense of *expose, confound.*

2. **frimousses,** popular for *figure, visage;* 'phiz.'

Page 26. — 1. **plus de cornichons,** elliptical for *il n'y a* or *aura plus de cornichons.*

2. **c'est des duperies,** the plural *ce sont* would be more correct;

but Mme Vauquer knows nothing of the rules of syntax. (It should be stated, however, that some of the best writers use the singular in like constructions.)

Page 27. — 1. **fille entretenue,** *kept mistress.*

Page 28. — 1. **vieux drôle,** distinguish between *drôle* adjective and *drôle* noun.

2. **carottait sur les rentes,** *speculated in a small way on government bonds; carotter,* a slang expression, conveys the idea of swindling : 'to chouse.'

3. **en être** (slang), i.e. *être de la police secrète;* 'to belong to the detective force.'

4. **prêtait à la petite semaine,** *loaned money at usurious interest for a short time* (not necessarily for one week).

5. **nourrissait des numéros à la loterie,** *always placed money on the same number, increasing the stake at each drawing.*

Page 29. — 1. **dame,** *lady-love.*

2. **les mettre,** in Sylvie's mind this is only one of several.

3. **l'Estrapade,** i.e. *la place de* (understood).

Page 30. — 1. **Et de deux,** *that makes two.*

2. **matou,** *tom-cat;* also applied to a man of disagreeable disposition and countenance.

Page 31. — 1. **vous en avez donc trente-six des filles,** colloquial manner of speaking. The number thirty-six has passed into popular use to indicate 'a great many' as in the expression *voir trente-six chandelles* = 'to see stars'; another use of it is to be found in *le trente-six du mois,* i.e. never.

Page 32. — 1. **cuir de laine,** strong cloth which has been double-milled or fulled, to give it increased thickness.

2. **frais de bêtise,** *blooming with stupidity.* A constitution or health which nothing impairs is sometimes spoken of as a *santé bête.*

Page 33. — 1. **mollusque anthropomorphe,** i.e. *un bivalve à figure d'homme,* a human oyster, or clam.

Page 34. — 1. **casquettifères,** a word coined for the occasion : one belonging to the genus which wears caps (probably of absurd shape or exaggerated proportions), as one would speak of an ape as being a *mammifère.*

2. **habitués à cachet,** *boarders* (who take their meals in the

house on presentation of a *cachet* or meal ticket, but do not live there).

3. **sensible,** in the same English sense of 'perceptible through the bodily organs.'

4. **zéro de Réaumur** = 32 Fahrenheit.

5. **la Faculté** (*de Droit*, in this case).

6. **Collège de France,** founded about the middle of the sixteenth century, may be called the temple of human knowledge. The lectures given by the most eminent professors are free to the public.

7. **il se dépouille de son aubier,** the *aubier,* alburnum or inner-bark (sap-wood) being soft, the figurative meaning is therefore that his feelings grow blunted, hardened.

Page 35. — 1. **ès** (èss) contraction of *en les,* now used only in the expressions *bachelier, licencié ès-lettres, ès-sciences.*

2. **voir juste,** *juger à sa valeur, correctement.*

3. **esprit méridional,** characterized by impetuosity of disposition and tenacity of purpose.

Page 36. — 1. **nerveuse,** *manly, vigorous.* Cf. 'what *nervous* arms he boasts!' Broome in Pope's *Odyssey,* VIII, 147.

Page 37. — 1. **passer la nuit,** i.e. *à travailler.*

2. **Prado,** a once famous dancing hall now torn down. The *Bal Bullier* mostly frequented by students, has taken its place.

3. **Odéon,** a national theater, which ranks next to the *Théâtre-Français.*

4. **faubourg Saint-Germain,** still the residence of many noble families.

Page 38. — 1. **pur sang, de race,** *thoroughbred.*

2. **figures ossianiques,** imitating or suggesting the style of the poems attributed to Ossian; i.e. romantic.

3. **deux tours,** supply *de valse.*

4. **Bois** (*de Boulogne*), a world-famed park in Paris. — **Bouffons,** for *Opéra Bouffon,* now *Opéra-Bouffe.*

Page 39. — 1. **Grandlieu,** this and other characters mentioned appear in the various novels composing *La Comédie Humaine.*

2. **Chaussée d'Antin,** the residence, in Balzac's time, of the high barons of finance, in the heart of the capital.

3. **roide,** also spelled *raide;* the latter pronunciation more usual, even when spelled *roide.*

4. **Code,** *Digest.*

Page 40. — 1. **drument,** the adjective *dru* should have been used adverbially; *drument* is unusual. 'Balzac knew his tongue as well as any one, only he used it in his own way.' *Taine.*

2. **Han! de Saint Joseph,** *deep groan;* an expression probably taken from the Apocryphal Gospels: 'When my father Joseph saw these (Death and all Gehenna with it, with its hosts and attendants) he *groaned in a wonderful manner.*'

Page 41. — 1. **Auguste, roi de Pologne,** famed for his great muscular strength, one of his ordinary feats, it is said, being to bend between thumb and two fingers a silver coin the size of a five franc piece, or American silver dollar.

2. **rat de cave,** also *queue de rat,* or simply *rat,* a thin taper used for lighting a dark cellar, stairway, etc.

3. **chaussons de lisière,** *list shoes,* i.e. made of the selvage or border of cloth.

Page 42. — 1. **dormir à poings fermés,** *sleep soundly.* It is said that a healthy infant keeps his fists closed during sleep.

2. **qu'est,** for *qui est.* Illiterate people elide the *i* of *qui* as well as the *e* of *que.*

Page 43. — 1. **encore,** *even so.*

2. **ed'** for *de,* an illustration of the law of the least effort; *ed* beginning with a vowel sound requires less effort to pronounce than *de.*

3. **qué baraque!** *qué* for *quelle; baraque,* which has the same meaning as the English 'barrack,' viz., *hut, tent,* is used familiarly by servants in speaking of a house in which the work is hard and the food poor, or stinted.

4. **englauder,** probably same sense as *engluer* 'to catch,' or 'ensnare,' as birds are caught with glue or bird-lime; fig. *cajole, wheedle.*

5. **passer** = *mettre.*

6. **c'te farce!** *c'te* (*ste*) the usual popular pronunciation of *cette.* *How ridiculous!* or, *I'd like to see them catch me!*

7. **dix heures quart moins,** for *dix heures moins le quart*

8. **manger le bon Dieu,** the Host (*Hostie*) is popularly called *bon Dieu;* hence 'to communicate,' or to partake of the Holy Communion.

Page 44. — 1. **que le père Goriot,** *que* is used abusively, as, in English, illiterate persons unnecessarily connect their sentences with 'which.'

2. **qu'était dur,** see page 42, note 2.

3. **qué qui fait,** for *qu'est-ce qu'il fait.* — **le font aller comme une toupie,** *do what they like with him;* lit., spin him round like a top.

4. **joliment ficelées,** in familiar language, *joliment = extremely, mightily; ficelées,* fig. *dressed, gotten up.*

5. **faire son Sabbat,** '*kick up a row*'; allusion to the midnight meeting supposed in the Middle Ages to have been held annually by demons, sorcerers and witches, and at which great uproar prevailed. Cf. *The Atlantic,* LVIII, 467:

'The very form of witch-life may be said to have been the *Sabbat*' (archaic for Sabbath).

6. **rapport au,** incorrectly used for *par rapport au,* with the same meaning as *à cause de.*

7. **avaient bien le diable au corps,** the expression is almost the same in English: 'had the very devil in them.'

8. **décanillé** (popular), *cleared out* (but usually against one's will).

9. **dès le patron-jaquette . . . patron-minette,** one expression is as incorrect as the other; one should say *dès le patron* (or *potron*) *jaquet* and *dès le patron* (or *potron*) *minet,* 'very early' (as early as the young one, *potron* (?) of the *jaquet* — another name for the *écureuil,* squirrel, in Normandy, — or of the cat, *minet,* puss). Littré thinks that the correct expression should be *dès le paître au jacquet,* or *au minet,* viz: from the time when the squirrel or the cat starts in quest of food; in which case *potron,* or *patron,* would be a strange corruption of *paître.*

10. **souche,** 'log,' tree stump; fig. *stupid* or *dull person.* — **qui,** for *qu'ils.*

Page 45. — 1. **a eu mis,** *eu* is unnecessary.

2. **Mistigris,** also *Mistigri,* a familiar name for a cat.

3. **fais ton capon,** *try to get round me.*

4. chinois, applies to a person of grotesque or disagreeable appearance.

Page 46. — 1. trafics des cinq cents diables, *all sorts of devilish traffics*, or *dealings*.

2. au hasard, completes the verse *aimer, soupirer*.

3. galons, for the gold and silver upon them.

4. manique, used here in the sense of *trade, profession*.

5. Messageries, service of coaches for the transportation of travelers and parcels. According to the form of government, they were either *impériales, royales* or *nationales*.

6. histoire de rire, *just for fun*.

7. fier drôle, in familiar language *fier* = 'mighty'; *drôle*, see page 28, note 1.

Page 47. — 1. arabe, *usurer;* grec, *cheat* (at cards); bohémien, *vagabond, unprincipled rascal;* written with capitals, these words would indicate men of various nationalities.

2. Banque (with a capital) = *Banque de France*.

3. Fourche! elliptical for *fourche du diable*, or a euphemism for a more vulgar word.

4. lascar, *rascal, rogue;* lit., an East-Indian sailor; in military slang, 'dare-devil'; in popular parlance, 'a clever fellow'; also in a depreciatory sense.

Page 48. — 1. dire son fait, *give a piece of his mind; tell him just what he thought*.

2. mon chou, expression of endearment, *my pet, my darling. Chou* is the name of a kind of light and sweet pastry.

3. à plaisir, not 'with pleasure' but *wantonly, deliberately*.

Page 50. — 1. Telet, by the addition of the two syllables, Vautrin changes *roi* into *roitelet*.

2. idémiste, '*dittoist*,' if such a word could be coined; one who says 'ditto' to everything, who has no settled opinion of his own.

Page 51. — 1. font les cent mille coups, *are up to all sorts of tricks; are capable of anything*.

Page 52. — 1. apprendre le droit, Eugène is a law-student.

2. que nous n'avons néu nos petites passions, (we, i.e. you) *have had your little love affairs*. The first part of the sentence 'baby talk.'

Page 54. — 1. **dans ses petits souliers,** *in a tight place; on hot coals;* an allusion, of course, to the discomfort caused by wearing tight shoes.

2. **déjeuner,** elliptical for *service de déjeuner.*

Page 55. — 1. **Jardin des Plantes,** the Botanical and Zoological Gardens, or Park, in Paris.

2. **qu'est restée,** see page 42, note 2.

Page 56. — 1. **est-ce pas,** popular for *n'est-ce pas.*

2. **c'est donc des monstres,** see page 26, note 2.

Page 57. — 1. **charge,** *joke, mystification;* 'gag.'

2. **monsieurre . . . dinaire,** for *monsieur, diner,* as one might say playfully in English '*misterrr, dinnerrr.*'

3. **ma petite estomac,** for *mon petit estomac,* always in play.

4. **usque ad talones,** the expression *avoir* or *se sentir l'estomac dans les talons* means 'to be very hungry'; or 'not to have eaten for a long time.' Needless to say that *talones* belongs to kitchen or dog-Latin.

5. **fameux,** *mighty, powerful.* — **froitorama . . . froidorama,** Bianchon is right, for the same reason that one says *froideur, froidir, froidure.*

6. **froit aux pieds,** the employé is wrong; the final *d,* not only of *froid* but of a number of other words (*bord, fond, plafond,* etc.), is never carried over to the next vowel sound, either as *t* or *d; froid aux pieds* is pronounced *froi ô pié.*

7. **droit-travers,** freely, *crooked law;* a play upon the word *droit* which means both 'law' and 'straight,' as opposed to *travers,* 'crosswise, crooked.'

Page 58. — 1. **Gall,** founder of the empirical system of psychology, known as phrenology.

2. **bosses de Judas,** *bump of treachery* (since Judas betrayed Jesus Christ).

3. **Et rose, elle a vécu,** etc., lines which occur in Malherbe's famous ode addressed to his friend Dupérier, on the occasion of his daughter's death.

4. **enfoncé,** in American slang, 'got left.'

5. **marquez deux points,** *score two.*

6. **on n'y voyait goutte,** *you could not see through it* (any more than you could see through or make out old Goriot).

7. **Gâôriotte, il être,** etc., the supposed pronunciation of an Englishman speaking French.

Page 61. — 1. **je lui ai vu . . . tordre,** i.e. *tordre par lui. Je l'ai vu tordre* would not be incorrect.

2. **Talleyrand** (usually pronounced *tallerand,* and rapidly *talran*), a past master in the art of diplomacy; noted for his wit and epigrammatic sayings (1754–1838).

3. **malheur,** *need, accident.*

Page 64. — 1. **décoré,** i.e. *invested with a decoration* (the red ribbon worn at the button-hole showing the wearer to be a knight of the Legion of Honor).

Page 65. — 1. **busc,** *busk,* a strip of whalebone or steel used to stiffen or support the corset; used here for the whole corset, as it was formerly in English. Cf. Cotgrave, *Buc :*

'A *buske* plated bodie, or other quilted thing, worne to make, or keepe, the bodie straight.'

2. **habit noir,** *evening dress-coat.*

3. **Charente,** a department in southwestern France.

Page 68. — 1. **Compagnie des Indes,** *East India Company,* suspended in 1769.

2. **le Vengeur,** a French man-of-war sunk by the British fleet in the Channel in 1794; famed for the heroism of her crew who went down crying *Vive la République!*

3. **de conserve,** 'in a consort'; hence, *in company.*

4. **équivalent,** the only French equivalent of *morganatique* is *de la main gauche;* 'left-handed' is also used in English in the same way.

Page 69. — 1. **maîtresse,** in its literal sense of *having authority* or *power over.*

Page 70. — 1. **paratonnerres,** freely, *screen;* fig., a man upon whom a husband's suspicions rest, while the real lover goes unsuspected.

Page 71. — 1. **ut,** the first note of the scale, DO or C

2. **Rrrrah!** In imitation of fingers running nervously over the keys.

Page 72. — 1. **voiture de louage,** *livery carriage,* as distinguished from *voiture de place* or *fiacre,* and *voiture de maître,* 'private carriage.'

2. **remiser**, *set down* (unusual in this sense).

Page 73. — 1. **élégant inédit**, *élégant* is the noun; *inédit* (familiar), *new*.

Page 74. — 1. **la porte, s'il vous plaît**, the usual cry of coachmen to have the *porte-cochère* open for them.

Page 77. — 1. **coursier de Virgile**, the reference is probably to the passage in the Georgics, Bk. III, l. 250:

'Nonne vidis, ut tota tremor pertemptet equorum corpora,
Si tantum notas odor attulit auras?'

Page 78. — 1. **Italiens**, the same as *Théâtre Italien*.

Page 80. — 1. **hein?** This is as rude in French as 'eh?' or 'what?' in English, in answer to a stranger's question or remark.

Page 81. — 1. **droit**, i.e. code of laws, rules, customs.

Page 82. — 1. **Elysée** (*Palais de l'*), now the residence of the President of the French Republic.

Page 84. — 1. **huissier-priseur**, now called *commissaire-priseur*

Page 85. — 1. **phrases de coiffeur**, *cheap*, *commonplace talk*.

2. **ejusdem farinae**, the French expression *de même farine* is also used in the very same depreciating way; '*of the same kidney.*'

Page 86. — 1. **s'être enfariné**, in the sense of *s'être engoué; enfariné* is purposely used to play upon the word *farinae*, mentioned above.

2. **il n'en sera pas le bon marchand**, *he will get the worst of it.*

Page 87. — 1. **Lamartine** (1790–1869), celebrated French lyric poet.

2. **Foriot, Moriot, Noriot, Toriot**, etc., to illustrate the superciliousness of the *grande dame* who does not condescend to remember a *bourgeois* name.

3. **section**, during the Revolution, a primary assembly of one of the divisions of a ward.

4. **fameuse disette**, in 1788–89, brought on more by internal troubles and speculation than by actual scarcity of crops.

Page 88. — 1. **comité de salut public**, one of the numerous revolutionary committees, which exercised a perfect dictatorship.

2. **carte civique,** a sort of passport given to citizens during the Revolution, showing that they were not looked upon as *suspects.*

3. **Quatre-vingt-treize,** Radical (in politics); 1793, the year of the *Terreur.*

4. **Ça pouvait encore aller avec Buonaparte,** because he was himself a product of the Revolution. Royalists affected to give to the name of Bonaparte the Italian pronunciation.

5. **ménager** (or *sauver*) **la chèvre et le chou,** *to try and keep in with both sides; to run with hares and hounds.* The expression is founded upon a problem given to children to solve. A man is about to cross a stream; he has with him a wolf, a goat and a cabbage. He is to get each one across separately. How will he manage so that the wolf will not devour the goat or the goat eat the cabbage?

Page 90. — 1. **Miguel** (*d'Ajuda-Pinto*), her lover who has just forsaken her.

Page 91. — 1. **Benjamin,** *favorite, pet;* the youngest son of Jacob.

Page 92. — 1. **fil d'Ariane,** *clue, guide.* In Greek mythology, Ariadne had given Theseus a thread by means of which, while she retained the other end, he could find his way through the labyrinth.

Page 93. — 1. **ultima ratio mundi,** just as war is the *ultima ratio regum.*

2. **abandonnée,** *forsaken, deserted.*

Page 94. — 1. **asymptotes,** in mathematics, a line which approaches nearer and nearer to a given curve, but does not meet it within a finite distance: 'language, in relation to thought, must ever be regarded as an *asymptote.*' *Farrar, Language,* 117.

Page 95. — 1. **vous établir son éditeur responsable,** *be responsible for him* (as an editor is responsible for the articles published in his paper).

2. **à c't' heure,** *actuellement; à présent;* see page 43, note 6, *c'te farce.*

Page 99. — 1. **entasser ses inscriptions,** formerly a student in the Law School, by answering roll-call, avoided having his name struck off the Registrar's books for non-attendance; and while remaining the three years required by the Faculty, he could, if he

chose, study only one year. He would 'bunch' together his matri-
culations (*inscriptions*), as they were indispensable for his examination. He thus had all the leisure he wanted, and would work
hard during the last month to pass his examination.

2. **se livrer à la traite des femmes**, lit., *to traffic in women;* fig.,
obtain their influence, and, on occasion, accept their money.

Page 100. — 1. **par spéculation,** *with an ultimate object in view.*

2. **gros bon sens,** *practical common sense; 'horse sense.'*

3. **pâtes d'Italie** or **pâtes alimentaires,** the general name for
'macaroni, spaghetti, vermicelli, noodles' and the like.

4. **citoyen, citoyenne,** the appellations which, for some time,
during the first French Republic, took the place of *Monsieur, Madame.*

Page 101. — 1. **cours,** *market-prices.*

2. **Dolibans,** a name in the old French comic *répertoire.*

3. **humide,** '*humid*' is also used in English in medical phrase-
ology: 'a humid, or, a dry constitution.'

Page 102. — 1. **en buvant le vin d'un marché,** *sealing a bar-
gain;* farther on *marché,* (*corn*) *market.*

Page 103. — 1. **Saint-Empire,** Romano-Germanic, or, *Holy
Roman Empire.* After 1806, Francis I of Austria gave up his title
of Roman Emperor.

Page 104. — 1. **fonds** (de commerce). Stock in trade, together
with the shop, store or factory.

Page 107. — 1. **à telles enseignes** is still perfectly correct,
but coming from a young girl *tellement* or *à preuve que* would be
more natural and less pedantic.

2. **écus,** freely, *money.* The *écu* itself as a coin has gone out of
use; but one still hears a five franc piece called *écu de cinq francs.*

3. **comme une pie,** see page 21, note 2.

Page 108. — 1. **allégirait,** for *allégerait;* the first is a technical term: *allégir une planche,* 'to make a plank thinner by planing.'

2. **infantes,** the two sisters speak of themselves as of Spanish
princesses, and farther on their younger brother is playfully called
the 'heir presumptive.'

Page 109. — 1. **canons du sureau belliqueux** made out of sticks
of the elder, from which the pith has been removed.

Page 110. — 1. **porte coup,** *strike home; bring in some return,* or *result.* — **Nom d'une femme !** Almost any word may be used in place of *Dieu,* to attenuate the form of the oath.

2. **donné par la facture,** *according to the fit he gives; facture* applies to an artistic production.

Page 111. — 1. **pratiquer,** *to be familiar with.*

Page 112. — 1. **les galions sont arrivés,** cf. in English, 'the ship has come home.'

2. **faire vos farces,** *play your pranks; have a good time.*

3. **pour boire,** now usually written as one word.

Page 113. — 1. **outre-Loire,** freely, *south of the Loire.*

2. **Murat,** a brilliant cavalry leader, son of an innkeeper; entered the army as a volunteer, rose to the rank of Marshal of France; became King of Naples as Joachim I and brother-in-law of Napoleon. His foolhardiness in attempting to re-conquer the throne of Naples after the downfall of the Emperor, led to his death. Shot in 1815.

3. **roi de Suède,** an allusion to Bernadotte, who also rose from the ranks and became Marshal of France, and later on King of Sweden, under the name of Charles XIV.

Page 114. — 1. **vous rendre,** i. e. *votre argent.*

2. **la Saint-Sylvestre** (*la,* because *fête* is understood), i. e. December 31st. — **cent sous,** for *pièce de cent sous,* or *de cinq francs.*

3. **diogéniques,** *cyniques.*

Page 115. — 1. **Rastignacorama,** see pages 56 and 57.

2. **fouettant,** i.e. *de sa canne.*

3. **porte pleine,** i.e. the usual door, entirely of wood, as distinguished from a *porte à claire-voie,* see page 4, note 2, or a *porte vitrée,* the upper part of which is of glass.

4. **Monsieur** — emphatically.

5. **que non** (in familiar language for *non*), *not a bit of it.*

6. **quoi qui n'y a,** for *quoi qu'il y a,* and more correctly, *qu'est-ce qu'il y a.*

Page 116. — 1. **autre histoire,** *here's something else.*

2. **foi de Tromp. . .** Vautrin was about to give himself away by saying *Trompe-la-Mort,* the surname under which both his pals and the police knew him.

Page 117. — 1. **Mémoires de Benvenuto Cellini,** in which the author relates, with strange unconsciousness, his life of debauchery, vice and even crime.

Page 118. — 1. **avec notre petite tête, nous pourrions aller flâner,** etc., the meaning of the passage is that Rastignac, with his impetuous disposition, if he did not procure the money he needed, might go and throw himself into the river; *notre* and *nous* famili arly for *votre* and *vous.*

Page 119. — 1. **se toilette,** there is no such verb; Vautrin's French is sometimes more expressive than correct. He should, of course, have used *s'habille* or *fait sa toilette.* See page 40, note 1.

2. **terrine** has no other meaning than 'earthen pot, or pan,' as in *terrine de foies gras;* or the contents themselves of the *terrine;* incorrectly used here as a diminutive of *terre:* '*patch*,' '*strip*,' a petty estate; see first part of previous note.

Page 120. — 1. **Code,** see page 39, note 4. — **manger,** *study, master.*

2. **T. F.,** *travaux forcés,* '*hard labor*'; the two letters formerly branded on a criminal's shoulder.

3. **droguer** (popular), *to wait a long time;* in thieves' slang 'to ask for,' the implication being that it is preferable to help oneself than keep on waiting.

4. **Substitut,** *deputy public prosecutor; deputy attorney-general.* — **drôle,** see page 46, note 7.

Page 121. — 1. **jeter la robe aux orties,** magistrates and lawyers wear gowns in French courts; *froc* (cassock) is the word used in the proverbial expression, meaning: *to give up one's profession.* Nettles are often found growing about rubbish heaps.

2. **procureur du roi,** the office known today as *procureur de la République.*

3. **Villèle** (*vi-lèl*), 1824–1830, leader of the ultra-royalists; prime minister under Charles X. — **Manuel,** a noted orator of the Left or Opposition party of the same period.

4. **coiffé Sainte Catherine,** *remained old maids.* In certain churches there stood a statue of Saint Catherine, whose *coiffe* or head-dress was removed on her Name or Saint's day, by young women from 25 to 35 years old, who had not been able or did not

wish to marry, and who were supposed to attend to the Saint's head-dress.

5. **Palais,** i.e. *de Justice.*

Page 122. — 1. **ce ne serait rien que,** *que* is merely a correlative of *ce,* and is not to be translated.

2. **malheureux comme les pierres d'égout,** the last two words are usually left out in quoting the proverb. Stones whose function it is to receive the filth which runs into a sewer do not have a happy lot.

Page 123. — 1. **Longchamp** (*lon-chan*), a noted race-course at the end of the Bois de Boulogne.

2. **pied de salade,** *head of lettuce.*

3. **toutes sont bricolées par les lois,** the active voice would seem to answer the purpose better: *toutes bricolent les lois,* '*all of them evade the laws, get round them.*'

Page 124. — 1. **Savates,** apart from its meaning of 'a worn-out old shoe,' applies also to a *clumsy, awkward fellow.*

2. **on carotte** (slang), *one leads a life of poverty;* see *carotter* in another sense, page 28, note 2. — **et votre serviteur,** *and it is all up;* or, ironically, *we want none of it.*

3. **fricoter** has the double meaning of 'to cook' and 'to regale oneself.'

4. **Aubry,** a member of the National Convention, disorganized the military service by dismissing a number of excellent officers, among others Bonaparte.

5. **colonies** (*pénitentiaires*), such as French Guyana.

Page 125. — 1. **tout venus,** *grown up.*

2. **un curieux de procureur,** *an inquisitive public prosecutor* (idiomatic use of *de*).

Page 126. — 1. **quinte et quatorze en main,** *every advantage;* (taken from the game of *piquet*) cf. the Americanism 'a full hand.'

Page 127. — 1. **Cadran bleu,** the name of this Parisian restaurant is unknown to the editor, nor has he been able to find anything about it.

2. **croûtes,** *buttered toast.*

3. **Ambigu-Comique,** one of the oldest theatres in Paris.

4. **gribouillage de l'amour,** *love letters; gribouillage,* scrawl.

Page 128. — 1. **Armée de la Loire,** the name given to the French army which, after the disaster of Waterloo, was kept away from Paris and withdrew behind the Loire.

Page 129. — 1. **pour avoir toujours vu en rouge,** allusion to La Fayette's republican tendencies (*rouge,* advanced Republican).

2. **Conservatoire** (*National des Arts et Métiers*) contains collections of machines, tools, instruments and offers practical courses in mechanical drawing.

3. **le prince . . . congrès de Vienne,** Talleyrand who, after the downfall of Napoleon, succeeded in obtaining the support of England and Austria, at the Congress of Vienna (1814–15), and thus secured for France the best possible terms.

4. **à l'ombre !** Slang, *out of the way ; killed.*

Page 130. — 1. **paroles jaunes,** *words not to be trusted ; faire des contes jaunes* is to tell incredible stories.

Page 134. — 1. **atomes crochus,** so-called mysterious elements of sympathy. This is not a proverbial expression, but one sometimes used in allusion to that system of atoms supposed to be hooked, so as to allow them to cling to each other when they meet.

Page 137. — 1. **l'un et l'autre est,** the verb in the singular or plural is allowable.

Page 138. — 1. **d'Escars** or **Descars** (*dé-kar*), a French general. In appreciation of his gastronomic talents, Louis XVIII, besides raising him to the peerage, made him his first *maître d'hôtel.*

Page 139. — 1. **voire** is used sometimes for *même* (formerly having the sense of *vraiment*).

2. **Tantales,** figuratively, those who desire what they can never obtain. Tantalus, according to Greek mythology, a son of Zeus and Pluto. For revealing the secrets of the gods he was condemned to stand in Tartarus up to his chin in water under a loaded fruit-tree, the fruit and water retreating whenever he sought to satisfy his hunger or· thirst.

Page 140. — 1. **Variétés,** i.e. *Théâtre des.*

Page 142. — 1. **Chaussée d'Antin,** see page 39, note 2.

Page 145. — 1. **drument,** see page 40, note 1.

Page 146. — 1. **Chérubin,** a precocious page in Beaumarchais' play *Le Mariage de Figaro.*

Page 147. — 1. **puisque matame,** etc., in imitation of the German pronunciation of French: *puisque madame vous engage, vous êtes sûr d'être bien reçu.*

2. **faire sauter la banque,** *break the bank.*

3. **trier sur le volet,** *carefully pick out* (*trier,* to select from a large number ; *volet,* a board upon which are spread seeds, for instance, from which to select).

Page 148. — 1. **Alceste,** the principal character in Molière's play *Le Misanthrope.*

2. **Jenny Deans,** the heroine in Scott's novel, *The Heart of Midlothian.*

Page 150. — 1. **flèche,** *rod, pole.*

2. **plancher,** *ceiling.*

Page 151. — 1. **bravement mises,** *finely dressed;* cf. English 'bravely': 'The Chambers *bravely* hung.' Davenant, *Wits* (1673).

2. **oyant,** from *ouïr* (obsolete).

Page 152. — 1. **c'est des mouvements,** see page 26, note 2.

2. **une drôle de chose,** see page 125, note 2.

Page 153. — 1. **beau fils,** *young man of fashion;* this must not be confused with *beau-fils* (with hyphen).

Page 155. — 1. **coqs en pâte,** *in clover;* as a fowl kept in a cage and fattened on *pâte* or *pâtée,* the latter a mixture of flour and chopped herbs.

Page 156. — 1. **Rousseau,** *Jean Jacques,* an eminent Swiss-French philosopher of the eighteenth century, generally credited with this paradox. The expression *tuer le mandarin* has passed into the language with the meaning of growing rich rapidly, and usually by illegitimate means.

Page 157. — 1. **Capucins,** the *Hôpital du Midi,* in the street 'Saint-Jacques des Capucins.'

2. **je conclus à la vie du Chinois,** as strict probity would demand; see page 156, note 1.

3. **Cuvier** (1769–1832), a celebrated French naturalist, the founder of the science of comparative anatomy.

Page 158. — 1. **troubles,** the Revolution of July 1830, which lasted three days.

2. **la Fodor,** a famous French singer, educated in Russia. The article is sometimes used elliptically before a proper name (especially Italian), such a word as *actrice, cantatrice,* etc., being understood; also familiarly or out of contempt; see page 22, note 4.

Page 161. — 1. **d'un joli porter,** *nice wearing.*

2. **opérateur** = *charlatan.*

Page 165. — 1. **marchand d'habits,** not 'clothes merchant,' or 'tailor,' but *old clothes man.*

Page 170. — 1. **d'Italiens,** of Italian opera.

Page 175. — 1. **patriarcalorama,** see page 57, line 1 ff. *La récente invention du diorama* and rest of paragraph.

2. **la pâtée et la niche,** *board and lodging;* lit., 'food and kennel.'

3. **nous en avons pour nos petits vingt-cinq mille francs dans les flancs,** *it is going to take a cool twenty-five thousand francs a year. Flanc* enters into a number of idioms: *se battre les flancs,* 'to strive,' usually, in vain; *être sur le flanc,* 'to be bed-ridden,' *prêter le flanc à,* 'to lay oneself open to.'

4. **tombons dans la crotte,** i.e. *dans la misère.*

Page 177. — 1. **lunatiques,** i.e. *périodiques.*

Page 178. — 1. **Mirabeau** (1749–91), the greatest orator of the French Revolution, also noted for his dissipation, debts and duels.

2. **dragonnante,** a neologism deserving to remain in the language (from *dragonner,* 'to dragoon, harass, torment').

3. **ténias,** cf. Shakespeare, *Richard III,*

'The *worm* of conscience still begnaw thy soul !'

4. **Le Distrait,** or *absent-minded man,* one of the characters in the famous work, *Les Caractères,* of La Bruyère, one of the great writers of the seventeenth century.

5. **tué le mandarin,** see page 156, note 1.

Page 181. — 1. **Saint-Hubert** (died 727), bishop of Liège, the traditional patron of hunters.

Page 183. — 1. **des petits gâteaux,** a strict observance of grammatical rules would require *de;* but *des* is allowable, as *petits gâteaux* may almost be considered as a compound word.

Page 184. — 1. Benjamin, see page 91, note 1.

2. **Turenne** (1611–75), a celebrated French marshal, grandson of William the Silent. Noted for his military virtues. The reference is probably to the treaty made by Turenne with Spain.

Page 185. — 1. pion . . . fou . . . tour are names of pieces in the game of chess. *Pion* is the name of the piece which in English is designated '*pawn*'; *fou* is the '*bishop*,' and '*tour*' is the '*rook*' or '*castle*.' Next to the queen, the rook is the most powerful piece on the board.

2. **brave,** may be translated here, *bravo* (*a professional assassin*), although it no longer has that meaning in French.

3. **à l'ombre,** see page 129, note 4.

Page 186. — 1. **ça!** etc., a way the common people in France have of expressing 'the least bit of a thing.' *Çà* refers to the extremely small amount which could be placed on the end of the thumb-nail, and in saying *çà* the speaker usually carries his thumb to his mouth and pressing the nail under the front teeth makes with it a clicking sound.

2. **Pierre et Jaffier,** two characters in Otway's *Venice Preserved*, the first the type of the 'fine, gay, bold-faced villain.'

3. **poilus,** fig. *énergiques et résolus;* the more usual expression is *avoir du poil.*

4. **enterrer un corps,** *put one out of the way; kill him.*

Page 187. — 1. **vous vous arrêtez aux bagatelles de la porte,** an allusion to the nonsense spoken by mountebanks outside of a circus or other show; *you waste your time on trifles.*

Page 188. — 1. **rue de Jérusalem,** police head-quarters, corresponding to Scotland Yard in London. — **Gondureau** was head of the detective force.

2. **plumigère,** *wielders of the pen*, '*ink-slingers*'; a word coined for the occasion; see *casquettifère*, page 34, note 1.

3. **gratification,** *gratuity, bonus.*

4. **grand lama,** *high chief.*

Page 189. — 1. **il Bondo Cani,** the name assumed by the Calif of Bagdad in the opera of that name *Le Calife de Bagdad*, music by Boïeldieu, 1800.

2. **Deus ex machinâ,** conclusive argument; as with the Greeks,

the god who was let down on the stage by the help of a machine, happily concluded the tragedy.

Page 190. — 1. de marque, *remarkable;* marqué, *branded* (a play upon words).

Page 191. — 1. conséquemment, Vautrin uses this word in the sense of *naturellement, bien entendu.*

Page 193. — 1. chaussé la peau, although *chausser* refers to the feet, it is used colloquially in other expressions, as in *chausser son habit.*

2. on ne le prendra jamais sans vert, *he will never be caught napping;* an expression taken from a *jeu de société,* in the Middle Ages. He who was found without a green sprig of a certain kind about his person, had to pay a forfeit.

3. mettre à dos, people who have fallen out 'turn their backs' on each other.

4. branle dans le manche, feels shaky, insecure in his position (as a loose blade in its handle).

5. libérales, *of the Liberal party;* i.e. formerly partisans of a constitutional monarchy. — faire sauter (familiar), to sack, to 'fire.'

6. Cogniard (*co-niar*), 1779-1831, more usually *Coignard,* pseudo Count Pontis de Sainte-Hélène, a noted robber and adventurer.

7. nous n'étions pas propres, *we would have fared badly; would have been in a fix.*

Page 194. — 1. une supposition que, colloquial for *en supposant que.*

Page 195. — 1. puff (slang), *bankruptcy, failure.*

2. couvert, i.e. *mis, vêtu.*

3. Qui a bu boira, *once a drunkard, always a drunkard;* i.e. a bad man will never amend.

Page 197. — 1. Argus, in Greek legend, famed to have one hundred eyes; hence figuratively, spy; watchful person.

Page 198. — 1. se sont piochés (slang), *se sont battus.*

2. comme un brelan carré, as a player with three cards of a kind in his hand, which, with the card turned up, make four, or a *brelan carré.*

3. poilu, see page 186, note 3.

Page 199. — 1. **Doliban,** see page 101, note 2.

2. **nigaudinos,** popular, *grand nigaud.*

3. **biens au soleil,** the same as *propriétés immobilières,* 'landed estates.'

Page 202. — 1. **Bréguet,** a celebrated French clock and watchmaker; maker of the chronometer which bears his name.

2. **être en tiers,** i.e. *former la troisième personne.*

Page 203. — 1. **se rendre,** i.e. *aller.*

2. **O Richard,** etc., the song sung by Blondel in the comic opera *Richard Cœur de Lion.*

Page 204. — 1. **sur quelle herbe avez-vous donc marché?** *why so happy? what has put you in such good spirits?* In another case it might mean the very opposite: 'what has gone wrong with you?' from the popular belief in the virtues of certain herbs. In certain places in France, for instance, he who has lost his way is said to have stepped on a *mauvaise herbe.*

2. **vous me faites l'œil américain,** *you watch me so closely.* In popular parlance *avoir l'œil américain* is to be very clear and long sighted, probably in allusion to the North American Indian's extraordinary power of vision.

3. **sac à papier!** A euphemistic oath for a stronger one, as 'By George!' or 'By Jove!' in English.

Page 205. — 1. **Vénus du Père-Lachaise,** not the Venus of Milo, nor the Venus Callipyge, but a tombstone Venus. *Père-Lachaise,* the most important and celebrated cemetery in Paris.

2. **il dérive de Poire,** as one might say in English that 'Perry' comes from 'pear.'

3. **entre la poire et le fromage,** to be translated literally here, is also a play upon words; *entre la poire et le fromage* meaning 'at dessert,' at that time of the meal when one speaks more freely.

4. **estomaque,** Mme Vauquer's mispronunciation of *estomac,* in which the final *c* should be silent.

5. **Laffitte,** French banker and statesman, prime minister in 1831; *Lafitte,* the name of a famous brand of claret (*Château-Lafitte*).

6. **il sent le bouchon,** *it tastes musty* (the unpleasant flavor imparted to wine by poor or old corks).

7. **descends,** probably from his room; otherwise Vautrin would have said *monte.*

Page 206. — 1. **vous vous fendez,** *you stand treat; you are so generous.*

2. **fusées d'une girandole,** *rockets of a bouquet; a large flight of fireworks.*

3. **deux de champagne,** *bouteilles* is understood.

4. **quien,** for *tiens;* the manner of speaking of the people.

5. **sans que le cœur** (*m'en lève* or *soulève*), without its making **me** sick.

6. **trop grands . . . ils ont de la barbe,** play upon words; *barbe* fringe of mould.

7. **aboulez** (slang), *pass them along; let's have them.*

8. **à repasser les couteaux!** *Knives to grind!* This cry and all following cries in imitation of the street cries in Paris.

Page 207. — 1. **moron,** for *mouron,* 'chickweed.'

2. **plaisir,** *light pastry; sweet wafer.*

3. **à raccommoder la faïence!** *Crockery to mend!*

4. **à la barque!** *Oysters!* brought to Paris in *barques* (barges).

5. **battez vos femmes, vos habits!** The cry of a once well-known character in Paris, *le Père Gilbert,* who sold rods for beating clothes, carpets, etc.

6. **galons,** *gold* or *silver lace.*

7. **à la cerise, à la douce!** *Cherries, sweet cherries!*

8. **coq-à-l'âne,** *most disconnected;* as one who, talking about a cock suddenly speaks of an ass.

9. **pelle,** *peel* (a baker's shovel).

Page 208. — 1. **Marty** (died 1863), a French actor of some renown.

2. **Le Solitaire,** a novel by Viscount d'Arlincourt intended to be descriptive of the manners of the Middle Ages. It was written in pompous style, but, nevertheless, met with great success on its appearance in 1821.

Page 209. — 1. **Atala.** Madame Vauquer mistakes the name of one of Chateaubriand's works, *Atala,* for his Christian name. — 2. **pleurions comme des Madeleines,** *wept freely,* or *abundantly;* **Élodie** may be a mispronunciation by Mme Vauquer of some other name or word; which, the editor is unable to say. — **tieuilles,** see page 4, note 5. — 3. **partis,** supply 'to sleep.'

Page 210. — 1. **nune,** for *nulle.* — 2. **pomme,** *knob.*

Page 212. — 1. Paul et Virginie, a novel written in 1788 by Bernardin de Saint Pierre, the scene of which is laid in Mauritius.

Page 213. — 1. mamman Vauquerre . . . astrrre, for emphasis and in fun.

2. ficelée comme une carotte, *dressed up to the nines;* see page 44, note 4.

3. avant-cœurs, slang for *seins.*

Page 215. — 1. police de sûreté (*générale*), under which is comprised every department of the police.

2. police judiciaire, for the detection of crimes and misdemeanors.

Page 216. — 1. sorbonne, explained farther on in the text.

2. place de Grève, the place of execution of ancient Paris; it was so called on account of its position near the bank (*grève* strand) of the Seine. It is now *place de l'Hôtel de Ville.*

3. trempées à l'anglaise, English steel was long thought the best.

Page 217. — 1. aux environs de la (*police*) correctionnelle, *on the edge of the police court.*

2. Jardin du Roi, now *Jardin des Plantes;* see page 55, note 1.

Page 218. — 1. la Gaîté, one of the oldest theatres in Paris.

2. bain-marie, i. e. by placing the goblet in a pot or pan containing hot water, instead of directly on the fire.

Page 220. — 1. y, incorrectly for *il.*

2. mal de mère, another instance of Balzac's rather heavy wit.

3. quine (*kine*), piece of good luck (five winning numbers coming out together at a lottery).

Page 221. — 1. col tempo, *in good time.* 'Time works wonders.'

Page 222. — 1. vous restez là comme Baba, the usual expression is *rester Baba;* 'stand gaping' (probably from *bée; bouche bée,* mouth wide open).

2. deux fatales lettres, T. F.; see page 120, note 2.

Page 223. — 1. blanc comme un poulet refers of course to the body.

2. fort comme un Turc, *strong as an ox.*

3. palatine, *fur tippet* (in allusion to hair on chest).

4. rapport à, see page 44, note 6.

Page 224. — 1. **Luxembourg,** i.e. *Jardin du Luxembourg.*

2. **hôpital Cochin,** in the rue du Faubourg Saint Jacques; founded by *Abbé* Cochin in 1779.

3. **trente-et-quarante,** freely *lottery* (game of chance played with cards).

4. **tu te battais les flancs,** *you were doing your utmost;* probable allusion to the lion's habit of lashing his sides with his tail; see p. 175, note 3.

Page 225. — 1. **ancre de salut,** *sheet anchor;* used in English in the same figurative sense of 'best hope' or 'refuge.'

Page 226. — 1. **la Camuse,** in thieves' slang, *Death;* lit., 'snub-nosed.'

Page 227. — 1. **d'un homme,** elliptical for *la pensée,* or *l'acte d'un homme.*

2. **cassa les jarrets** (also *jambes*), *took away all courage and strength.*

Page 229. — 1. **menottes . . . poucettes,** the *poucettes,* also called *cabriolets,* serve the same purpose as the *menottes,* differing only in shape. They are composed of a small cord with knots, with a handle at each end.

2. **ça te la coupe** (slang), *that knocks you silly; takes your breath away.* — **enfonceur,** a slangy generic term for any business agent who swindles his clients.

3. **raisiné** (in thieves' slang), *blood;* properly, 'grape jam.'

4. **trimar** (in thieves' slang), 'road, street,' but used here for *plancher, parquet.*

5. **guets-apens,** to be pronounced, as in the singular: *gué-ta-pan.*

Page 231. — 1. **cagnotte** (also *cagnote*), a slang term in use by gamblers: the money left by them for the lady (?) of the house. In the present case Mlle Michonneau was paid by the police; a free rendering would be 'prostitute.'

2. **coup de sang,** *apoplectic stroke.*

3. **sera terré sous quinze jours,** *will be under ground within a fortnight; terrer,* in thieves' slang, *mettre sous terre.*

4. **Michonnette,** feminine form of *Michonneau.*

5. **Ninon** (*L'Enclos*), called *Ninon de Lenclos,* a noted French woman of pleasure who is said to have retained her beauty and

charm to very old age (1616–1716). — **Pompadour** (*Marquise de.* 1721–1764), the chief mistress of Louis XV of France.

6. **otolondrer**, in thieves' slang, *ennuyer.*

7. **badauds**, *duffers;* i.e. police officers. — **quai des Orfèvres**, next to this is the *rue de Jérusalem;* see page 188, note 1.

Page 232. — 1. **Jean Jacques** (*Rousseau*), whose *Contrat Social* has been called the 'Gospel of the Revolution'; see page 156, note 1.

2. **roule**, *take in; fool.*

3. **menin**, *minion* (formerly one of the six gentlemen in waiting on the Dauphin).

4. **Provence**, prior to 1873, French convicts were sent to the *bagne* of Toulon.

Page 233. — 1. **abat-jour** (worn over the eyes).

Page 236. — 1. **on y met des formes**, *one should be mannerly, civil.*

Page 237. — 1. **Xi xi xi!** *kss, kss kss!* as one who sets a dog on.

2. **Partant pour la Syrie**, a once popular song which later on, under Napoleon III, became the official hymn heard on all festivals.

3. **trahit sua quemque voluptas**, from one of Virgil's eclogues: *everyone is led by his own liking.*

4. **chacun suit sa particulière**, freely '*every Jack has his Jill.*'

5. **tonnerre**, often used abusively for *foudre.*

Page 238. — 1. **chape-chute**, ironically, *windfall, piece of good luck;* from *chape* ('cape') and *chute* or rather *chue* (p.p. of *choir*) 'fallen': i.e. a cape fallen on the ground and picked up by some one.

2. **s'est attaché**, *is caught*, i.e. scorched.

3. **tant pire**, for *tant pis;* a mistake constantly made by the illiterate, who use the adjective instead of the adverb.

Page 240. — 1. **gobichonner**, popular, *to feast, regale oneself.*

2. **café des Anglais**, or *Café Anglais*, a famous restaurant on the boulevards, noted for its wine-cellar.

Page 244. — 1. **thériaki**, also *thériakis*, opium smoker; cf. *thériaque*, an electuary or medicinal preparation, thought at one time to be sovereign against snake bites.

Page 248. — 1. **Marius sur les ruines de Carthage,** allusion to the words spoken by Marius, one of the most striking figures in Roman history, to the messenger who brought him the governor's order to leave Africa:

'Go tell your master that you saw Caïus Marius, an exile and a wanderer, seated upon the ruins of Carthage.'

It is used as a literary allusion to express the unforeseen dramatic element in human vicissitudes.

2. **quoique lord Byron** etc., allusion to the '*Lament of Tasso*' inspired by Byron's sojourn in Ferrara, the scene of the Italian poet's woes.

Page 249. — 1. **payait rubis sur l'ongle,** 'paid on the nail' (which, by the way, in English, is not the finger nail, as it is in French); i. e. *exactly, to the last farthing.* In this expression *rubis* means 'bead, drop'; cf. *faire rubis sur l'ongle*, to drain one's glass so thoroughly, that by turning it upside down only a tiny bead or drop would trickle down and stay on the finger nail.

Page 250. — 1. **accident,** a rather quaint way of speaking of a grim accident, death upon the scaffold.

2. **nous avons vu tomber l'empereur,** etc. Napoleon abdicated in April 1814, escaped from the island of Elba, February 1815, and again fell from power in June of the same year, after Waterloo.

Page 251. — 1. **chigner,** popular, *snivel.*

Page 253. — 1. **La Vallière** (*Louise de*), a mistress of Louis XIV, who after having been superseded in the King's affections by Mme de Montespan, retired to a convent.

2. **duc de Vermandois,** illegitimate son of Louis XIV and Louise de La Vallière.

Page 254. — 1. **hésité à franchir le Rubicon parisien,** as Caesar before had hesitated to cross the Italian stream. *Franchir le Rubicon* has become proverbial to express a sudden and irrevocable resolution.

Page 258. — 1. **en blanc,** *blank.*

Page 259. — 1. **pieds et poings liés,** *unconditionally; at one's mercy.*

Page 260. — 1. **serré de près,** *hard pressed.*

2. **gars,** pronounced *ga.*

3. **titres récognitifs** (ré-kog-ni-tif), *recognizances*.

4. **séparée quant aux biens**, judicial separation of property, between man and wife, as distinguished from *séparation de corps*, cessation of cohabitation by judicial judgment.

Page 261. — 1. **sué des averses**, the same as *sué sang et eau; toiled and moiled*.

2. **tirer ça au clair**, *find out the exact situation of affairs*.

3. **t'a mise à la chaîne**, *made a slave of you; held you in bondage*.

4. **le tricoterons ferme**, etc., *belabor him soundly, and make him toe the mark*.

Page 262. — 1. **place de Grève**, see page 216, note 2.

Page 270. — 1. **Sainte-Pélagie**, a debtors' prison, now torn down.

2. **d'un beau froid**, *beautifully cold (hearted)*.

Page 271. — 1. **vilaine comme l'or**, colloquial, *mean as dirt;* the qualification of meanness being given to the object of the miser's greed, instead of the miser.

Page 273. — 1. **remplaçant**, Goriot would have been too old in any case. Substitutes in the army were paid as high as 3000 francs ($600).

2. **Banque**, see page 47, note 2.

Page 276. — 1. **dénaturer**, see page 15, note 1.

Page 277. — 1. **interne**, the same as *externe* (see page 7, note 4), except that the *interne* lives in the hospital. — **Cochin**, see page 224, note 2.

Page 278. — 1. **apoplexie séreuse**, the characteristic form of which is an effusion of serous fluid to the brain.

Page 281. — 1. **éclopé**, *in a pitiful state* (lit., 'crippled').

2. **le 15 de février**, *de* is now usually left out.

Page 282. — 1. **tout ce qu'il possédait de vaillant**, *all he was worth; all he possessed. Vaillant* is the archaic present participle of *valoir; de* expletive.

2. **sacré**, *cursed; confounded*.

Page 284. — 1. **n'en ai fait ni une ni deux**, *did not hesitate an instant; did not think twice about it.* — **rafistolé, requinqué**, colloquial, *spruced up; put on best Sunday clothes*.

2. **Victoire**, Mme de Restaud's maid.

Page 285. — 1. **en nature**, *in its natural state*.

Page 286. — 1. **Mosé** (*in Egitto*), *Moses in Egypt*, an opera by Rossini, first produced in Paris in 1822.

Page 289. — 1. **Tantale**, cf. page 139, note 2.

Page 290. — 1. **piaffait**, *strutted;* may also refer to the horse, if the gendarme was mounted: 'pawed the ground; pranced.'

2. **la Grande Mademoiselle**, the Duchess of Montpensier, cousin of Louis XIV, fell violently in love with Count de Lauzun, whom some think she secretly married.

Page 291. — **Niobé**, in Greek mythology, a princess who provoked the anger of Artemis by boasting of her numerous progeny, and was punished by seeing all her children die, pierced with arrows, while she herself was metamorphosed into stone. References to Niobe and her sorrows are frequent in literature.

Page 298. — 1. **Gall**, see page 58, note 1.

2. **Hôtel-Dieu**, the most important hospital in Paris.

3. **invasion**, i.e. of the serous fluid to the brain.

Page 299. — 1. **Incurables**, see page 7, note 2.

Page 301. — 1. **à la charité**, *reduced to beggary*.

Page 302. — 1. **amidon en aiguilles**, probably the usual commercial starch, broken up into small sticks.

Page 303. — 1. **Ah ouin!** An expression of disgust and futile effort.

Page 305. — 1. **a été à son adresse**, *struck home*.

Page 307. — 1. **viatique**, *viaticum*, or *eucharist* (administered to a dying person), with which the last kiss is compared.

Page 308. — 1. **course**, fare.

Page 309. — 1. **ligne**, i. e. *troupe de ligne*.

Page 316. — 1. **tortiller de l'œil**, slang for *mourir*.

Page 317. — 1. **pour un rien je . . .** *a little more and I . . .; I have half a mind to . . .*

2. **sortir les pieds en avant**, colloquial, *to be taken out in a coffin*.

3. **retournés**, i. e. already used, but cleaner on one side than on the other.

Page 322. — 1. médecin de la mairie, medical examiner.

2. crevé, vulgar for *mort;* applied only to animals: *chien, cha[t] crevé.*

Page 323. — 1. fond sanglé (*lit de sangle*), *folding-bed,* or *cot.*

Page 324. — 1. Pompes funèbres, *administration of funerals in Paris.*

Page 325. — 1. touché, i. e. for the purpose of sprinkling the coffin, according to custom in Roman Catholic countries.

Page 326. — 1. Libera, the beginning of a Latin prayer said, and *De profundis,* a psalm sung for the dead in Roman Catholic churches.

Page 327. — 1. Colonne de la place Vendôme, erected by Napoleon, in honor of the Grand Army; destroyed by the *Commune* in 1871; replaced in 1875.

2. Invalides, a great establishment, founded in 1670 at Paris, for disabled and infirm soldiers. Under the Dome, since 1840, stands the mausoleum of Napoleon.

Heath's Modern Language Series

FRENCH GRAMMARS, READERS, ETC.

Armand's Grammaire Elémentaire.

Blanchaud's Progressive French Idioms.

Bouvet's Exercises in French Syntax and Composition.

Bowen's First Scientific French Reader.

Bruce's Dictées Françaises.

Bruce's Grammaire Française.

Bruce's Lectures Faciles.

Capus's Pour Charmer nos Petits.

Chapuzet and Daniels' Mes Premiers Pas en Français.

Clarke's Subjunctive Mood. An inductive treatise, with exercises.

Comfort's Exercises in French Prose Composition.

Davies's Elementary Scientific French Reader.

Edgren's Compendious French Grammar.

Fontaine's En France.

Fontaine's Lectures Courantes.

Fontaine's Livre de Lecture et de Conversation.

Fraser and Squair's Abridged French Grammar.

Fraser and Squair's Complete French Grammar.

Fraser and Squair's Shorter French Course.

French Verb Blank (Fraser and Squair).

Grandgent's Essentials of French Grammar.

Grandgent's French Composition.

Grandgent's Short French Grammar.

Heath's French Dictionary.

Hénin's Méthode.

Hotchkiss's Le Premier Livre de Français.

Knowles and Favard's Grammaire de la Conversation.

Mansion's Exercises in French Composition.

Mansion's First Year French. For young beginners.

Martin's Essentials of French Pronunciation.

Martin and Russell's At West Point.

Méras' Le Petit Vocabulaire.

Pattou's Causeries en France.

Pellissier's Idiomatic French Composition.

Perfect French Possible (Knowles and Favard).

Prisoners of the Temple (Guerber). For French composition.

Roux's Lessons in Grammar and Composition, based on *Colomba*.

Schenck's French Verb Forms.

Snow and Lebon's Easy French.

Story of Cupid and Psyche (Guerber). For French composition.

Super's Preparatory French Reader.

Heath's Modern Language Series

ELEMENTARY FRENCH TEXTS.

Heath's Modern Language Series

INTERMEDIATE FRENCH TEXTS. (Partial List.)

About's La Mère de la Marquise (Brush). Vocabulary.

About's Le Roi des Montagnes (Logie).

Barzac: Cinq Scènes de la Comédie Humaine (Wells). Glossary.

Balzac's Eugénie Grandet (Spiers). Vocabulary.

Balzac's Le Curé de Tours (Super). Vocabulary.

Chateaubriand's Atala (Kuhns). Vocabulary.

Contes des Romanciers Naturalistes (Dow and Skinner). **Vocab.**

Daudet's La Belle-Nivernaise (Boielle). Vocabulary.

Daudet's Le Petit Chose (Super). Vocabulary.

Daudet's Tartarin de Tarascon (Hawkins). Vocabulary.

Dumas's Duc de Beaufort (Kitchen). Vocabulary.

Dumas's La Question d'Argent (Henning). Vocabulary.

Dumas's La Tulipe Noire (Fontaine).

Dumas's Les Trois Mousquetaires (Spiers). Vocabulary.

Dumas's Monte-Cristo (Spiers). Vocabulary.

Feuillet's Roman d'un jeune homme pauvre (Bruner). Vocabulary.

Gautier's Voyage en Espagne (Steel).

Gréville's Dosia (Hamilton). Vocabulary.

Hugo's Bug Jargal (Boïelle).

Hugo's La Chute. From *Les Misérables* (Huss). Vocabulary.

Hugo's Quatre-vingt-treize (Fontaine). Vocabulary.

Labiche's La Cagnotte (Farnsworth).

La Brète's Mon Oncle et mon Curé (Colin). Vocabulary

Lamartine's Graziella (Warren).

Lamartine's Jeanne d'Arc (Barrère). Vocabulary.

Lamartine's Scènes de la Révolution Française (Super). **Vocab.**

Lesage's Gil Blas (Sanderson).

Maupassant: Huit Contes Choisis (White). Vocabulary.

Michelet: Extraits de l'histoire de France (Wright).

Musset: Trois Comédies (McKenzie).

Sarcey's Le Siège de Paris (Spiers). Vocabulary.

Taine's L'Ancien Régime (Giese). Vocabulary.

Theuriet's Bigarreau (Fontaine). Vocab. and exercises.

Tocqueville's Voyage en Amérique (Ford). Vocabulary.

Vigny's Cinq-Mars (Sankey). Abridged.

Vigny's Le Cachet Rouge (Fortier).

Vigny's La Canne de Jonc (Spiers).

Voltaire's Zadig (Babbitt). Vocabulary.

Heath's Modern Language Series

INTERMEDIATE FRENCH TEXTS. (Partial List.)

Augier's Le Gendre de M. Poirier (Wells). Vocabulary.

Bazin's Les Oberlé (Spiers). Vocabulary.

Beaumarchais's Le Barbier de Séville (Spiers). Vocabulary.

French Lyrics (Bowen).

Gautier's Jettatura (Schinz).

Halévy's L'Abbé Constantin (Logie). Vocabulary.

Halévy's Un Mariage d'Amour (Hawkins). Vocabulary.

Historiettes Modernes (Fontaine).

La France qui travaille (Jago). Vocabulary.

Lectures Historiques (Moffett). Vocabulary.

Loti's Le Roman d'un Enfant. (Whittem). Vocabulary.

Loti's Pêcheur d'Islande (Super). Vocabulary.

Loti's Ramuntcho (Fontaine).

Marivaux's Le Jeu de l'amour et du hasard (Fortier). Vocab.

Mérimée's Chronique du Règne de Charles IX (Desages).

Mérimée's Colomba (Fontaine). Vocabulary.

Molière en Récits (Chapuzet and Daniels). Vocabulary.

Molière's L'Avare (Levi).

Molière's Le Bourgeois Gentilhomme (Warren). Vocabulary.

Molière's Le Médecin Malgré Lui (Hawkins). Vocabulary.

Pailleron's Le Monde où l'on s'ennuie (Pendleton). Vocabulary.

Poèmes et Chants de France (Daniels and Travers). Vocabulary.

Racine's Andromaque (Wells). Vocabulary.

Racine's Athalie (Eggert).

Racine's Esther (Spiers). Vocabulary.

Renan's Souvenirs d'Enfance et de Jeunesse (Babbitt).

Sand's La Mare au Diable (Sumichrast). Vocabulary.

Sand's La Petite Fadette (Super). Vocabulary.

Sandeau's Mlle de la Seiglière (Warren). Vocabulary.

Sardou's Les Pattes de Mouche (Farnsworth). Vocabulary.

Scribe's Bataille de Dames (Wells). Vocabulary.

Scribe's Le Verre d'Eau (Eggert). Vocabulary.

Sept Grands Auteurs du XIXe Siècle (Fortier). Lectures.

Souvestre's Un Philosophe sous les Toits (Fraser). Vocabulary.

Thiers's Expédition de Bonaparte en Egypte (Fabregou).

Verne's Tour du Monde en quatre-vingts jours (Edgren). Vocab.

Verne's Vingt mille lieues sous les mers (Fontaine). Vocab.

Zola's La Débâcle (Wells). Abridged.

Heath's Modern Language Series

ADVANCED FRENCH TEXTS.

Balzac's Le Père Goriot (Sanderson).

Boileau: Selections (Kuhns).

Bornier's La Fille de Roland (Nelson).

Bossuet: Selections (Warren).

Calvin: Pages Choisies (Jordan).

Corneille's Cinna (Matzke).

Corneille's Horace (Matzke).

Corneille's Le Cid (Warren). Vocabulary.

Corneille's Polyeucte (Fortier).

Delpit's L'Âge d'Or de la Littérature Française.

Diderot: Selections (Giese).

Duval's Histoire de la Littérature Française.

French Prose of the XVIIth Century (Warren).

Hugo's Hernani (Matzke).

Hugo's Les Misérables (Super). Abridged.

Hugo's Les Travailleurs de la Mer (Langley). Abridged.

Hugo's Poems (Schinz).

Hugo's Ruy Blas (Garner).

La Bruyère: Les Caractères (Warren).

Lamartine's Méditations (Curme).

La Triade Française. Poems of Lamartine, Musset, and Hugo.

Lesage's Turcaret (Kerr).

Maîtres de la Critique lit. au XIXe Siècle (Comfort).

Molière's Le Misanthrope (Fortier).

Molière's Les Femmes Savantes (Fortier).

Molière's Les Fourberies de Scapin (McKenzie). Vocabulary.

Molière's Les Précieuses Ridicules (Toy).

Molière's Le Tartuffe (Wright).

Montaigne: Selections (Wright).

Pascal: Selections (Warren).

Racine's Les Plaideurs (Wright).

Racine's Phèdre (Babbitt).

Rostand's La Princesse Lointaine (Borgerhoff).

Voltaire's Prose (Cohn and Woodward).

Voltaire's Zaïre (Cabeen).

ROMANCE PHILOLOGY.

Introduction to Vulgar Latin (Grandgent).

Provençal Phonology and Morphology (Grandgent).

Heath's Modern Language Series

SPANISH AND ITALIAN

Alarcón's El Capitán Veneno (Ford). Vocabulary.
Alarcón's Novelas Cortas Escogidas (Remy). Vocabulary.
Asensi's Victoria y otros Cuentos (Ingraham). Vocabulary.
A Trip to South America (Waxman).
Bransby's Spanish Reader.
Caballero's Un Servilón y un Liberalito (Bransby). Vocabulary.
Cervantes's Don Quijote (Ford). Selections. Vocabulary.
Cuentos Castellanos (Carter and Malloy). Vocabulary.
Cuentos Modernos (DeHaan and Morrison). Vocabulary.
Echegaray's O Locura ó Santidad (Geddes and Josselyn).
Ford's Exercises in Spanish Composition.
Galdós's Marianela (Geddes and Josselyn). Vocabulary.
Gutiérrez's El Trovador (Vaughan). Vocabulary.
Hills and Ford's First Spanish Course.
Hills and Ford's Spanish Grammar.
Ingraham-Edgren Spanish Grammar.
Introducción á la Lengua Castellana (Marion and des Garennes).
Lecturas Modernas (Downer and Elías). Vocabulary.
Matzke's Spanish Reader.
Nelson's The Spanish-American Reader.
Nuñez de Arce's El Haz de Leña (Schevill).
Padre Isla's Lesage's Gil Blas (Geddes and Josselyn). Vocabulary.
Quinteros's Doña Clarines and Mañana de Sol (Morley). Vocab.
Remy's Spanish Composition.
Spanish Anecdotes (Giese). Vocabulary.
Spanish Commercial Correspondence (Whittem and Andrade).
Spanish Short Stories (Hills and Reinhardt). Vocabulary.
Spanish Verb Blanks (Spiers).
Taboada's Cuentos Alegres (Potter). Vocabulary.
Tamayo's Lo Positivo (Harry and De Salvio). Vocabulary.
Valdés's Capitán Ribot (Morrison and Churchman). Vocabulary.
Valdés's José (Davidson). Vocabulary.
Valera's Pepita Jiménez (Lincoln). Vocabulary.
Ybarra's Practical Method in Spanish.

Bowen's Italian Reader.
Dante's Divina Commedia (Grandgent).
Fogazzaro's Pereat Rochus (De Salvio). Vocabulary.
Goldoni's Il vero Amico (Geddes and Josselyn). Vocabulary.
Goldoni's La Locandiera (Geddes and Josselyn). Vocabulary.
Goldoni's Un curioso Accidente (Ford).
Grandgent's Italian Composition.
Grandgent's Italian Grammar.
Italian Short Stories (Wilkins and Altrocchi). Vocabulary.
Manzoni's I promessi sposi (Geddes and Wilkins). Vocabulary.

Heath's Modern Language Series

GERMAN GRAMMARS AND READERS.

Ball's German Drill Book. Companion to any grammar.

Ball's German Grammar.

Bishop and McKinlay's Deutsche Grammatik.

Deutsches Liederbuch. With music.

Foster's Geschichten und Märchen. For young children.

Fraser and Van der Smissen's German Grammar.

Greenfield's Grammar Summary and Word List.

Guerber's Märchen und Erzählungen.

Haertel and Cast's Elements of Grammar for Review.

Harris's German Composition.

Harris's German Lessons.

Hastings' Studies in German Words.

Heath's German Dictionary.

Hewitt's Practical German Composition.

Holzwarth's Gruss aus Deutschland.

Huebsch-Smith's Progressive Lessons in German.

Huebsch-Smith's Progressive Lessons in German. Rev.

Huss's German Reader.

Jones's Des Kindes erstes Lesebuch

Joynes-Meissner German Grammar.

Joynes and Wesselhoeft's German Grammar.

Krüger and Smith's Conversation Book.

Manfred's Ein praktischer Anfang.

Méras' Ein Wortschatz.

Mosher and Jenney's Lern- und Lesebuch.

Pattou's An American in Germany. A conversation book.

Schmidhofer's Lese-Übungen für Kinder.

Schmidhofer's Erstes Lesebuch.

Schmidhofer's Zweites Lesebuch.

Spanhoofd's Elementarbuch der deutschen Sprache.

Spanhoofd's Erstes deutsches Lesebuch.

Spanhoofd's Lehrbuch der deutschen Sprache.

Wallentin's Grundzüge der Naturlehre (Palmer).

Wesselhoeft's Elementary German Grammar.

Wesselhoeft's Exercises. Conversation and composition.

Wesselhoeft's German Composition

Zinnecker's Deutsch für Anfänger.

Heath's Modern Language Series

ELEMENTARY GERMAN TEXTS. (Partial List.)

Andersen's Bilderbuch ohne Bilder (Bernhardt). Vocabulary.

Andersen's Märchen (Super). Vocabulary.

Aus der Jugendzeit (Betz). Vocabulary and exercises.

Baumbach's Nicotiana (Bernhardt). Vocabulary.

Baumbach's Waldnovellen (Bernhardt). Six stories. Vocabulary.

Benedix's Der Prozess (Wells). Vocabulary.

Benedix's Nein (Spanhoofd). Vocabulary and exercises.

Blüthgen's Das Peterle von Nürnberg (Bernhardt). Vocab. and exs.

Bolt's Peterli am Lift (Betz). Vocabulary and exercises.

Campe's Robinson der Jüngere (Ibershoff). Vocabulary.

Carmen Sylva's Aus meinem Königreich (Bernhardt). Vocabulary.

Die Schildbürger (Betz). Vocabulary and exercises.

Der Weg zum Glück (Bernhardt). Vocabulary and exercises.

Deutscher Humor aus vier Jahrhunderten (Betz). Vocab. and exercises.

Elz's Er ist nicht eifersüchtig (Wells). Vocabulary.

Gerstäcker's Germelshausen (Lewis). Vocabulary and exercises.

Goethe's Das Märchen (Eggert). Vocabulary.

Grimm's Märchen and Schiller's Der Taucher (Van der Smissen).

Hauff's Das kalte Herz (Van der Smissen). Vocab. Roman type.

Hauff's Der Zwerg Nase (Patzwald and Robson). Vocab. and exs.

Heyse's L'Arrabbiata (Deering-Bernhardt). Vocab. and exercises.

Heyse's Niels mit der offenen Hand (Joynes). Vocab. and exercises.

Hillern's Höher als die Kirche (Clary). Vocabulary and exercises.

Leander's Träumereien (Van der Smissen). Vocabulary.

Münchhausen: Reisen und Abenteuer (Schmidt). Vocabulary.

Rosegger's Der Lex von Gutenhag (Morgan). Vocab. and exercises.

Salomon's Die Geschichte einer Geige (Tombo). Vocab. and exercises.

Schiller's Der Neffe als Onkel (Beresford-Webb). Vocabulary.

Spyri's Moni der Geissbub (Guerber). Vocabulary.

Spyri's Rosenresli (Boll). Vocabulary.

Spyri's Was der Grossmutter Lehre bewirkt (Barrows). Vocab. and exs.

Storm's Geschichten aus der Tonne (Vogel). Vocab. and exs.

Storm's Immensee (Bernhardt). Vocabulary and exercises.

Storm's In St. Jürgen (Wright). Vocabulary and exercises.

Storm's Pole Poppenspäler (Bernhardt). Vocab. and exercises.

Till Eulenspiegel (Betz). Vocabulary and exercises.

Volkmann's Kleine Geschichten (Bernhardt). Vocabulary.

Zschokke's Der zerbrochene Krug (Joynes). Vocabulary and exercises.

Heath's Modern Language Series

INTERMEDIATE GERMAN TEXTS. (Partial List.)

Arndt, Deutsche Patrioten (Colwell). Vocabulary.

Benedix's Die Hochzeitsreise (Schiefferdecker). Vocabulary.

Böhlau's Ratsmädelgeschichten (Haevernick). Vocabulary.

Chamisso's Peter Schlemihl (Primer). Vocabulary.

Deutsche Gedichte und Lieder (Roedder and Purin). Vocabulary.

Eichendorff's Aus dem Leben eines Taugenichts (Osthaus). Vocab.

Ernst's Asmus Sempers Jugendland (Osthaus). Vocabulary.

Goethe's Hermann und Dorothea (Adams). Vocabulary.

Goethe's Sesenheim (Huss). From *Dichtung und Wahrheit*. Vocab.

Hauff's Lichtenstein (Vogel). Abridged.

Heine's Die Harzreise (Vos). Vocabulary.

Hoffmann's Historische Erzählungen (Beresford-Webb).

Jensen's Die braune Erica (Joynes). Vocabulary.

Keller's Fähnlein der sieben Aufrechten (Howard). Vocabulary.

Keller's Romeo und Julia auf dem Dorfe (Adams). Vocabulary.

Lambert's Alltägliches. Vocabulary and exercises.

Lohmeyer's Geissbub von Engelberg (Bernhardt). Vocab. and exs.

Lyrics and Ballads (Hatfield).

Meyer's Gustav Adolfs Page (Heller).

Mosher's Willkommen in Deutschland. Vocabulary and exercises.

Novelletten-Bibliothek (Bernhardt).

Raabe's Eulenpfingsten (Lambert). Vocabulary.

Riehl's Burg Neideck (Jonas). Vocabulary and exercises.

Rogge's Der grosse Preussenkönig (Adams). Vocabulary.

Schiller's Der Geisterseher (Joynes). Vocabulary.

Schiller's Dreissigjähriger Krieg (Prettyman). Book III.

Selections for Sight Translation (Mondan).

Shorter German Poems (Hatfield). Vocabulary.

Spielhagen's Das Skelett im Hause (Skinner). Vocabulary.

Stifter's Das Haidedorf (Heller).

Stökl's Alle fünf (Bernhardt). Vocab. and exercises.

Unter dem Christbaum (Bernhardt).

Wildenbruch's Das edle Blut (Schmidt). Vocab. and exercises.

Wildenbruch's Der Letzte (Schmidt). Vocab. and exercises.

Wildenbruch's Neid (Prettyman). Vocabulary.

Zschokke's Das Abenteuer der Neujahrsnacht (Handschin). Vocab.

Zschokke's Das Wirtshaus zu Cransac (Joynes). Vocab. and exs.

Heath's Modern Language Series

INTERMEDIATE GERMAN TEXTS.   (Partial List.)

Arnold's Aprilwetter (Fossler).   Vocabulary.

Arnold's Fritz auf Ferien (Spanhoofd).   Vocab. and exercises.

Arnold's Menne im Seebad (Thomas).   Vocab. and exercises.

Auf der Sonnenseite (Bernhardt).   Vocabulary.

Baumbach's Das Habichtsfräulein (Bernhardt).   Vocab. and exs.

Baumbach's Der Schwiegersohn (Bernhardt).

Baumbach's Die Nonna (Bernhardt).   Vocabulary.

Drei kleine Lustspiele (Wells).   Vocabulary and exercises.

Ebner-Eschenbach's Die Freiherren von Gemperlein (Hohlfeld).

Freytag's Die Journalisten (Toy).   Vocabulary.

Frommel's Eingeschneit (Bernhardt).   Vocabulary.

Frommel's Mit Ränzel und Wanderstab (Bernhardt).   Vocab. and exs

Fulda's Der Talisman (Prettyman).   Vocabulary.

Gerstäcker's Der Wilddieb (Myers).   Vocabulary and exercises.

Gerstäcker's Irrfahrten (Sturm).   Vocabulary.

Grillparzer's Der arme Spielmann (Howard).   Vocabulary.

Heyse's Das Mädchen von Treppi (Joynes).   Vocab. and exercises.

Heyse's Hochzeit auf Capri (Bernhardt).   Vocab. and exercises.

Hoffmann's Gymnasium zu Stolpenburg (Buehner).   Vocabulary.

Keller's Die drei gerechten Kammacher (Collings).   Vocabulary.

Keller's Kleider machen Leute (Lambert).   Vocabulary.

Liliencron's Anno 1870 (Bernhardt).   Vocabulary.

Moser's Der Bibliothekar (Wells).   Vocabulary.

Moser's Köpnickerstrasse 120 (Wells).

Riehl's Das Spielmannskind (Eaton).   Vocabulary and exercises.

Riehl's Der Fluch der Schönheit (Thomas).   Vocabulary.

Schiller's Das Lied von der Glocke (Chamberlin).   Vocabulary.

Schiller's Jungfrau von Orleans (Wells).   Illus. Vocab.

Schiller's Maria Stuart (Rhoades).   Illustrated.

Schiller's Wilhelm Tell (Deering).   Illustrated. Vocab.

Seidel: Aus goldenen Tagen (Bernhardt).   Vocab. and exercises.

Seidel's Leberecht Hühnchen (Spanhoofd).   Vocabulary.

Selections for Sight Translation (Deering).

Stern's Die Wiedertäufer (Sturm).   Vocabulary and exercises.

Stille Wasser (Bernhardt).   Three tales. Vocabulary.

Wichert's Als Verlobte empfehlen sich (Flom).   Vocabulary.

Wilbrandt's Das Urteil des Paris (Wirt).